# 銀行占拠

木宮条太郎

# 銀行占拠

目次

# プロローグ

夜明け前の路地裏は冷え込んでいる。

街路灯の薄明かりの中、ビル通用口に立った。鉄扉に鍵を差し込んでゆっくり回す。解錠の音。社員証を通して暗証番号を押す。甲高《かんだか》い電子音。改めて周囲を確認した。大丈夫、誰もいない。

ビル内に入り、真暗闇《まっくらやみ》の中を壁伝いに進む。廊下の突き当たり迄来て、照明スイッチを探った。

まぶしい。

目の前には、ありふれた店舗光景がある。端末が並ぶ受付カウンター、カウンターの内に事務机。奥の壁には大量の伝票を保管する書類棚。ここからは見えないが、フロア隅には金庫室もあるだろう。聞こえるは、己の心臓の鼓動のみ。

突然、電話が鳴った。

カウンターを土足で飛び越え、電話に駆け寄る。受話器を取り、黙って耳に当てた。

「こちら東京シティ警備の第一監視センターですが」

手に汗が滲《にじ》む。息の乱れが伝わらないよう「ご苦労様です」とだけ答えた。

「こちらで見ましたところ、先程、警備解除されたようですが。随分、早い時刻ですから、念のための確認を」

彼らは、マニュアルに定められた確認作業をしているに過ぎない。わざとのんびりとした口調で「いやあ、すみませんねえ」と返した。

「こちらから連絡すれば良かった。昨晩、やり残した仕事がありまして。朝一、提出するものですから、早出をして片付けておこうかと」

「失礼ですが、お名前を」

「江本です。営業三課の江本ですが」

「ああ、江本さん。はい、はい……今週、店舗開閉の当番の方ですね。分かりました。お疲れ様です。失礼しました」

声が能天気な調子に変わるのを確認して、電話を置いた。警備会社からの確認は予想の範囲内。これで、しばらく邪魔は入らない。

階段を上がる。二階フロアに入った。

一階同様の光景を見回し、フロア隅にある制御盤へと向かった。蓋《ふた》を開け、レバーの列に目を走らせる。動力系の自動制御レバーを全部下ろした。これで、店舗シャッターは動かない。動かす方法は二つしかない。店内からシャッターを直接解錠し手で強引に持ち上げるか、この制御盤の開扉レバーを入れるか、だ。外部から開ける方法は無い。

前段階の準備は、もう一つある。

カウンター奥の警備システムへと向かった。監視モニターの電源を入れると、画面に、店内外の数ヶ所が映った。夜明け前のこの時刻、どの画面も暗く何も分からない。だが、日が昇れば便利な道具、いながらにして、状況が一目で把握できる。しかも、この端末で店内の扉は施錠解錠できる。便利な事、この上ない。会社にとっても、この俺にとっても。

前段階は完了。カウンター奥の時計を見やった。午前五時五〇分。予定通り。だが、これから約二時間、やる事は山ほどある。

カウンターから出ようとすると、何かに、つまずきそうになった。机の下からゴルフのパターが出ていた。ため息が出る。こんな物を堂々と会社に置くとは、既に気分はバブルに舞い戻ったらしい。

パターを手に取り、宙で振り回した。空《くう》を切る音がする。カウンターの花瓶の花が揺れる。振り回しつつ自問した。まだ引き返せない事はない。何も無かったかのように、ここを出ていく。そうすれば罪は軽い。さあ、どうする。

花瓶に向かって、パターを野球のバッティングポーズで構えた。薄ら笑いを浮かべる。息を止めて、パターを横一直線に振り抜いた。

花瓶が砕け、破片が散る。花が壁へと飛んでいく。

水飛沫《みずしぶき》で濡《ぬ》れた額を拭《ぬぐ》い、パターを床に放った。

これでどうだ。花瓶は砕け散った。水は零《こぼ》れ、花はぶっ飛んだ。これを元通りにする事など、誰にもできはしない。幕は開いた。もう後戻りはできない。

# 第一章

## 1

邦和信託銀行　経営企画部　伝票倉庫　午前7時50分

何かうるさく鳴っている。目覚ましか、いや携帯電話か。

古賀は夢うつつのまま手を伸ばした。手が空を切る。更に手を伸ばそうと体を傾けると、床へと落ちた。壁の伝票棚にぶつかる。その途端、頭に書類が落ちてきた。伝票の束か、シュレッダー予定の書類ゴミか。段ボール一箱分はありそうだ。

伝票倉庫に静寂が戻った。身を起こすと、肩から書類が落ちる。小窓が明るいところをみると、もう朝らしい。

ぼんやりとした頭の中で考えた。何時間くらい寝たろうか。昨晩、仕事に一区切りつけたのは三時半。それから一通りメールをチェックし直して、この伝票倉庫のソファで横になった。今日も四時間弱といったところか。それでも、帰宅するより長く寝られた事は間違いない。ソファで寝ると体は痛くなるし、寝ぼけるとすぐ床に落ちるという難点はあるが、まあ、もう慣れた。

古賀は床の書類を手に取った。タイトルに『邦和信託銀行　中間決算短信』とある。一昨日の決算発表で余った分だろう。随分、いい加減に積んでいたらしい。舌打ちして、床の書類をかき集めた。空いている棚に適当に突っ込む。いい加減にしていたものは、いい加減に戻す。それでいい。

書類を片付けて、ようやく携帯を見つけた。妻の涼子からメールが来ていた。

『お泊りの約束、目覚ましメールです。今日は帰れるの？　帰る時は電話くださいね。涼子』

古賀は顔をしかめた。目覚ましコールも、最初は電話だった。それがメールに変わった。そのメールも昨日迄は『帰れない時は電話』だったが、今朝は『帰る時は』になっている。優しげに見せつつも、涼子の怒りは微妙に増してきている。今日は早めに帰宅せねばならない。

古賀は携帯を仕舞い立ち上がった。仕事の事を考えると、朝からため息が出る。

今日も、経営企画部の管理会計グループの机で、面倒な作業が待っている。担当業務は部店別、業務別の収支。これをもとに「どの店が儲《もう》かっている」とか「どの業務が赤字だ」とかが議論されるから、結構、重要な仕事ではある。だが、実務は単調で面倒臭い作業の連続だ。簡単に業務別といっても、本部一括で支払い、割り振りが明確でない費用も多い。おまけに決算毎《ごと》に数字の洗い直し作業が待つ。

つくづく思う。この手の仕事は精緻《せいち》さを求めると、きりが無いのだ。通常は、人数なり売上なりに比例按分《あんぶん》して、割れない費用等も強引に割り振る。だが、次長の牧原は、口癖のように「考えられる限り精緻にな」と言う。この間は「業務毎に会社を設立した想定でやれ」とまで言われた。精緻さはいい。だが、その度に余計な作業は激増する。

おまけに信託銀行という特殊性もあるのだ。信託銀行といっても、何をやっている会社か、はっきり言える人は少ない。無論、通常の銀行と同じ事もやるのだが、銀行業務と関係無い事もやる。業務は互いに関係性が無いと言えるほど、多岐《たき》にわたる。高度な数学を駆使する年金数理と、適度なハッタリがコツと言い切る不動産仲介が、一つ屋根の下にいるのだ。

特性も方向性も違う業務を対象に「精緻に」収支を計算せねばならない。そこに無理はある、と思う。信託銀行はゴッタ煮金融と言う人がいる。しかも、このゴッタ煮の具は、極めてうるさく、好き勝手を言う。上意下達《じょういかたつ》なんてできた試しが無い。どうも、そういう業界風土らしい。

おまけに上から下まで根強いこだわりがある。働いているのは「社員」であって、「行員」と呼ばれようものなら、大抵の者が拒絶反応を起こす。会社に「頭取」などはおらず、トップは普通の会社と同じく「社長」だ。銀行業務などほとんど知らない専門家が社内を闊歩《かっぽ》し、「現場間で調整を」などと言おうものなら、意地でも己が業界用語で話し続け、永遠に終わらない。その度に、こっちは右往左往だ。評論家曰く、金融界の異次元空間。もっとも、今更、別次元に行きたいとは思わないのだが。

古賀は時計を確認した。八時五分。大きく伸びをしてから欠伸《あくび》をする。倉庫から机へと通勤時間約三分。面倒で泥臭い一日が始まる。

古賀は倉庫から業務フロアに出た。差し込む朝日に目を細めつつ、経営企画部に足を向けた。フロアは幾つかの区画に分かれ、経営企画、人事、広報の三部で使っている。経営企画部はフロアの奥、人事部に隣接した一画にある。

経営企画部には、次長の牧原だけが来ていた。決算発表の直後のせいか、本部の朝はゆっくりとしたものだ。挨拶《あいさつ》して自席へと寄ると、牧原が新聞から顔を上げた。苦笑いしつつ頭に手をやった。

「古賀、また、泊ったな。派手な寝癖だ。洗面で直してこい」

古賀は慌てて髪を押さえた。机から歯ブラシを取り出し、洗面所に向かう。洗面の鏡の前に立った。なるほど、鳥の頭のように見える。水で直してみるが、全部は直らない。やはり、歯ブラシだけでなく、寝癖直しも机に置いておくべきかもしれない。

後ろから笑い声が聞こえた。

「そのままジェルで固めてしまえ。イメチェンや。仕事に厳しい古賀君も、こんなに愉快になりました、てな」

人事部にいる同期、太田だった。太田も歯ブラシを手にしていた。長身痩《や》せの自分と短身肥満の太田が、並んで鏡に映る。まるで漫才コンビのようだ。

太田は歯ブラシを水につけつつ「宿題、済ませたで」と言った。

「さっき、お前の机に資料を置いといた。人件費の業務別、部店別の割り振りや。お前が求めとる精緻さに達しとるかは、分からんけどな。最近のケェーキの要請は細こうて、かなわんわ。おかげで朝の洗面が会社や」

社内では「経営企画」を略して「経企」と呼ぶ。発音すると「ケェーキ」だ。太田は不機嫌になると、これに更に妙なイントネーションをつけて「ケェーキィのアホォ」と叫ぶ。今日はまだ不機嫌というほどではなさそうだ。

「けど、太田、昨日は家に帰ってたじゃないか」

「当たり前よ。やるなら、家でやるわいな。子供の顔、見たいもん。けど、それでも最近、経企の古賀君のおかげで、寝顔しか見てへんのよ」

太田は、饒舌《じょうぜつ》に話し始めた。

「昨日は、お前を恨みつつ、家でやったよ。終わったんは深夜。そしたら、疲れマラやろか、むらむらしてきた。嫁は、もう鼾《いびき》かいて寝とる。けど、こっちは一仕事終えた興奮状態や。布団をめくり上げて『おら、やるど。起きんかい』と言うたら、いきなり殴られた。朝は怖くて、嫁の顔見られへん。逃げるように、家を出てきた。歯も磨かんとや。それで、ここに来た。あかんか」

「すまん。同期に悪い奴《やつ》がいると言っといてくれ。パパがいなくて寂しいお子さんにも」

「もう言ってある。下の子《こ》に買うた怪獣のおもちゃに、コガーと名付けたった。休みの日に、一緒に踏みつけて、遊ぶねん。そらあ、喜ぶで。いやされる瞬間や」

黙って想像してみた。心の中で呟《つぶや》く。それは、どう考えても、教育上良くないぞ、太田。

「古賀、お前も早《は》よう子供作れ。遅う結婚しとるくせに、いつまで新婚気分なんて言うとるんや。確かに子供できると女は変わるよ。けど、そんなもん、どうでもええ。子供の方が、どんどん可愛いなるから。この間も、上の子の学芸会を撮るために、新しいデジカメ買うてな」

太田は胸元に手をやる。嬉《うれ》しそうな顔をした。

「見たい？」

慌てて太田を制した。

「分かった。俺も今夜から励む。ありがと」

逃げるに限る。古賀は、写真を手に不満そうな太田を置いて、洗面所を出た。

経営企画部に戻り、自席に倒れ込むように座った。机のパソコンの電源を入れる。椅子にもたれて、目元を揉《も》んだ。この部署に来て、もう何年だろうか。来たのは金融危機のさなか、二九の時だった。本部所属には少し早い年だが、当時の目玉政策「組織若返り」というやつだ。どうせすぐ転勤になると思っていたら、組織改正やら部店評価の見直しやらが相次ぎ、その度に異動が延期になった。もう在籍六年を超える。いつの間にやら年齢も三五、睡眠不足がこたえるようになった。

パソコンの起動メロディーが流れた。古賀は、ため息をつきつつ、パソコンに向き直った。ここに在籍している以上、文句ばかり言ってもいられない。

毎朝の日課を始めた。まずはニューヨークの株価と為替の確認。次いで新着メールの確認。以上、特に問題無し。三番目は、新規通達の確認。こいつは社内ＬＡＮを見る必要がある。最近は、社内通達のほとんどが、電子メールでの配信か、社内向けホームページへの掲載かで、済まされる。机が通達文書のバインダーで埋まっていた光景が、今では嘘《うそ》のようだ。

画面に社内向けホームページが浮かんだ。

社内通達メニューを見ようとして、古賀は手を止めた。点滅を繰り返す赤い文字がある。

『☆本日の緊急トピックス☆』

古賀は首を傾《かし》げた。こんなメニューなどあったろうか。第一、緊急事項など、最近、耳にしていない。決算発表も増収増益、何の問題も無く済んだし、一一月下旬の今、他に大きな行事も無い。どうせ雑事に違いない。とすると、見るまでもないが……念のためだ、見ておくか。

軽い気分でクリックする。が、画面が切り替わった瞬間、身が固まった。

何だ、これ。

机を叩《たた》く音がする。音の方を見やると、次長の牧原が立ち上がり、自席のパソコンを見つめていた。

「悪ふざけか、これは」

「次長、ご覧になってるの、変な事が書いてある『緊急トピックス』とかいうメニューですよね」

牧原は顔を上げた。頬《ほお》が少し赤い。

「これが改竄《かいざん》か。不正アクセス。先週、海外からの外部侵入で、どこかの県庁のホームページが改竄、とかいうニュースが流れていたが」

「じゃ、外部の誰かが悪意で。しかも社内LANに」

「他に何がある。システム侵入なんて、他人事《ひとごと》だと思っていたが」

古賀は顔をしかめ、机の内線を手に取った。社内LANだから業務や顧客に直接関係ある話ではないが、システム侵入の噂《うわさ》が広まれば、余計な不安が広がる。システムの統括セクション、事務統括部に早急に対応させねばならない。

呼び出し音が響く。

古賀は受話器を握りしめた。誰も出ない。こんな時に一体、何をしている。

単調な呼び出し音が続いた。

2

神田神保町界隈《かいわい》　午前8時10分

大友は地下鉄の出口を出た。人混《ご》みから解放されて息をつく。

今年で五二、通勤が体にこたえるようになってきた。まあ、これも、もう少しの辛抱だ。

大友は大通りを東に向かった。このまま歩いて数分、古書街の先に勤務先、邦和信託銀行神田支店はある。いつも通りの電車、いつも通りの時刻、何も変わりない。が、年が明ければ、この道を通る事も無い。

人事部に呼び出されたのは、一昨日の事だ。千葉にある取引先への出向の打診だった。打診といっても、人事部の言う事、黙って肯《うなず》くしかない。他の者の様子を見る限り、一年くらいで転籍になるだろう。まあ、次男坊も今年就職したし、親としての責務はほぼ果たした。

大友は歩きながら考え続けた。邦和信託に入社して約三〇年。その間、転勤は数知れず、地方への単身赴任もした。そして最後の職場がここ神田支店だ。二度目になる。前回は金融危機のさなか、融資の課長として駆けずり回った。今度は、窓口兼総務の課長として、極めて平穏に会社を去る。転勤人生において両極端な節目を同じ職場で迎える。何とも皮肉な話ではないか。

邦和信託の看板が見えてきた。大友は己に言い聞かせた。人生の節目、いろいろ考える事はある。が、考えたところで、どうにもならぬ事もある。深呼吸して鞄《かばん》を抱え直した。大友は支店裏の路地に入った。

その途端、己《おのれ》が事は頭から吹き飛んだ。慌てて腕の時計を確認した。八時二〇分。店舗裏の路地には社員が溢《あふ》れている。支店社員の半数近く、もう二〇人はいるだろう。

大友は駆けだした。まだ通用口が開いていないらしい。店舗の開閉は在籍社員による当番制、その当番が通用扉を解錠し、警備システムのロックを解除する。その時刻は通常八時である。九時の開店迄には、オンラインの立ち上げや、現金高の確認などの準備がいる。解錠が遅くなると業務開始に支障が出てしまう。

「何やってる。今日の当番、誰なんだ」

建物裏迄来て声を張り上げると、社員達は一斉にこちらを向いた。人混みから女性社員が携帯を手に出てきた。窓口課の部下である事務指導役だった。

「江本君なんですよ。あの子、以前にも寝過ごしの前科があるから。ですけど、寮にかけても、携帯にかけても、出ないんです。数分毎にずっと、かけてるんですけど」

「副支店長は？　緊急用のスペアキーを持ってるだろう。まだか」

「副支店長の通勤、東西線でしょ。今朝、事故で電車停まってるって聞きました。どうします。今日は、朝一の現金出庫がありますし、これ以上遅くなると」

大友は部下の言葉に「分かってる」とだけ返した。午前早々に、不動産決済用の多額の現金を取りに来る予定の客がいるのだ。無論、営業課からの連絡通り、指定金額に分けて渡せるようにしてある。が、その現金は金庫の中、店舗が開かない事には、どうしようもない。

大友は懸命に考えを巡らせた。このまま待ち続けるか。だが、下手《へた》すると何もしないいま、開店時間を迎えてしまいかねない。相変わらず、江本はつかまらないが、副支店長ならどうだろう。どこかで立ち往生しているにせよ、時間から考えて、近く迄来ている可能性は高い。

大友は自分の携帯を取り出し副支店長にかけてみた。幸い電話はすぐにつながり、のんびりとした口調の声が聞こえてきた。

「大友、すまんなあ。茅場町《かやばちょう》で電車停まってな。動かんから地上に出た。大手町迄歩き続けるか、タクシーに乗るか、迷いながら歩いてて、呉服橋の手前辺り迄来たかな」

大友は手短に状況を説明した。

「副支店長、そろそろ、まずいです。警備会社を呼びますか。控えの鍵を本部から渡されているはずですから」

「待て。そんな事したら、本部から何と言われるか分からん。それに今から呼んでも、結局、ギリギリだろう。それなら、俺がタクシーでそっちに向かう。九時定刻迄に店が開けられれば、取り敢《あ》えず、いいだろ。客には、なんだかんだ理由つけて、店の中で待ってもらえ」

返答に困っていると、「タクシーだ。切るぞ」という言葉で電話はいきなり切れた。社員達の目が自分に集中する。大友は、わざと大きなため息をついてみせた。

「呉服橋からタクシーだと。待とう。待つしかない」

八時三五分。ブレーキ音が響く。路地の先にタクシーが停まった。後部座席から、副支店長がコートをひるがえし、懸命の様相で走ってきた。

「来たか、江本はっ」

そう怒鳴ると、副支店長は走るのをやめ、下を向いて荒い息を繰り返す。大友が「まだです」と返すと、荒い息のまま身を起こした。

「あの馬鹿。出てきたら、どやしつけてやる。始末書もんだ」

副支店長は通用口を見やった。社員達が扉への道を開ける。

大友は胸を撫《な》で下ろした。まったく朝っぱらから、冷や冷やさせてくれる。安堵《あんど》と共に笑いが漏れてきた。昼休みには、遅参した江本をつかまえて、皆でとっちめてやらねばならない。

だが、扉はなかなか開かない。副支店長は息荒く扉と格闘し始めた。

「副支店長、どうしたんですか」

副支店長の背に寄る。副支店長は真っ赤な顔で振り向き、鍵を差し出した。

「鍵がうまく入らん。大友、お前、やってみてくれ」

おかしな事を言う、と思った。が、扉に鍵を差し込んでみると、確かに、先端数ミリしか入らない。腰を屈《かが》めて鍵穴を覗《のぞ》く。大友は息を飲んだ。

「鍵穴に何か詰まってます。半透明で、瞬間接着剤の溶液のような」

「どけっ」

場所を空けると、代わって副支店長が鍵穴を覗き込んだ。

「よりによって、こんな時に悪戯《いたずら》か。いや、嫌がらせか」

「副支店長、やっぱり警備会社に連絡しては。彼らはプロですし、悪戯なら何か手があるかも。警備システムの監視記録にも何か残ってるかもしれません」

副支店長は頭をかきむしり、立ち上がった。「仕方ない。かけてみろ」と言うと、扉に向き直る。強引にノブを回し、「くそ」と怒鳴って扉を蹴《け》った。大友は携帯をかけながら顔をしかめた。

「こちら東京シティ警備の第一監視センターですが」

大友は慌てて携帯を持ち直した。事情を説明すると、相手は怪訝《けげん》そうな調子で返してきた。

「邦和信託銀行の神田支店さん、ですよね。もう開けられている、と思いますが」

予期せぬ言葉に反応できない。副支店長は相変わらず悪態をつきつつ扉を蹴っている。大友は片耳を塞《ふさ》いで、携帯に向かって大声を上げた。

「いや、まだ誰も入店できてないんです。扉が開かなくて」

「今朝の五時四八分、警備システムが正常に解除されてます。振動感知システムにも特に異常ありません。お開けになったのは、本日の鍵当番の方で、ええと、江本さんですね」

「江本が入ってる？　本当ですか」

扉を蹴る音が止まった。

「監視センターのシステムで見る限り、システム解除もご本人の社員証ですし、直後の電話確認もご本人と取れてます。お仕事の都合で早出した、と仰《おつしや》ったようですが。警備システム上、特に異常はございませんが」

大友は礼を言って電話を切った。

「おい、今、江本って言ったか」

副支店長を始め、全員がこちらを見ている。大友は口ごもりながら副支店長に説明した。

「今日の早朝、江本の手で警備解除されて、鍵が開けられてます。警備会社には、仕事のための早出と言ったらしいですが」

「早出？　遅刻常習犯のあいつがか」

副支店長は扉に向き直る。扉に向かって「江本」と怒鳴った。

「中にいるのか、江本。いるなら開けろっ」

扉の向こうからは、何も返ってこない。副支店長は「聞こえないのか」と怒鳴り、拳《こぶし》で鉄扉を叩いた。

「あのう、すみませんけど」

大友は振り返った。路地に若い女性が、キャッシュカードを手に立っていた。

「表通りのＡＴＭ、使おうと思ったんですけど、そのシャッターがまだ開いてなくて」

邦和信託の運営では、通常、ＡＴＭは開店一五分前に開く。大友は返事に詰まった。どう答えればいい。金融機関に三〇年いるのに、返事の仕方が分からない。

背後では、副支店長が扉を叩き、怒鳴っていた。

「江本、返事しろ。開けろっ。ふざけんな。始末書くらいでは済まさんぞ、分かってんのか」

大友は副支店長の背中を叩いた。耳元に小声で言った。

「副支店長、後ろに、お客様が」

副支店長が動きを止めた。ゆっくりと振り返り、愛想笑いを浮かべる。

女性客は大きく息をついた。

「今はいいです。他の銀行のＡＴＭを使いますから」

「申し訳ありません。今日は、シャッターと扉の、調子がおかしくて」

大友は笑いをこらえつつ思った。あんな姿を目撃されといて、堂々とよく言える。なるほど、これでなくては、副支店長なんてポストは務まらない。それにしても「扉の調子」とは何の事だ。

　女性客は軽く頭を下げ、大通りに向かった。途中で立ち止まって振り返り、また「あのう」と言った。

「お店の方は、大丈夫ですよね。お昼休みに、窓口でお願いしたい手続があって」

　副支店長の顔から愛想笑いは消えていた。

3

邦和信託銀行　専務執務室　午前8時25分

　執務室片隅のモニターでは、マーケットレポートが流れている。

　専務の北尾は、椅子にもたれつつ、熱いコーヒーを口に含んだ。目の前で、担当の女性秘書が書類箱を開け、昨日の帰宅時の状態に机を戻していく。

　北尾は、黙って秘書の作業を見守りながら、ぼんやり考えた。どこかで同じような光景を見たような気がする。デジャビュか。いや違う。ごく最近、自分ではないのだが。

思い出して口元が緩んだ。この格好は、あの時の孫そっくりだ。先週、ファミリーレストランに孫を連れていった。ウェイトレスが孫の目の前でお子様ランチを配膳していく。孫は目を輝かせながら、配膳が終わるのを待っていた。自分は、こっそりウェイトレスの肌を見ていた。北尾は笑みを浮かべた。そして、今はその両方をしている。

「どうかなさいましたか、専務」

秘書がこちらを見つめている。北尾は慌てて表情を戻した。

「いや、ちょっと、仕事の事が気にかかってな」

「海外出張中の社長の事でございますか」

「そうそう、それ。時差があるから、そろそろと思ってな。社長から何か連絡なかったか」

「何もありませんが。恒例の欧州訪問ですし、訪問先も大手機関投資家ばかりですから」

秘書は額に手をやり「いえ、一つございました」と付け加える。

「同行されている経営企画部長から、予定通り進捗《しんちょく》中という旨の電子メールが。専務宛のメールです。私にはCCで入っておりましたので」

「分かった。後で確認しておく」

北尾はカップに残ったコーヒーを飲み干した。そうは言ったものの、所詮《しょせん》は儀礼的な報告メール、多分、確認はしない。今は昔とは違う。本当に必要なら、時と場所を問わず携帯に連絡が入る。どの道、その時はこちらの都合など考えてはもらえない。そして、端的に言えば、その覚悟さえあればいい。細かな事など実務担当の部下がやる。

秘書は、机の上を完璧《かんぺき》に再現し終えると、いつも通り、日程確認を始めた。

「九時半、事務部門組織変更について、事務統括部と打ち合わせ。一〇時半に取引先訪問にご出発頂きます。新宿支店長がお迎えに来られます。地下の特別応接室で待ち合わせということで」

北尾はその一つ一つに黙って肯く。

秘書は朝の日課を終えると、軽く一礼し、執務室を出ていった。

北尾は、コーヒーカップを机に置いて、立ち上がった。今日は、都内取引先への表敬で、一日潰《つぶ》れる事になりそうだ。社長の海外出張のため、代表権のある役員は国内に自分しかいない。遠出はできないから、丁度良いかもしれない。

窓側を向き背伸びをして、体を左右に揺すった。大きく欠伸《あくび》をした。さすがに秘書の目の前ではやりにくい。先週は社長の渡航準備で多忙を極めたが、その疲れがまだ残っているようだ。

北尾は、肩と首の凝《こ》りをほぐしつつ、考えた。

今日の日程なら誰にでも自分の代わりは務まる。今日に限らない。最近はずっとそんな状態が続いている。段取りに従って動き、判断を求められれば適時適宜に決裁する。結論が見えているものばかりだ。これを平時というのだろうか。数年前、金融危機の頃は違った。正解無き決断を迫られる日々。決断の内容も会社の存否に関《かか》わるものばかりだったが。

モニター音声が室内に響いている。

『日経平均は昨日も高値更新。東京市場ではミニバブルとの声も聞こえ始め……』

北尾はため息をついて、常々、自分に言い聞かせている事を反芻《はんすう》した。こんな平時が永遠に続く事は無い。経営の真髄は、常に、非常時の対処にある。最たる非常時は何か。会社の危機だ。そして危機に対処できる人間は、はたして、どれだけいるか。

脳裏に部長クラスの部下達の顔を思い浮かべてみた。危機に向き合えるのは誰だ、と考えつつ、部下の顔を一人一人消していく。北尾は苦笑した。なんだ、誰も残らない。やはり、この俺しかいない、という事らしい。

北尾は笑いを嚙《か》みしめながら、空を見上げた。まぶしい。ちょっと散歩したくなる朝だ。目を細めて、ふと、何故なのかな、と思った。こうして役員になる迄にも、何度も会社の危機に遭遇した。その経験則から言えば、危機ってやつは、不思議な事に、いつも唐突《とうとつ》に始まるのだ。それも油断している時に限って。これればかりは、何故なのか、自分にもよく分からない。

## 4

経営企画部フロア　午前8時35分

いくら待っても、事務統括部への電話はつながらない。

古賀は苛立《いらだ》ちながら自席のパソコン画面に目を落とした。

画面には大きな文字が点滅している。

『占拠中』

その下には、それより少し小さめの文字が並んでいる。

『神田支店は本日、閉鎖されました』

古賀は叩きつけるように電話を置いた。次長の牧原の方を見やった。

「ちょっと事務統括部に行ってきます」

「行くって、お前、こんな事は、事務統括部に任せるしか」

古賀は牧原の言葉が終わる前に走りだしていた。

「おい、古賀」

止まらない。目の前でこんな物を見せられて、止まる事などできない。

古賀は通路に出て一瞬考えた。事務統括部はすぐ下のフロアだ。エレベーターよりビル内の非常階段で下りた方が早い。階段はフロアの隅、経営企画部と人事部との間の通路突き当たりにある。古賀は狭い通路を走りだした。

「古賀、何や、何かあったんか」

今度は同期の太田の声だ。説明している暇は無い。古賀は走りながら怒鳴った。

「ホームページ見ろ、社内LANの」

仕切りの鉄扉を開け、非常階段に飛び込む。薄暗い階段を一気に駆け下りた。一階下のフロアに入る。古賀は息を切らしつつ、事務統括部の方を見やった。

席には誰の姿も無い。ただ電話が鳴り続けている。

事務統括部へと足を進めた。部員達は事務統括部フロアの奥に集まっていた。皆、背を向け、奥の柱を取り囲むように輪になっている。確か、柱脇《わき》にはメインサーバーにつながる端末がある。それを覗いているに違いない。

古賀は迷った。事務統括部の机のパソコンは全て『占拠中』を表示している。事態は既に認識されているようだ。ならば、この場に自分がいて、できる事は無い。だが、もう少し詳しい状況が知りたい気もある。

「古賀、俺も仲間に入れろ」

肩を叩かれて振り向いた。太田が立っていた。

「行こうや。こんな事、滅多に出会えるもんやないで」

能天気な言葉に古賀は意を決した。フロア奥へと足を進める。人混みの中の恰幅《かっぷく》の良い背に向かって声をかけた。

「矢田部長、一体、これは？」

事務統括部長の矢田が振り返った。途端、戸惑いの表情を見せ「古賀、随分早いな」と言った。

「経企部には、見通しつけてから報告しに行こうと思ってたんだが」

「当社のセキュリティって、結構堅い、という話でしたよね。でも、これ、侵入なんですか」

古賀は、少し語気が強過ぎたかと思った。とはいえ、こう言いたくもなる。不正アクセス防止の予算を承認したのは半年前の事。期初計画には無い追加予算だった。矢田の「必要不可欠、これで万全」という言葉に負けた。なのに、この始末だ。

矢田は不機嫌そうに言った。

「今、調べてる。だが、外部からのシステム侵入以外、何がある」

その時、柱の脇から声が飛んできた。

「いや、これは、ただの侵入じゃないでしょ」

場違いなほど、冷静な口調だった。古賀は声の方向を見やる。人混みの真ん中、端末の前に社員が一人、座っていた。黒縁メガネにカジュアルスーツ、あまり見ない顔だ。

太田が傍らに寄ってきて耳元で言った。

「一年程前に中途採用したSEや。名前は忘れたけど。システムセンターに配属したんやが、協調性無し、でな。けど、頭はええ奴やから、最近、事務統括部に持ってきた。人事部では、黒縁君、で通っとる」

通称黒縁は、黒縁メガネを指先で整え、画面を見やった。

「不正アクセスというには、普段とアクセス数が変わってない。攻撃ではなさそうで」

黒縁は手をキーボードに戻し、素早く動かしていく。しばらくして笑うかのように息を漏らし、手を止めた。画面の表示を指差した。

「夜三時三分。外部からのアクセス。他にアタックされている形跡はありませんし、多分、これですね。一発で入ってます。書き換えられた時刻と近いし、間違いないでしょ」

矢田は苛立つように体を揺らした。システム担当の企画課長の方を見る。

「おい、一発ってどういう事だ。そんな甘いシステムだったのか。経企に無理言って、予算ぶん取ってきた俺の苦労を、お前らは何だと思ってんだ」

企画課長は俯《うつむ》いて身を縮める。また黒縁が口を挟んできた。

「仕方ないですよ、部長。何度も言いますけど『侵入』じゃないです。だって、入り込むのを承認してるんですもん。アクセス承認もらって、堂々とサーバーに入るのは、侵入と言えないんじゃないかと」

「誰だ。誰が承認したんだ。権限もたせてる奴は限られてる」

黒縁はこちらを見る。それから矢田の方を見る。

「部外の人もいるみたいですけど。部長、言っていいんですか」

「こんな時に、いいもくそもあるか。その間抜けは誰だ」

「システム上では……部長です」

矢田の動きが止まった。

「部長のＩＤとパスワードで承認出しているんです。お金が関係する勘定系システムと違って、情報系システムは、部長の権限があれば大抵の事はできますから」

「そんな馬鹿な事があるか。俺は承認した覚えなんかない」

「皆、知ってますよ。部長の権限コード」

矢田が怪訝そうな表情を浮かべる。黒縁は言葉を続けた。

「うちはセキュリティが堅いでしょ。だから、何をするにも部長か次長の権限に引っかかる。

ちょっとしたシステムバグの修正も部長権限ですから」

「それが、どうした。セキュリティ上、チェック機構は必要だろうが」

「けど、そんな時、部長、IDとパスワード渡して、やらせる事あるでしょ。うちの部の人なんか、ほぼ全員、知ってるんじゃないですか。それに、最近、決算作業で忙しくて、パスワードも変えてないですよね。システムセンターでも、課長クラスなら、だいたい見当つけてると思いますよ。だから、社内なら、やろうと思えばできる人、結構いるはずです。勘定系システムみたいに、機械自体を隔離した部屋に置いてるわけでもないし」

矢田の顔が赤く染まっていく。黒縁はまったく気にせぬようだった。

「システム権限ある人が、システムに触れる事ができない。まあ、よくある矛盾ですって。システムの権限と技術が一致してないんです。そんな状況で、セキュリティを厳重にすれば、自然と、権限は現場で一人歩きする。そうしないと、業務が回りませんから」

黒縁は勢いに乗って自説を展開し始めた。

「私なんか、この会社に来る前、いろんな所に派遣で行きましたけど、どの会社でも結構ありますよ。その根本的な解決方法は二つ、システムを触る人も偉い『エリートさん』にしちゃうか、偉い『エリートさん』に技術をつけてもらうか」

黒縁は面白くて仕方ないという風に身を揺する。笑いながら続けた。

「そもそも、私みたいに忠誠心の無い技術屋に、やらしちゃ駄目なんです」

太田の呟きが耳に入った。

「恐るべし。中途採用ＳＥ」

太田は大仰《おおぎょう》に肩をすくめた。

「俺らは関わらん方がええやろ。戻ろか。内輪揉《も》め、見とっても仕方ない」

古賀は黙って肯いた。太田と二人、人混みから離れる。が、通路に出た所で、太田は立ち止まった。

「おい、何か来よるで」

大勢の足音が床に響いている。階段の鉄扉の向こう側からだ。近く迄来たと思った瞬間、鉄扉が開き、非常階段から社員が次々と飛び出してきた。どうやら一階下の支店支援室の社員達のようだった。

「専務はっ。専務はこのフロアに来てないか」

集団の先頭に支援室長の小堺がいる。小堺が叫んだらしい。

事務統括部長の矢田が「何なんだ、騒がしい」と言いつつ、奥から出てきた。

「朝から専務は見てない。ここには、まだ来てない」

室長の小堺は舌打ちして「秘書の話と違うじゃないか」と呟く。苛立たしそうに頭をかいた。

「こんな時にどこだ、専務は。また、呑気《のんき》に散歩か」

「専務には俺から話す。支店支援室は関係ない。いちいち出てくるな。こんな物は現代版の落書きだ。神田支店閉鎖云々《うんぬん》は、事務統括部で対処する。ごちゃごちゃ言わんでくれ」

古賀は顔をしかめて太田を見やる。太田も顔をしかめていた。事務統括部長と支店支援室長は同期にして、あまり仲が良くない。朝から疲れる光景だ。しかも、自分達は、その仲の悪い二人に挟まれた位置にいる。気が滅入る。

しかし、そんな気分は小堺の怒鳴り声で吹き飛んだ。

「店が開けられんのに、ごちゃごちゃだと。お前の方こそ、しゃしゃり出るな。前代未聞の緊急事態なんだ」

思いも寄らぬ言葉に、矢田の動きが止まった。

「店が、開けられん？　そんな」

古賀は唾を飲んだ。震える指先で『占拠中』の画面を差した。

「じゃあ、小堺室長、それって、犯行声明、という事ですか」

「古賀、お前は経企の人間だろうが。口に出す時は言葉を考えろ」

小堺は大きく息をついた。己に言い聞かせるかのような口調で付け加えた。

「店は開店できる状態にない。今、言えるのは、それだけだ」

チャイムがフロアに響き渡る。

古賀は目をつむった。チャイムの時刻は決まっている。全国の支店が開店する時刻、九時だ。

## 5

邦和信託銀行　神田支店　午前9時15分

さて、何と書くか。

大友は、支店入居ビル裏手の運転手控室で、悩んでいた。

マジックを握り、机の上の白い紙を見つめる。内情を事細かに書く必要は無かろう。状況説明の貼紙だから、遠目でも一目見て、分からねばならない。かつ、客を不安にさせるような言葉は駄目だ。いろいろ考えてみるが、どうも適切な言葉が浮かばない。

大友はため息をついた。仕方ない。マジックで大書した。

『設備故障中』

少し離れて貼紙を見て考える。簡単過ぎたか。これではトイレが詰まっているみたいだ。

その横に小さく書き添える。

『シャッター故障。他の支店は営業しております』

どのみち、こんな事態をうまく表現する言葉など無いのだ。シャッター故障、これでいい。シャッター前には、説明のための社員もいる。大友は貼紙を持って、控室からビル裏の路地に出た。

路地には、まだ大勢の社員が溢れていた。所在なげにうろつく者、外壁にもたれながら携帯でいつも通りの営業をしている者、通用口に座り込む者。そんな中、副支店長は苛立たしげに身を揺らしつつ、ビルを見上げていた。

「江本の奴、下らない事には力を入れやがる」

大友は副支店長の傍らに寄って視線を追った。建物上階、二階と三階のトイレ窓が見える。窓は板のような物で塞がれていた。

「何ですか、あれは」

「さあな。多分、バリケードのつもりだろう。会議室の長机の天板じゃないか。もともと強化ガラスだから、そこまでする必要があるかどうかは知らんが」

副支店長はため息をついて顔を戻した。

「表通りの方はどうだ。通りに面した大窓、そこもバリケードか」

「カーテンが引いてあって、よく分かりません。けど、裏口がこんな具合ですから。多分、カーテンの向こう側には、机やら椅子やらが、派手に積んであるんでしょう」

　副支店長は大きく舌打ちした。

「本部が、どこか壊してでも入れる所は無いか、と言ってきた。まったく、俺達をレンジャー部隊とでも思ってるらしい。ここは銀行の店舗だぞ。普通のビルよりは堅固だ。特に通用口は特注の鉄扉だし、シャッターも同じようなもんだ。素人にどうやれってんだ」

　副支店長は、また、ため息をついた。

「頭が痛いよ。営業課の課長連中は二人とも、研修と出張だろ。どっちも呼び戻すがな。けど、こんな時に、支店長がおらん。こっちは、まだ連絡も取れん。来月転勤確定と呟いて、あの人、慌てて休みを取ったからな」

「今、香港でしたっけ」

「ああ、多分今頃、引退した監査役とゴルフしてる。急遽《きゅうきょ》戻るにしても、飛行機が取れなければ……」

　副支店長は言葉を途中で飲んで、周囲を見回した。微《かす》かに言い争うような声が聞こえている。どうもビル表からのようだ。副支店長が「行け」とばかりに、あごをしゃくる。大友は貼紙を手に、慌てて表通りに向かった。

　通りでは、窓口課の社員達三、四人が質問に応対していた。怒鳴られているのは、そのうちの一人、窓口課の新人だ。相手は取引先の経理部長だった。

「分からん。訊《き》いた事にちゃんと答えろ」

こちらに気づいたらしい、新人はすがるような表情を向けてきた。経理部長は「おお、大友さん」と言って、安堵の表情を浮かべた。

「助けてよ。この子、シャッター、シャッターと繰り返すだけで、何が何だか分からないんだよ」

大友は表情を硬くした。自分も、シャッター、シャッターと繰り返そうと思っていたのだ。

「大友さん、今日、支払期日の手形があるんだよ。まさか、開店不能で決済不能、なんて言わんだろうね」

「支障無いです。今は事務センターの方でやってるんです。都内分を一括集中して」

「いやあ、それが分かればいいんだ」

経理部長の頬が緩んだ。新人の方に向き直って肩を叩いた。

「社会に出ると、いろいろ辛い事があるもんだ。まあ、がんばれ」

経理部長は機嫌良く立ち去っていく。

大友は安堵の息をついて、シャッターへと足を進めた。貼紙をテープで留めながら思った。

こうして落ち着いて対応すれば大丈夫だ。客にとっては、店が閉まっている、というだけの話。シャッターが原因でも、江本が原因でも、客には関係無い。

　紙を貼り終えた時、背後で声が響いた。今度は女性の声だった。

「他の支店に行こうと思うの。念のため、預金下ろしとくわけ。別に損は無いでしょ。シャッター前で受付するとか、支店長が頭下げて立ってるとか、すればいいのに、突然、紙一枚よ。そのうち、下ろそうにも、すぐには手続できない、って言いだすわよ」

　貼紙の方を見ながら、歩道で中年女性が携帯で喋《しゃべ》っていた。

「金融危機の時の事、覚えてない？　どれだけ待たされたか。その日のうちに手続できなくて、整理券渡された所もあったんだから。行くなら、すいてる今のうちよ。それに、ほら、あのスーパーだって、最初は屁理屈言ってたけど、突然潰れちゃったでしょ」

　新人が「お客様、そうじゃなくて、シャッターがあ」と叫び、駆け寄っていく。中年女性は、新人を一瞥《いちべつ》したが、無視して携帯を鞄に放り込んだ。歩道の先、地下鉄入口を見やると、周囲を蹴散らすような勢いで走りだした。

　取り残された新人は、またすがるような表情を向けてきた。

「かちょお、どうしましょう」

　大友はシャッター前を離れ、歩道の先を見やった。女の背が地下鉄の入口に消えていく。

「まあ、何と言うか……誤解する人だっている。心配するな。まあ、少しの辛抱だ」

そうは言ったものの、ため息が出る。本当に少しの辛抱で済むのだろうか。

「大友、必要なら、これを使え」

声に振り向いた。副支店長が拡声器を右肩に掛けて立っていた。

「十時を過ぎれば、周囲の店も開くし、人通りも多くなる。かといって、店前に社員が大勢いても、余計に不審がられるしな。さっき、本部の総務がこれを持ってきた。必要なら使えだと。こんな物、押しつけて、自分達はビルの大家と打ち合わせに行っちまった。建物の構造を確認するんだと」

「しかし何も拡声器とは。店が開かないって、わざわざ大声で宣伝する事はないんじゃないかと」

「俺もそう思う。だから、必要なら……」

副支店長は拡声器を差し出した。

「使え。ま、『必要なら』だ」

大友は戸惑いながら、拡声器を受け取った。「必要なら」か。まったく本部も副支店長もいい加減な事を言う。そんな事、誰が判断するんだ。

大友は周囲を見回した。新人が説明に四苦八苦している。客が立ち去ったところで、大友は新人を呼んだ。新人が硬い表情をして駆け寄ってきた。

「今の説明、まずかったですか」

大友は新人に拡声器を差し出した。

「十時を過ぎると人も多くなる。必要なら、使え。必要なら、だ」

傍らで副支店長が笑いをこらえている。新人は泣きだしそうな表情になった。

「私が、やるん、ですか」

新人が手を差し出す。その時、背後で大きな音が響いた。新人は拡声器を落としそうになった。

シャッターの音だ。

大友は慌てて店舗前を見やった。貼紙の前で派手なスーツ姿の男が仁王立ちになっている。どうやらシャッターを蹴ったらしい。少し離れた通りには、黒塗りのセダン、その後ろに現金配送車が停まっている。無論、邦和信託が契約している現金配送車ではない。

顔が強張《こわば》った。間違いない。現金を取りに来た客だ。一瞬、後悔の念がよぎる。開店不能の判明と同時に、連絡させれば良かった。だが、こっちは窓口と総務が担当、そこまで頭が回らない。本来なら営業担当が連絡するが、よりによって担当は江本だ。当の本人は立て籠《こ》もっているし、その上司の課長は研修だ。連絡する者は誰もいない。

男は苛立った様子で体を揺らし、もう一度シャッターを蹴った。手を伸ばしてシャッターの貼紙を乱暴に剝《は》がし取り、周囲を見回す。男は鼻息荒く迫ってきた。幸い足先は副支店長に向かっている。

「お見かけした事がある。確か副支店長さんでしたな」

副支店長は半歩下がって肯いた。男は鼻息荒く続けた。

「白山不動産です。担当の江本さんに、朝一に取り行くからと、現金の用意をお願いしてあったんですが。不動産決済の現金です。先程、店の子に訊きますと、ご本人はお休みだそうで」

男は更に半歩近寄ってくる。副支店長は更に半歩下がった。男は一度深呼吸をした。自らを落ち着かせようとしているようだった。

「金額は、一億八千万と一億七千万と一億五千万、銀行小切手で二億一千、合計七億一千万。うち現金は五億。それぞれ地権者に渡す金です。邦和信託さんの方で責任を持って分けて、用意しておくと。既に口座に残高はありますし、伝票はお渡し済です。心配なさらんように、こちらで現金配送も手配した。当方の準備は全て済んでいます」

副支店長が小声で訊いてきた。

「どうなんだ、準備してないのか」

「準備してあります。数日前に江本から連絡がありましたから。全部、整ってはいるんですが、その、金庫室の中に。店が開きませんと」

副支店長は困惑の表情を浮かべた。だが、男に向き直ると同時に愛想笑いを浮かべる。副支店長は、「申し訳ございません、お客様」と男に語りかけた。妙に柔らかい声色、クレーム客に使う得意の声色だ。

「貼紙にありますような次第でございまして、他の支店でお願いできませんでしょうか。こちらから連絡致しまして、銀行小切手を、それぞれの金額分、用意させますので」

「小切手？」

金融機関の店舗内にある現金は意外なほど少ない。手持ち現金には金利が付かない。従って、いかに少額の現金で店舗運営するかが、腕の見せ所なのだ。特に、周辺の支店は中堅中小企業取引が中心、店頭払出があっても送金か小切手で済む。数千万単位はともかく、億単位になると、通常の支店の準備高では対応しきれない。

副支店長は得意の声色を続けた。

「紙幣そのものは、そうは置いてございませんので。小切手ですと、すぐに対応できますから」

「そんな事は分かっている。だから一週間も前に頼んだ。預金ノルマが足らないんで協力してくれと言うから、直前迄待った」

「しかし、決済なら、銀行小切手でも」

「分かりもしないくせに、ぐちゃぐちゃ言うな。売主の条件なんだ。売主の頑固じじい達が、現金以外信じられんと、条件つけてきた。契約まとめるのに、何年かかったと思ってる。これは会社懸けての勝負の契約。売主、買主、それぞれの金融機関を引き連れての一大決済なんだ。それを江本の奴、急に休むわ、店は開かんわ、一体、どうなってんだっ」

男は貼紙を両手で丸め、地面に叩きつけた。副支店長は声を落として「何とかならんのか」と訊いてくる。大友は小声で返した。

「額が額ですから。事務センターなら、あるいは」

男はこちらに迫ってきた。

「事務センター？　そのセンターとかは、どこにある」

「台場です。車ならすぐの……」

「何を言ってる。これから決済を本郷でやる。一〇時半が締めなんだ。それで間に合うと思ってんのか」

「社長っ」

男は少し離れ、声の方を見やった。黒塗りセダンから若い男が身を乗り出していた。手には携帯がある。

「かけましたけど、駄目です。爺さん達、聞く耳持ちません。誰の都合でも関係無いと。条件通りに決済できなければ、全ての契約を流すと。社長、どうします。融資、出てからは安心して、爺さん達の言う通り、無茶苦茶な損害金条項に応じちゃいましたし」

　男は再び副支店長に向き直った。

「聞いたろ？　手付金流れて、その上、損害金が重なる。収入も無いのに、大金を払わされるんだ。あんた達は信託銀行、不動産もやるから、普通の銀行より、俺が言う意味分かるだろ。地場の中小業者がそうなれば、どうなっちまうか分かるだろ」

　男はすがるような目をした。

「なあ、金庫に、金、あるんだろ。ちゃんと、あるんだろ。頼む、開けてくれ。後で預金でも、何でもする。言う事は何でも聞く」

「そうは仰いましても、これは物理的な問題でございまして」

　副支店長の顔には、はっきり当惑の表情が浮かんでいた。男は真っ赤な顔で震え始めた。

「何を呑気にしてるんだ。壊せ、ブチ壊せ。チェーンソーでも何でもいい。ぶち壊して開けろ。持ってくれれば俺がやるっ」

「それは、今、本部の方でも、検討しておりますところでございまして」

「本部って何だ。俺には関係無い。そんなの、そっちの内部の話だろうが」

「申し訳なく、言葉もございい……」

「あんた達、いつもそうだ。口ではすまなそうに言ってて、目は冷静なんだ。どんな時でもそうだ。自分らだけは安全な所にいやがって。何を落ち着いて、人の事、見てるんだ」

男は副支店長を突き飛ばした。そしてシャッターへと駆け寄る。シャッターを叩きながら、大声で怒鳴った。

「開けろ、開けろっ」

シャッターは揺れるだけで動く気配は無い。男はシャッターに両手をついた。腕の中に頭を埋めた。

「開けろ……頼む、開けてくれえ」

男は力なく崩れていく。ついには地面に膝《ひざ》をついて座り込んでしまった。

「潰れる。こんな事で、潰れてしまう」

男はシャッターを叩きながら「潰れる、潰れる」と呟き続ける。まるで座り込んで駄々をこねる子供のようだった。

「潰れるんだってさ」

周囲からの声に、大友は慌てて辺りを見回した。店舗周辺には野次馬の輪ができ始めていた。「もう潰れたのか、この銀行」なんて声まで聞こえる。誰も彼もが興味津々の顔つきだ。

シャッターに説明の貼紙は既に無い。

男は気が抜けたようにシャッターを叩き続けている。

大友は唾を飲んだ。この光景は通行人に誤解を招く。いや、既に招いている。何とかこの場を収めなくてはならない。大友は男に駆け寄ろうとした。瞬間、周囲を切り裂く甲高い音が響く。大友は動きを止め、音の方を見やった。

新人が、真っ赤な顔をして、拡声器を構えていた。

「皆様っ、邦和信託のシャッターが壊れてしまいました」

新人はマイクに向かって怒鳴る。大音量の声が響き渡った。

「開きません。どうしても動きません。設備の故障です。繰り返します。邦和信託は壊れてしまい、いいえ、シャッターが……」

6

経営企画部　午前10時5分

人事部の太田は、待ってろと言ったきり、戻ってこない。

古賀は打ち合わせテーブルで大きく首を回した。事が発覚から大して時間は経《た》っていないのに、もう何時間も経ったような気がする。

事務統括部から戻ったのは、今から一時間程前の事だ。状況報告しようとすると、牧原は先に「分かっている。電話で聞いた」と言った。

「何が目的か分からんが、馬鹿社員の支店閉じ籠もり、という状況らしい。情けない話だが、経営の根幹に関わる事じゃない。お前は、もう動くな」

「しかし、次長、状況次第では」

「いいか。支店の事は支店支援室、社内LANの事は事務統括部がやる。外部対応が必要な場合は広報部がやる。お前には、お前自身の仕事、業務別会計がある。そっちも重要で、かつ、お前にしかできん」

古賀は、上司の言葉を聞きつつ、内心思った。不満分子はどこにでもいる、という事か。しかし本当にそれで済むのか。意識せぬまま、不満げな表情が浮かんだらしい。強い口調の言葉が飛んできた。

「古賀、さっさと業務に戻れ」

はっきり指示されては否と言いようもない。以降、通常業務についている。こうして、予定通り人事部の太田と人件費の打ち合わせをやっている。が、どうにも落ち着かない。

広いテーブルで一人、古賀は目を閉じた。次長の言う通り「馬鹿社員の閉じ籠もり」なのか。いや、あの三文字には意志がある。古賀は画面の文字を脳裏に浮かべた。

『占拠中』

広い打ち合わせテーブルが揺れた。目を開けると、太田が戻ってきていた。

「待たしてしもたけど、古賀、寝るとは嫌みやで」

こんな事態が起こって、眠くなんかなりようがない。が、古賀は黙っていた。

太田はファイルの束をテーブルに積んでいく。

「それにしても、何の因果か……神田支店やで。我らが青春の」

古賀は「ああ」とだけ答えた。ぼんやり数年前を思い返す。店舗統合が加速した頃だったから、一つの店に同じ年次の同僚が随分といた。一時は太田と自分を含み四人もいた。こなしきれないノルマに駆けずり回り、互いに愚痴《ぐち》り合った。ほんの数年前だが、随分、昔の事のような気がする。

太田はため息をついて、仕切り越しに広報部の方を見やった。

「まったく、広報の連中も、えらいこっちゃで」

「俺も気になってるんだ。広報の連中、誰も席にいない。また、何かあったのか」

「どうもな、阿呆《あほ》がいたらしいのよ」

「阿呆？」

「九時過ぎに広報部に記者が来た。幾らマスコミとはいえ、早い動きや。広報部では『店舗設備等含め状況を確認中』で押し通すつもりで応対に出たらしいが、目の前で記者にファックス用紙を、ひらひらさせられた。『これ、どういう事ですか』ってな」

「ひらひら？　何を」

「例の『占拠中』の画面よ。画面を印字して、速攻でマスコミにご注進した奴がおる、という事やな」

「九時過ぎ？　まだ社内でも状況把握できてない時間にか」

「力が抜けるような話やろ。妙な事に熱心な奴が多い会社や。占拠する奴に、情報流す奴。まあ、今の時勢では、会社が傾くような事にはならんやろ。スキャンダル一つにもビクビクしとった金融危機の頃とは違う。所詮、変な社員もおる、という程度の話、一社員の資質の問題や」

太田は「会社より俺個人の方が痛い」と言いつつ、椅子に腰を下ろした。

「実は、人事の太田君、この事件のおかげで、ピンチでな」

「何でお前が関係ある」

「どうも閉じ籠もった奴が、俺が採用に関わった奴みたいなんやわ。江本っちゅう、五年目の元気もんでな。大学の後輩だからというわけやないが、採用のボーダーラインにあったのを、俺が押し込んだ。阿呆な奴やが、イキのいい奴やったんや。ここまで阿呆とは思わなんだが」

　太田は指先を交差させ「これでバツ一個」と言った。

「もう一つ。社内LANのメンテ担当は同期の西山なんよ。異動担当に相談されて、事務統括に推薦したのは、実は俺でな。肝心のあいつは、一昨日から長期休暇、連絡もとれん。旅の醍醐味《だいごみ》は日常脱出とか言うて、学生時代からバックパッカー、放浪旅が好きな奴やろ。能天気な奴や。事務統括部長も怒り狂っとる。人事に押しつけられた社員がヘマしやがった、てなもんや」

　太田は、再び指先を交差させ「これでバツ二個」と言った。

「ダブルパンチやで。特に江本の件では、どんな奴なのか、根掘り葉掘り、うちの部長に訊かれた。お前を待たせたのも、そういうわけよ。こんな事では、もう会社はビクともせんやろうが、太田個人は、ビクビクや。まあ、こんな辛気《しんき》くさい部署は、さっさとクビに」

　その時、周囲で一斉にチャイムのような音がした。太田は愚痴を途中で飲み込んだ。

　古賀はフロアを見回した。聞き覚えのある音だったが、何の音だったか。

「古賀、お前の後ろ、机のパソコンからや。外部メールの到着音やろ」

　古賀は振り向いた。キャスター付きの椅子で座ったまま自席へと移動する。パソコンでメールの一覧を見ると、未開封のメールが一通表示されていた。

『邦和信託銀行の皆さんへ』

太田が背から覗き込む。「妙なタイトルのメールやねえ」と呟き、身を起こした。

「ま、俺は見ん方がええやろ。経企部宛のメールなんか、どうせ胡散《うさん》臭い話ばかりやろうから」

「待て。何だ、これ」

太田の袖《そで》を引っ張る。画面一杯に文字が並んでいた。

『神田支店は占拠された。宣言する。これはストライキだ。

戦いは正々堂々と為される。だが、何故、戦う。何のために戦うのか。

店舗前に払出の行列ができたのは、いつの事だったか。金融危機は、ほんの数年前の事に過ぎない。我々は常に危機を認識せよと言われ、身を粉《こ》にしてきた。が、そう言い続けた連中は、本当にそう思っていたのか。今、決算発表にニヤつくオッサン達の顔を見る限り、そうは思えない。

我々は、無理な目標である事を承知で、駆けずり回った。恥も外聞もなく顧客に泣きついた。会社のためと言われ、自分自身にもそう言い聞かせ、無理と我慢を重ねてきた。交通費を削られては歩き、事務費を削られては、使用済の用紙裏にコピーした。余白が残る書類があれば、当然、切って電話メモにした。

仕事は尽きない。人は減る。残業せねばこなせない仕事を命じられた後、「残業はするな」と言われる。疲れ果て、電車待ちのホームで寝込んでしまった事もある。思い返してみればいい。先週、先々週、家族とどれだけ会話できたか。思いやればいい。今週、来週、家族とどれだけ会話できるか。

我慢してきたのは我々だけではない。妻も夫も両親も友も我慢してきた。そして我慢の途中で何人かの社員が力尽きた。

我々はずっと耐えてきた。誰のために。

ミスは無くて当たり前、だそうだ。どんなに苦しくても、その言葉は変わらない。その一方で「やった、やった」と騒ぐ奴がいる。そんな奴らは、ルールを無視した無理難題を、手柄顔して押しつけていく。いつの間にか、自分がその尻拭いをやっている。

成果主義、業績賞与——働く意欲を増すための制度だそうだ。だが、我々に何かプラスがあったか。評価は騒いだ奴が持っていった。我々には何も残らない。今迄の職場を思い返すがいい。騒いだ奴は、不都合が発覚する頃、いなくなる。そして、いつの間にか、そんな奴が偉くなっている。

目標数値には論拠がない。一度でもいい、我々の意見が数値に反映された事があったか。「やるしかない」と怒鳴る連中がいる。「現状を認識しろ」と物知り顔に説く連中もいる。が、具体的にやる方法を考えるのは、常に我々だ。

我々はもてあそばれている。懸命に新しい業務知識を習得すれば、異動だ。新しい顧客との人間関係を築き上げれば、異動だ。我々をもてあそんでいるのは、一体、どんな奴らなのか。パソコン相手に数字遊びしている連中か。マネジメントなんぞと片仮名を混ぜれば格好良いと思っている連中か。

パソコンに数字を打ち込み、標語を唱えれば、業績は上がると考えている奴がいる。このメールに資料をつけておいた。「部店別損益」という名の資料を見ろ。更に過酷になる。これは我々の職場を潰すための検討資料だ。連中には数字しかない。連中の頭の中には、生きた人間の姿はない。リストラという概念は、既に、手段ではなく、目的となっている。

我々はずっと耐えてきた。誰のために。

会社存亡の危機と言われ、我々は耐えてきた。「そもそも危機を起こしたのは誰だったのか」という問いは飲み込んだ。「つまらない犯人捜しをせずに前を向け」という言葉に従ってきた。そして、その一方、我々の労苦を食っていた奴がいる。今、ミニバブルと言いつつ、バカ踊りをしようとしている奴がいる。会社存亡の危機は脱したと言うならば、同時に我々は黙っていない。もう我慢する必要はない。現状を見る限り、真摯《しんし》な反省は何一つされていない。誰かに押しつけ、平然としている誰かがいる。

確実な事は一つある。我々は、更に、もてあそばれる。誰にか。

数年前、多大な損失を作った誰かのために。自分だとは言いださないが、必ず存在している誰かのために。遺憾《いかん》と言えば全て済むと思っている誰かのために。自分では何一つできぬくせに、効率化を唱える誰かのために。労苦を押しつけ、もう一度、バカ踊りしようとしている誰かのために。

我々はずっと耐えてきた。誰のために。

神田支店に閉じ籠もった奴は馬鹿だ。その事に間違いはない。が、ストは続く。馬鹿は馬鹿だが、孤独ではない。同じ気持ちの社員は各所にいる。この会社が、過去と現在を真摯に見直すまで、このストは終わらない。

我々はくじけない。そして、我々は騙《だま》されない』

騒がしかったフロアはいつの間にか静かになっていた。

古賀は唇を嚙んだ。マウスを持った指先が震える。

「銀行でスト……そんな事あるか」

背後で太田が言った。

「職場占拠、それに、一昔風に言えば『ピケ』やな」

古賀は、震えを抑えつつ、メール添付のファイルを開いてみた。見覚えのある図表が広がった。

「俺が作った部店別損益の資料だ。何でこんな所に」

「古賀、打ち合わせは延期させてくれ。一旦、人事の席に戻る」

太田はそう言うと、打ち合わせテーブルに戻って、また分厚いファイルを胸に抱えた。人事部へと向かう途中で、ふと思いついたように立ち止まった。

「一社員の資質の問題やと言うたけどな。訂正するわ。うちの部も忙しくなりそうや」

太田は、背を向け小走りに遠ざかる。古賀は周りを見回した。ほとんどの社員がディスプレイ画面に見入っている。その時、苛立った口調の声が飛び込んできた。牧原だ。

「そうじゃなくて、全力で調べてもらわないと。ええ、分かりました。そっちは何とか」

声の方を見やった。牧原は舌打ちして受話器を置く。古賀は次長席へと寄った。

「次長、対外秘の部店別損益資料が」

「分かってる。ただ、機密とはいえ、部店長会議で配布した資料だから、漏れるルートはかなりある。その資料を誰かがスキャナーで取り込んだんだろう。メールを調べれば何か分かるかもしれんが、今は何とも言えん。それより、古賀、本業に戻れと指示したばかりで、何なんだが」

牧原は頭をかいた。

「これから、支店支援室と事務統括部に同行して、警察に行ってくれんか」

「警察に、ですか」

「支援室と事務統括部で神田署に相談に行くらしいが、『事が事だけに、経企部から誰か同席してくれ』と言われてな。本来なら企画課に行かすんだが、連中は渡航中の社長への追加資料作りで動けん。それに、お前なら警察の人間相手でも臆《おく》せんで」

言葉途中で机の電話が鳴った。牧原は受話器を取り上げ「あ、専務」と言った。顔色が変わった。

「メールが役員室の方にも……ええ、事務統括の話だと、受信数からして、全社員宛ではないかと。いえ、資料がどうやって漏れたかまでは……ええ、は、はい」

牧原の声は小さくなり、頭を抱え込むようにして、背を向けた。

古賀は自席に戻り、崩れるように椅子に座った。一体、どこまで広がる。一社員の馬鹿で済むのではなかったのか。

**『我々はずっと耐えてきた。誰のために』**

ディスプレイの文字がちらついていた。

## 7

証券事務部　国際証券事務課　午前10時30分

クイックボードが瞬《また》いている。

国際証券事務課の主任は、伝票綴りを閉じた。化粧が落ちないように気をつけながら、目の周りをマッサージする。最近、どうも目の疲れが取れない。

NYの投資顧問の指図書の処理は一段落ついた。けれど、まだ東欧債券の面倒な処理が残っている。頭が痛くなりそうだけど、あまり無い事務をミス無くできるのは、自分と証券事務指導役の先輩、二人しかいない。

目の周りをマッサージしつつ、ちょっと、おばさんっぽい仕草かしら、と思った。手を止めて、机の列の端をうかがう。もう派遣の子達は席にいない。多分、洗面所に化粧を直しに行ったのだろう。あの子達が群れる洗面所に行き、その中に入って化粧を直す勇気など無い。

誰も見ていないのを確認してから、そっと自分の肌に触れてみる。一通り肌の手入れだってしてはいるけれど、もう彼女達のようにはいかない。彼女達はほとんどが二〇代前半、自分など、何をしようとも「おばさん」なのに違いない。

フロアが騒がしくなった。あの子達が喋りながら洗面所から戻ってくる。こちらの視線に気づくと、ようやく喋るのをやめた。わざと目を合わせないようにして、席に着く。

事務主任は伝票に手をやった。伝票に数値を書き込みながら、思う。別に対立しているわけではない。立場と年が少し違うだけだ。逆の立場なら自分だって同じ事をするだろう。それに、どんな子でも、職場にいてくれれば、その分助かる。

証券事務部長の言葉が思い浮かぶ。自分の所属する国際証券事務一課は、来月、隣課の二課と統合されるらしい。部長は「効率化の一環です」と言った。統合時に二名減になるという。またきつくなる。そうでなくても、先月、後輩が一人、退職したばかりだ。その補充は未だ無い。

退職した後輩の言葉が頭にこびりついている。六つ年下で、随分、可愛がってあげた子だった。送別会で、後輩は、はしゃいでいた。

「仕事きついし、もう年だし、彼氏せっついて、引き取ってもらったんです、私」

後輩は屈託のない笑顔を見せて、そう言った。そして送別会を終えた別れ際の事だ。後輩は最後に「いいなあと思います、先輩のこと」と言った。

「仕事に幸せ見つけられて」

事務主任は、思い出した言葉を振り払うように、頭を大きく振った。仕事の出来はあまり良くなかったけれど、嫌みを人に言う子じゃなかった。ただ、馬鹿なくらい思った事をすぐ口に出してしまう子だった。だから、余計に、その言葉が頭にこびりついて離れない。

机のパソコンが鳴った。事務主任はボールペンを置いて画面を見やった。

『邦和信託銀行の皆さんへ』

変な件名のメールだ。新手のセールスかしら、と思う。この職場にいると、語学教材の売り込みが結構あるのだ。首を傾げつつ、メールを開いた。

『神田支店は占拠された。宣言する。これはストライキだ』

そういえば、神田支店が開店できない、という話を聞いた。こんな部署にいると、支店なんて新人研修で行ったきりで、縁がない。店が開かないといっても、今一つ、ピンとこない。何でも電話とネットで用が足りる時代、そんなに大変な事かな、と思ってしまう。

メールに目を走らせた。メールの一行、一行が飛び込んでくる。読み進めるうちに、文字が滲んできた。

『我々はずっと耐えてきた。誰のために』

主任は目を押さえて鼻をすすった。メールの問いに心の内で答えた。その通り。ずっと我慢してきた。文句なんか言った事も無い。何を言われても、全部その通りにしてきた。

主任は目元を拭い、先輩の方を見やった。

「先輩、今、変なメールが来てて」

先輩も画面を見つめていた。そして、自分と同じように、目を押さえ、鼻をすすった。

## 8

### 邦和信託銀行従業員組合　書記局　午前11時15分

人事部の太田は喋るのをやめた。わざと大きくため息をつく。

長机を挟んで、目の前には、組合の委員長と書記長がいる。こちらが黙ると、向こうも黙る。狭い組合書記局の一室、電話と格闘する組合専従新人の声だけが響いている。先程から議論はまったくかみ合わない。こういう時は、だんまり作戦に限る。沈黙に耐えられず、向こうから何か提案してくるだろう。

太田は、凝った首を回しながら、正面の二人を観察した。この業界の組合専従は、何故、こういう中堅若手といった層が、頻繁に入れ替わるのか。まあ、自分も同じような年、文句を言う筋合いは無い。が、似たような世代という事はプラスもあるが、マイナスも大いにある。

相手はまだ黙っている。

太田は首筋を揉みつつ、委員長の様子をうかがった。先程から、委員長は目が合いそうになると、わざとらしく目を逸《そ》らす。揉む手を肩に移動させつつ、対策を考えた。委員長の性根は分かっている。年次は一つ下、独身時代は寮が同じで、よく飲んでは一緒に騒いだ。いい加減疲れてきたし、別室に移動して本音で話させてもいい。

太田は、揉む箇所をこめかみに変えて、書記長の方をうかがった。書記長はノートを広げメモを取っている。非公式だと言ってるのに、議事録を残そうとしているのだ。この男は、専従になってから、知り合った。年は五年程下だが、年の割には生意気にして出しゃばり過ぎる。別室に移動すれば、こいつもノートを持って付いてくるだろう。それは駄目だ。

沈黙はまだ続いている。

太田は諦めた。この作戦は失敗。こちらが黙っている限り、相手も喋らない。俺は黙っているのが苦手だ。それに次は、体のどの部分を揉めばいいのか分からない。太田はこめかみの手を下ろし、わざと苛立ったように体を揺すった。

「事件の捉《とら》え方がお互い違うという事は分かった。で、組合としては、何をどうせいと言いたいんや。具体的に言うてんか」

委員長は当惑の表情を浮かべ「まだ具体的には言いにくくて」と言った。

「組合の電話は鳴りっ放しです。意見吸収の途中ですけど、意見自体、変化してて、段々、強い調子になってきてます。この件を組合としては、どう考えるのか。ストできるなら、何故、今迄やらなかったんだ、とかいうのもあります」

「俺が言う立場やないが、そんなもん、組合員の教育、啓蒙の話やろう。組合の執行部やろ、しっかりしてくれ。そんな事、会社に言われても、困るわな」

「皆、ショックなんですよ。この業界ではタブーだったスト権の話ですし。こんな事、前代未聞ですから」

　書記長が、手元のノートを閉じて、会話に入ってきた。

「太田さん、こんな意見もあるんですよ。ストが可能なら、私もやりたい、と」

「お前らが、そんな言葉使《つ》こうて、どうすんねん。ストと違《ち》ごうて犯罪やろ。前代未聞なのは、当たり前や。そんなにしょっちゅう、犯罪があってたまるか」

　喋っている間に、腹が立ってきた。

「ストちゅうのは、一社員の思いつきで、できるんか。反省しろ、ちゅうのは、労働条件の改善要求か。事前交渉無し、一社員による抜き打ち、手続も何もない。こんな犯罪を、ご立派にストやと？」

　目の前の長机を手のひらで叩いた。

「専門書でも判例集でも、持ってこい。いくらでも、やりおうたるわっ」

太田は一気に言い切って息をついた。委員長は黙っている。が、書記長が口を切った。今度ははっきり挑発的な口調だった。

「いや、理屈はそうだと思いますよ。私も太田さんの言う事は間違ってないと思います。理屈の上では、ね」

太田は机の下で拳を握った。冷めかけた頭にまた血が上っていく。書記長は同じような口調で続けた。

「社員の気持ちはどうですか。違うでしょう。非公式という事なら、はっきり言いましょうか。ここ数年、無理を強いる事が当たり前になってる。例えば、残業時間にしろ、最近は、どうですか」

太田は黙っていた。

「毎日、終電帰りすれば、月一〇〇時間は軽く超える。何の数字か分かりますよね。労災の時にいつも議論される数字です。こんなの結構いますよ。加えて休日にも毎度出てくる奴もいますから。自己都合で辞めた奴が、職安でそんな話をしているうちに、雇用保険の給付金を会社都合と同じように扱ってくれた、なんて話も聞いた事があります」

「何が言いたい」

「何がバブル以降の最高益ですか。なあなあで我慢してる全員が、まともに残業つけたら、そんなもん、吹っ飛ぶでしょ。典型的なホワイトカラー業種で区切りを付けにくいからといって、会社は甘え過ぎなんですよ。常に、おいしい所取りする。成果主義なんて、地道に働く奴が減っただけですよ。第一、方針が頻繁に変わるから、地道にやりようもない」

黙っていると、書記長の口は更に加速した。

「太田さん、現場で再建計画を担当した事がありますか。無いんでしょう。だから分からんのですよ」

「何の関係がある」

「始終、説明が変わる会社があるんです。常に、その場凌《しの》ぎの説明。僕は腹立って席立ってしまった事があります。でもね、邦和信託も同じ事をやってきてんですよ。それでいて、世の中全体の風向きが変われば、手柄顔する。冗談じゃない」

太田は震える拳を椅子に押しつけた。顔が赤くなっているのが、自分でも分かる。何も喧《けん》嘩《か》しに来ているわけではない。だが、下らない講釈を聞きに来たわけでもない。

委員長はこちらの様子を察したのか、「おい、いい加減に」と言って書記長の袖を引っ張った。が、書記長は制止を聞かない。

「太田さん、社内の雰囲気、肌で感じてますか。皆、もう、きれたがってるんですよ。あのメールと同じ事を感じている奴が一杯いるんです。分からんのでしょう。だから悠然《ゆうぜん》と構えてられる。大体、あんなビルの高層で働いてて、現場の雰囲気が分かるはずがない。あんたらは、いつもそういう……」

「あんたら、やて。言うてくれるやないか。何様になったつもりや。この、どあほっ」

太田は机を叩いて立ち上がった。もう、話を聞く気にならない。まったく、誰がこんな奴を書記長に選んだんだ。

書記長も立ち上がった。その顔も真っ赤になっている。

「どあほで結構。でも一応、組合の書記長ですよ。太田さん、あんたは所詮、人事部の一担当だ。大した権限もない。悔しいでしょうが、私の方がずっと、交渉権限はある」

書記長は鼻息荒く喋り続けた。

「何が『執行部がしっかりしろ』ですか。よく言えるもんだ。うちはユニオンショップ制の企業組合だから、社員が勝手に組合脱退はできんが、組合を分けてしまう事は、できない話じゃない。一つ、強硬組合、設立してみますか。いつまでも大人しいと思ってると……」

委員長が書記長の背広を引っ張り「座れ」と言った。続いてこちらに顔を向ける。

「座ってください、太田さんも」

太田は大きく息を吸って座った。書記長も座る。委員長はため息をついてから言った。

「会社にとっても、組合にとっても、前代未聞は間違いない事ですので、どうでしょう、双方での事実確認の他に、会社から何らかのコメントを出す事は、考えられませんか。社員向けに」

「やるべき事は会社でもやる。けど、事は犯罪やさかいな」

「組合への問い合わせは、ものすごい数です。現時点で労使課題と言うつもりはありませんが、執行部としてもコメントは出さざるをえません。そのタイミングは考えますけど。もし出すとすると、会社、組合とも、今回に限っては、かけ離れたコメントを出さない方が」

不満げな顔つきで、書記長が委員長を見る。委員長は無視して言葉を続けた。

「無論、摺《す》り合わせが必要とは言いません。また、そうして下さいとも言いませんが」

太田は肯いて「分かってる」と言った。それは自分も考えていた。太田は息をつき、書記長の表情を盗み見た。書記長は横を向いている。こいつさえ席を外してくれてれば、面倒は無かったのだ。もう一回、罵倒したいくらいだ。

「いいんちょお」

部屋奥から弱々しい声が聞こえてきた。専従新人が受話器を手で押さえて、こちらを向いていた。

「もう駄目です。私の手に負えないです。委員長に電話替わるって、言っちゃいました」

委員長は「誰から」と言いながら立ち上がった。

「鹿児島支店の、支店長なんです」

「え、支店長？」

委員長は足を止め、受話器を受け取るのを躊躇《ちゅうちょ》した。新人は電話機に手をやった。

「いいです。今、スピーカーに切り替えますから」

太田は黙って二人のやりとりを見ていた。あまりの電話攻勢に新人君は混乱したらしい。支店長は経営階層である。直接、個別に、組合に電話などかけてくるわけがない。こんな事で、組合に泣きを入れる経営層なんて、世の中には無い。

電話機から野太い声が流れてくる。

太田は思わず「あほな」と呟いた。確かに聞いた事がある声、鹿児島支店長の声だった。

「委員長か。君達から、店の女の子達に言ってやってくれんか。メール読んで妙に動揺しとる。俺が言っても副支店長が言っても、耳を貸さん。窓口で一番のベテランなんて『支店長って非組合員なんでしょ』とか言いだすし。おい、聞いてるか」

委員長がスピーカーに向かって声を絞り出した。

「聞いて、ます」

「鹿児島だから、細かい事は分からんと思ってるんじゃないだろうな。こっちでも、テレビやってる。首都テレビ系列は、鹿児島にもあるからな。皆、それを見とるんだ。何でもかんでも、すぐに伝わってくる」

専従新人が慌てて部屋隅のテレビを付けた。画面に店舗光景が浮かんだ。神田支店だ。

「俺だって知ってる。この画面の若い男、東京のテレビ局のアナウンサーだろうが。という事は、東京と同時に流れているという事だろう」

画面でアナウンサーが喋り始めた。

『本日午前、立て籠もっている人物からと思われる電子メールメッセージが、邦和信託の社員に送られた模様です。そして、今、私の手元に、そのメッセージがあります。その一部を読み上げますと……』

体から力が抜けていく。太田は呟いた。

「何で、この会社、次々と、外に漏れ出すんや」

電話から苛立ったような声が飛んできた。

「おい、何黙ってんだ。聞いてんだろうなっ」

二つの声が重なって響いた。

『我々はずっと耐えてきた。誰のために』

「おい、こっち無視する気か。お前ら、それでも組合か」

太田は目をつむった。理解できない事が多過ぎる。きれる気力も無い。

太田は椅子に崩れるように座った。

9

神田警察署　二階　刑事課応接室　午後0時10分

先程から沈黙が続いている。

古賀は、机の上の名刺を整える振りをしながら、目の前の刑事の様子をうかがった。ベテラン風の初老の男と、若い男の二名。初老の方は、占拠犯からのメールのコピーを読んでいる。若い方は落ち着かないのか、始終、小刻みに体を揺すっていた。

長椅子の軋《きし》む音がする。

古賀は隣を見やった。自分の隣では支店支援室長の小堺が膝を揺すっている。更にその隣には、事務統括部長の矢田がいて、食い入るように初老の刑事を見つめていた。同席さえ嫌う者同士が、共に緊張した面持《おもも》ちで並んでいる。普段の姿を知っている者には、妙なおかしみさえ湧《わ》いてくる。

古賀は長椅子の背にもたれた。

応接の窓の方を見やる。雲一つ無い青空が広がっていた。何も無ければ、さぼって外を出歩きたくなるような日だ。妻の涼子の顔が浮かんできた。そういえば、最近、二人で出かけていない。土日も、出勤か家で寝てるか、だ。そろそろ文句が出る頃かもしれない。

沈黙が破れた。

「なるほど、ね。で……」

古賀は慌てて顔を戻した。初老の刑事がメールを応接テーブルに置いた。

「他にお持ち頂いた物は？　例えば、その江本、とかいう社員の資料とか」

室長の小堺は、膝を揺するのをやめ「いえ、まだ」と答えた。

「人事部にはありますが、ご入り用なら。すぐに相談致します」

「いえ、結構です。それ以前の問題でしょうから」

初老の刑事は、一旦、息をつく。「もう一度確認させて頂きます」と続けた。

「江本という社員以外に、建物内に誰かいると思われる状況は、ありますか」

「どういう事ですか」

「分かりやすく言えば、人質に相当する者がいるか、という事です」

「いえ、江本以外の社員は所在が分かっておりますので」

「支店内の様子は、どうですか」

「外からは何も。内部の物音も特に無くて」

「金品等の要求などは、どうです」

室長は「いえ」と言いながら首を振った。

「なるほど、メールに書かれた要求以外、何も無い」

初老の刑事は、冷ややかな調子で、言葉を続けた。

「人命の危険性や、器物破損も無い。更に、特に脅迫らしきものも無い。要するに、特段、何も無い、という事ですな」

古賀は身を乗り出した。決済機関である銀行が、意に反して営業できない。それが、何も無い、なのか。警察は何のためにある。思わず声が出た。

「冗談じゃないです。不法占拠です、当社の営業施設の」

「なるほど。そういう事かもしれませんな」

そう言って初老の刑事はソファにもたれる。少し間を置いてから続けた。

「しかし、今、警察は、動くわけにはいきません」

古賀はテーブルに手をつき「何故ですか」と聞き返した。が、すぐに室長に膝を叩かれた。お前は黙っていろ、という事らしい。古賀は渋々手を引いた。

室長は刑事に向き直った。

「これは明らかな営業妨害です。こういう場合には、警察は動いてくれるはずですが」

「仰《おお》せの通りですな」

若い方の刑事は、更に落ち着きがなくなった。が、初老の刑事は淡々と言葉を続けた。

「一般的には、威力業務妨害でしょうか。中にいるのが、江本という社員でなく、関係の無い第三者ならば、住居侵入も相当するかもしれません。退去要求が可能なら、不退去も検討してしかるべきでしょう。しかし警察は動けない。あまりにも準備が無い」

「準備？　機動隊とかの突入準備ですか」

初老の刑事は大仰に目を見開いた。「とんでもない」とでも言いたげな表情だった。

「準備は、あなた方の方ですよ。私は警官だから、刑法に関わる部分しか知らないが、ええと、どうだったかな」

刑事は宙に目をやる。朗読するような調子で言った。

「そうそう、労働組合法第一条第二項でしたか。刑法第三五条の規定は労働組合の団体交渉その他の行為に適用があるものとする、かな。ちょっと端折《はしょ》ったかもしれんが」

刑事は顔を戻した。

「刑法第三五条は法令に基づく行為は罰しないという刑事免責の条項ですよ。お分かりでしょう。労働法に基づくストによる占拠の場合、刑事上の違法性が免責される。やってる事は同じでもね。警察は刑事犯に対応する組織です。当然、民事に出しゃばるわけにはいかない」

室長達は合わせたかのように同時に「ロウドウホウ」と呟いた。

刑事はテーブルの上のメールを指差した。

「はっきりと刑事事案と思われるような、何か新しいお話は、と思ってたんですが、テレビで流れている話以外に何も無いようで」

室長は声を絞り出した。

「これが……これが民事、ですか」

「部外者にはよく分かりませんが、現状の要求は、要するに、社内の処遇改善のための『経営刷新』という話なんでしょう」

古賀は唇を嚙んだ。そんな馬鹿な話があるか。こんな経営刷新なんて、あるわけない。そう思った時には、またテーブルに手をついていた。

「何でストですか、これが」

今度は室長も止めない。古賀は頭の中で考えを巡らせた。以前、太田から聞いた事がある。古賀はおぼろげな知識をかき集めて言った。

「確か、その条文が適用されるのには、条件がいるはずです。事前交渉とか、交渉権限とか方法とか、一定の手続が。現に、うちの組合が支店に籠もってるわけじゃない」

「仰る通りですよ。だから、あなた方に準備が無い、と申し上げているわけです。『スト』と自称しているこの占拠が、適正なストではない事を、我々に示して頂きませんと。刑事事件である事を説明して頂きませんと。今の状態では何も分からない。我々にとっては、何も起こっていないのも、同然です」

古賀は手を戻した。初老の刑事の顔を見やって、改めて思った。狸親父《たぬきおやじ》とは、この男の事だ。先程、この男、白々しい仕草で「どうだったかな」と言い、労働法を諳《そら》んじた。応対前から、言う事を決めていたに違いない。刑法、刑訴法ならともかく、労働法の条文番号まで諳んじる刑事など、どこにいる。

ずっと黙っていた事務統括部長の矢田が口を開いた。

「その説明資料としては、何が必要ですが」

「正当なストでない事を説明する資料という事になるかと思いますが、御社内の状況が我々には分かりませんので。まあ、顧問の弁護士の先生方に実情をお話しになった上、ご相談されてはどうですか。そういう先生方は、一杯、抱えていらっしゃるんでしょうから」

突然、携帯の着信音が響いた。矢田の携帯らしい。矢田は慌てて部屋隅に行き、小声で話し始めた。それを見て、初老の刑事は立ち上がった。隣席の若手も慌てて立ち上がる。

「お忙しそうですし、まあ、今日のところは、このへんで。署長達が、お会いできず申し訳ない、と申しておりました。お会いするのを避けてるわけではございませんので、念のため。今回の件に関して、本庁との調整で多忙極めておりましてね」

もう帰れ、という合図らしい。古賀は小堺と一緒に立ち上がった。部屋隅で話していた矢田が電話を切り、こちらを向いた。

「また妙な事が起こった。内線電話が一部不通になったらしい。総務が『うちの通信網全体が狙《ねら》われているんじゃないか』と言ってきた」

そう言って、矢田は刑事の方を見やる。初老刑事は肩をすくめた。

「まあ、恐らく支店の占拠とそれは、直接、関係無いと思いますよ。何かはっきりすれば、相談して下さい。刑事事案と分かれば、いつでも駆けつけますから」

三人揃《そろ》って応接室の出口へと向かう。扉の手前で初老の刑事が思い出したように言った。

「そうそう、ご参考までに。労働組合の親玉で、連合ってありますよね。その連合の事務局まで興味津々らしいですよ。テレビでも大騒ぎですからね」

古賀は初老の刑事の顔を正面から見やった。最後に言い返さねば気が済まない。精一杯皮肉を込めて言った。

「警察って所は、動かない割に、妙な情報まで集まるんですね」

「これは余計なお節介でした。個人的に小耳に挟んだだけでしてね」

刑事課を出た。無論、見送りなどは無い。

三人揃って、警察署の階段を下りていく。古賀は、少し遅れてついて行きながら、二人を見やった。どちらの背も苛立たしそうに揺れている。小堺の声が聞こえた。

「専務には俺から報告する。支店の事だ」

「待て、俺が」

矢田の声が途中で止まる。背中が大きく揺れた。

「いや、分かった。お前に任せる」

警察署のロビーに出た。交通課前のテレビの周囲に人混みができている。小堺が足を止め、テレビの方を見やって呟いた。

「神田支店じゃない」

テレビ画面には邦和信託の看板が映っていた。都内店のようだが、どこかまでは分からない。次いで店舗前の行列が映った。行列中程の中年女性が勢いよく喋り始めた。

『朝、神田に行ったわけ。他の店なら開いてると言うのよ。だから、すぐ来たのに、これよ。ほんと、この銀行、どうなってんのよ。どこか、おかしいんじゃないの、まったく』

画面はレポーターに変わった。

『数年前の金融危機を彷彿《ほうふつ》させる現場からでした』

矢田が呟く。

「彷彿って、自分達がわざと彷彿させてるんじゃねえか」

「急ごう。マスコミが煽《あお》り始めると、早い」

小堺の言葉に矢田は黙って肯く。二人とも何が「早い」のかは、口に出して言わない。が、意味するところは分かる。

二人の背を追って、古賀は警察署を出た。玄関口で建物を振り返る。考えが甘かった、と思った。警察に来れば解決すると思っていた。占拠した奴は、どこまで計算している。労働法も、マスコミの煽りも、計算の内か。誰もが面白がって見ている。その間に邦和信託は徐々に追い詰められていく。

玄関の制服警官が訝《いぶか》しげにこちらを見る。

古賀は背を向けた。拳を強く握る。馬鹿げている。こんな占拠事件があっていいのか。こんなノンベンダラリとした占拠が。

## 10

邦和信託銀行本部ビル　裏玄関　午後1時30分

狭い貨物用エレベーターの中で腹が鳴った。

太田は腕の時計に目をやった。もう一時半、組合に二時間近くもいた事になる。あんなに怒鳴っては腹も減る。が、社員食堂にはまだ多くの社員がいるだろう。知り合いと顔を合わせて、質問攻めにされてはたまらない。貨物用エレベーターに乗っているのも、そのためだ。

エレベーターを途中で降りた。こんな日はパンで済ませるに限る。

太田はビル中層階の売店に駆け込んだ。残っていた総菜パンをレジに出すと、レジのおばちゃんが、「銀行ってストできるんだねえ」と感心したように言い、いろいろ尋ねたそうな顔をする。太田は逃げるように売店を出た。今日、ビル内は事件一色。この調子だと、誰にどこで、つかまるか分かったものではない。エレベーター待ちも危険だ。

太田はフロア隅の非常階段に飛び込んだ。薄暗い階段を上がる。足が重い。気もまた重い。

階段を二階程上がると、上方が明るくなってきた。階段とフロアとの仕切りにある鉄扉が開いているらしい。頭の中で階数を数え直した。恐らく、あれは証券事務部の明かりだ。

証券事務部の階に着くと、太田は事務フロアの方を覗き込んだ。

階段近くの会議室前で二人の男が話し込んでいた。二人とも、弱り切った表情を浮かべている。一方は国際部門担当の副部長だ。もう一方は、はっきりしない。が、あまり見覚えが無いという事は、最近着任した国際証券事務課の課長だろう。

こちらの足音に気づいたらしい。副部長が振り向いた。

「太田君、ちょうど良かった」

副部長は「ちょっと、ちょっと」と言いながら手招きする。近く迄寄ると、副部長は声を落として「例のメール、読んだか」と訊いてきた。簡単に「ええ」とだけ返すと、副部長は会議室の扉を見やった。

「実はな、国際証券事務のベテラン組が、この会議室に籠もったきり出てこんのだよ。例のメール読んで『私達も同じ気持ちです』とか言ってな」

横から課長が付け加える。

「彼女達がいないと、事務が進まんのですよ。東欧のマイナーな外債の処理でしてね、細かな事務が分かるのは、彼女達だけでして。彼女達、『社員として賛同してのスト』だと。こういうの、サボタージュと言うんでしたっけ。日本語では怠業でしたか」

「サボタージュ？」

声が裏返った。太田は二人の顔を交互に見やった。

「お二人とも、何、仰ってんですか」

副部長は、隣の課長の顔を一瞥して、言い訳するかのように言った。

「その、労働者の権利とか、彼が言うもんだから。こじらせてはまずいし、人事部に表だって相談するのも、事を大きくし過ぎのような気がするし。丁度、君が通りかかったもんだから」

副部長は頭をかく。太田はわざと淡々と返した。

「それは、仕事が嫌というだけの、駄々こね、です」

課長が「そんな」と言いながら首を横に振った。

「普段は、本当にまじめで、いい子達なんです。彼女達、仕事したくない、と言ってるんじゃなくて、その、なんと言いますか、メールにありましたように、会社の事を考えて」

「理由になりません。仕事やらせて下さい。申し訳ないんですが、これは副部長と課長のお仕事です」

「しかし、労働者としての」

「小難しい言葉で言えば、ただの労務不提供です。ただの」

太田は、そう言い切って、副部長の方を見やった。

「副部長、誰かが駄々こねる度に、大騒ぎして、人事部長と組合を連れてくるんですか。

「冗談やないです。こんなの、ごく普通に対応して頂いて結構です」

「太田君、そうは言ってもね」

「やるべき事を、やらせて下さい。その上で文句があれば、聞いて下さい。真っ当な要求に対しては、当然、人事部も真剣に検討しますから」

副部長と課長は顔を見合わせた。太田は二人に一礼した。

「急いでますので、申し訳ありません。失礼します」

太田は背を向け、階段に向かった。自分でも不躾《ぶしつけ》だと思った。が、これ以上、話していると、組合の時のようになる。年下の生意気な書記長相手なら、幾らでも、きれてやる。しかし、今は相手が相手だ。面と向かって、きれるわけにはいかない。

副部長の呼び止める声が背にかかった。太田は聞こえない振りをした。振り向かず階段を全力で駆け上がる。足が攣《つ》りそうだと思った。けれど止まらない。ひたすら駆け上がる。

息が切れてきた。

先程の二人の困惑した顔が浮かんでくる。説明しても良かった。適正なストには条件がいる。ストは団体交渉の手段だから、一人一人が勝手にストを始めていいわけではない。それに最終手段であるから、交渉の後でなくてはならないし、通告だっている。するにしても、全面的で排他的な職場占拠までいくと、適法とは言い難い。それに、労働条件に関する事項以外は、ストの目的にできないのが原則だ。こういう条件を満たさねば不法ストだ。労働法の保護の対象とはならない。判例は山ほどある。が、そんな事を知らぬからといって、きれるわけではない。

足が動かなくなってきた。あと一息、人事部は踊り場の先だ。が、そう思った時、足がもつれ、段を踏み外した。階段から落ちそうになって、手すりをつかんだ。足先に力を込めた瞬間、ふくらはぎが収縮する。運動不足の身、本当に足が攣った。

太田は足を抱えて、薄暗い階段の踊り場の隅にしゃがみ込んだ。壁に足を押しつけ、ふくらはぎを伸ばす。両手でふくらはぎを叩きながら、喘《あえ》いだ。情けない体に、情けない職場だ。氏素性の知れぬメールが一本。その程度の扇動で右往左往。何を為すでもなく、脆《もろ》さばかりを露呈する。

強い痙攣《けいれん》が襲ってきた。ふくらはぎが一気に硬直する。

太田は足を抱えて呻《うめ》いた。

## 11

邦和信託銀行　専務執務室　午後1時50分

専務の北尾は顔を上げた。報告に来た総務部長の言葉が意外だったからだ。予感は良い方向に外れる事もあるらしい。

「何だ、もう復旧したのか」

目の前の総務部長は、かすれた声で「はい」と返してくる。

北尾は部屋隅のモニターを見やった。モニターに流れているのは、いつもの経済ニュースではない。ワイドショーの特番だ。ゲストの茶髪タレントが邦和信託の名を口にする。違和感ある事、甚《はなは》だしい。北尾は、モニターの方をあごでしゃくった。占拠とかストとか、そんな言葉を口にするのも腹が立つ。

「あの件と」

次いで机上の電話を見やる。

「内線の不通とは関係無しか。タイミングが、あまりに合い過ぎるから、関係があるとばかり、思い込んでた」

総務部長は口ごもりながら答えた。

「その、まったく関係無いというわけでもございませんで」

「何だ、やっぱり閉じ籠もっている奴の仕業か」

「いえ、そうでなく」

「よく分からん奴だな。回りくどい言い方はするな」

総務部長は大きく息を吸って「その、社員です」と言った。北尾は顔をしかめた。

「確定できたという事か。閉じ籠もっているのが社員だと」

「いえ、そうでなく、その他大勢の社員達が」

「は？」

声が裏返る。自分でも間の抜けた声だと思った。嫌な予感がする。北尾は総務部長を黙って見つめ、言葉を待った。

総務部長は、意を決したかのように、喋り始めた。

「テレビ報道され始めた時刻くらいからでしょうか。一挙に、一ヶ所に対する架電件数が増えました。これが原因です」

総務部長は言葉を一旦区切り、深呼吸した。

「その、全国から神田へ、です。全国津々浦々の支店、出張所から、神田支店へ。この本部ビルからもです。急増後、約一五分で内線専用回線の交換機がパンクしました。恐らく、テレビを見た社員が面白がって神田支店にかけてみた、といった事かと思われます。内線電話帳は全社員に配布してありますから、自分の机の電話を取り上げるだけです。ただ通話記録は一件もありません。犯人側の方が相手にしていないみたいでして」

体の力が抜けていく。北尾は声を絞り出した。

「こんな時だ。社員じゃないだろう、いくら何でも」

「間違いないです。内線交換機のパンクですから。今、業者と相談しまして、可能な範囲内で回線の一部に規制をかけたところでして。余計な電話に関する自粛通達の用意も」

北尾は目をつむった。自粛？　そんなレベルの話なのか。

部屋にモニター音声が響く。

『事件を嫌気《いやけ》して、今日の邦和信託の株価は、ストップ安近くまで値を下げています。同社は数年前、不良債権問題のさなか、社員の不祥事を連発し、社内外にわたるリスク管理体制の甘さが指摘されました。今回の事件により、その体質は何も変わっていないと指摘する声もあり、改めて嫌気されたものと思われます』

突然、モニターの声の調子が変わる。

『ちょっと、お待ち下さい……今、新たな情報が入りました』

北尾は目を開けた。画面のレポーターが興奮した面持ちで喋りだした。

『邦和信託銀行の首都圏店舗の一部で、内線が不通になる事態が生じた模様です。これも、この立て籠もっている人物の計画した事なのでしょうか。確かな原因は不明との事ですが、予想外の事態の連続に、同社内で緊張が高まっている事は、間違いありません』

総務部長が「あれまあ、早い」と呟いた。

「公表なんてしてないのに。誰か、すぐ喋るんですね。この調子ですと、二、三時間もすれば、復旧した事も……」

総務部長は言葉を途中で飲み込んだ。ようやく空気を察したらしい。

北尾は震える手を握りしめた。頬の筋肉が勝手に動く。俯《うつむ》いた総務部長を一瞥した。呑気に立っている部下に、机の小物を投げつけたくなる。二、三時間？　そんなにいるものか。一時間もすれば、原因解明のおまけ付きで、内線復旧と報じられる。ワイドショーは一転、大爆笑に変わるだろう。

北尾は奥歯を嚙みしめた。緊張が高まっているくらいなら、どんなにいい事か。だが、この雰囲気は何なのか。内も外も危機を楽しんでいる。こんな危機があるか。

目の前で音がした。メールの着信音だ。

また嫌な予感がする。北尾は、手の震えを抑えながら、キーボードを触った。

『邦和信託の皆さんへ　2』

事務統括部は何をしている。対策を取ったのではなかったのか。北尾はメールを開けた。

『一つの寓話《ぐうわ》がある。あるメーカーでの話だ。

研究開発部門の若手がいた。部門のホープ、数々の成果を上げてきた。が、会社の要請は厳しい。人間では不能と思える精度を求められ続けた。が、彼は誠意に溢《あふ》れ実直だった。要請に応《こた》えようと、会社に籠もった。自己犠牲をいとわず、研究に没頭した。

ある時、彼は決心した。会社に新制度ができたからだ。職務に応じて給料等が決まると言う。給料が下がっても、家族との時間を作りたい。彼は社内で容易と言われる仕事を探した。そして、その職場への異動を申し出た。仕事は製品の簡単な袋詰めだけ、彼の能力からすれは、何でもない。

袋詰め職場に着任して、彼は驚いた。冷静に計算すれば、一時間で一〇〇個が人間能力の限界。そしてノルマは一三〇個。が、彼は実直だった。なんとか、要請に応えようと、ここでも自己犠牲を続けた。彼の決意に反し、事態は何も変わらなかった。いや、変わった事はある。彼の家族は離散した。そして、誰もいなくなった自宅で一人、彼は倒れたのだ。

これは寓話であって寓話ではない。この会社での実際にあった事を、分かりやすく置き換えただけだからだ。我々全員、薄々感づいていた。会社の言う事に従えば、いつも、こうなると。甘い汁を吸うのは、一部の奴らばかり、実直な奴は、必ず割を食う。

不思議な仕組みが、この会社にはある。

制度はクルクルと改変され、その趣旨は常に立派だ。だが、何を理由にしようが、会社は尻を叩くだけ。実態は何も変わらない。制度は趣旨通りに運営される事は無く、信じた奴は常に馬鹿を見る。何度、聞いたか。「会社のため、そして社員のため」と。大義名分やら理屈やらは、嫌《いや》になるほど説明された。

素晴らしき制度とやらは常に奴らのためにある。
素晴らしき方針とやらは常に奴らのためにある。

素晴らしき評価とやらは常に奴らのためにある。

もっともらしい話は全て、常に奴らのためにある。我々は、どさくさに紛れて、叩かれ、絞られ、踏みつけられる。奴らは、そんな事は無い、と反論するだろう。だが、我々を取り巻く現状を見れば分かる。現状こそ屁理屈の結果だ。

どちらが正しいのか、言うまでもない。

思い返す。今迄の汗は何だったのか。問い返す。今迄の涙は何だったのか。

我々はずっと耐えてきた。誰のために』

北尾は体に力を込め、息を止めた。奥歯がまた軋む。これを書いたのは、どんな奴か分からない。が、こいつは会社に挑戦している。いや、挑戦でもない。これは挑発ではないか。

北尾は机を叩き、部屋に響きわたる声で目の前の部下に言った。

「何してる。全員集めろ、対策会議だ」

「その、全員と言いますと」

「この件に関係しそうな部署全てだ。範囲は考えろ。部長クラスに限らん。実務が分かって即答できる奴を呼べ」

「範囲といいますと、うちの部のほかに……」

北尾は苛立った。机を再度叩いた。

「早く行けっ」

総務部長は慌てて出口へと向かった。

# 第二章

## 1

邦和信託銀行　大会議室　午後2時45分

これだけのメンバーが一堂に会する事は、そうは無い。

古賀は大会議室を見回した。

馬鹿でかいほどのテーブルには、会社の主要な面々が顔を揃えていた。まずは、室長の小堺を含む支店支援室の面々、現場からは神田の副支店長。少し離れて、部長の矢田を含む事務統括部の面々。例の中途採用のSE黒縁は来ていない。もっとも技術的な事を説明されて理解できる人間は、この場に誰一人いないから、それでいいのだろう。

続いて経営本部。まずは、広報部から広報部長を含んで数人。部屋隅にはテレビが数台、広報の若手達がその前に陣取り、ヘッドホンを耳に報道をチェックしている。人事部は、調査役の太田とその上の主任調査役が来ている。人事部長は着任して間もないから、「即答できるメンバーを」という要請に配慮したのかもしれない。そして経営企画部からは、次長の牧原と自分。この選別には、特に理由は無い。警察への随行時と同じ理屈、消去法だ。他には、資金部と法務部から各一人、それに会議を招集した総務部が数人テーブル後方に控えている。

そして、テーブルの中央には、苦り切った表情の専務がいた。その席の脇には、分厚いマニュアルが置いてある。邦和信託銀行危機管理要項、いわゆる危機管理マニュアルだ。当然、どのページにも今回の事件に相当するものは無い。

会議では、支店支援室長の小堺が警察の対応について報告していた。やはり、初めて聞く者には意外だったらしい。室内の各所から、ため息が聞こえてきた。

「主な所は以上です。支店支援室としては、警察の要請に対して、早々に……」

鈍い音がした。大きなテーブルが揺れる。専務がテーブルの脚を蹴ったらしい。室長は言葉を途中で飲んだ。専務が苛立たしそうに言った。

「雁首《がんくび》揃えて行った挙げ句、言われっ放しで帰ってきたわけか」

室長は黙っている。専務は言葉を続けた。

「うちの弁護士は何と言ってんだ。帰ってきて、もう一時間以上経ってる。当然、確認したんだろうな」

「確認しました」

再びテーブルが揺れた。専務がまた蹴ったらしい。

「なら、それを言わんか。何が『以上です』だ。肝心の所だろうが」

「何人かの先生に確認しましたが、難しい話ではないと。対応さえ誤らねば、最終的に警察は動くだろうと」

「そんな事は分かってる。今、その対応とやらは、どうなってる、と訊いてんだ。説明資料は手配できるのか。いや、もう手配してるのか」

「それが大半、人事関係の資料でして。それに客観性を持たせるには、組合からの資料もあった方がいいと」

室長は人事部の方を見やった。専務も同じ方を向く。

太田が喋り始めた。

「既に取りかかってます。組合からは、事実の列記だけなら、との言質《げんち》は取りました。意見を入れると、どうせ揉めますから。ストを正当にする事実は何も無いので、警察にはこれで十分です。今、提出可能な物を洗い出してます。会議が終わる頃には、ほぼ揃うと思いますが」

いつも以上に人事部の動きは早い。元々、己に降りかかった火の粉を払うのは、妙に早い部署だ。ストのままでは、人事部が当事者になってしまうから、すぐに太田が反証集めに走り回ったに違いない。

太田の話を受け、室長が再度喋り始めた。

「支店支援室としては、その資料をすぐに……」

「駄目だ。全然、なってない」

専務の言葉に、室長は怪訝そうな表情を浮かべた。語気荒く専務は続けた。

「お前達、また、警察と議論やるつもりか。所詮、解釈の話だろう。次、行った時に、警察に、追加資料として、あれ出せこれ出せ、と言われたら、また、すごすご帰ってくる気か」

「しかし、専務」

「上から押さえろ。これが一番効く。警察なんぞ、所詮、融通がきかん組織だ」

会議室が静まりかえった。唐突な言葉ながら、ここにいる者なら意味する事は分かる。室長が専務に問い返した。

「警察庁OBは、もう社内にいません。天下り批判の時に顧問契約を切ってしまいました。今はツテが」

「表面上、そうしているだけだ。OBが嘱託扱いで、まだ関連会社にいる。毎月、小遣い、渡してんだ。人事部は分かっている」

会議室のあちらこちらで、ため息が漏れた。言葉に出して言うなら「まったく人事って奴は、ハア」といった具合か。経営企画部の自分が知らなかったくらいだから、他部署の人間なら尚更だろう。

専務は人事の方を見やった。

「おい、お前達は、連中にタダ飯食わせるつもりか」

人事部の主任調査役がうなだれて、小声で「そっちも手配します」と言った。併せて太田も、うなだれる。うなだれたまま、そっと顔をこちらに傾け、小さく笑って舌を出す。古賀は思った。まったく油断ならない。経企部には裏がある、と太田は常に言うが、人事部の方が余程、裏だらけだ。

専務は獲物を探すような目で室内を見回した。その目が神田の副支店長で止まった。

「現場は、どうなっている」

副支店長は、離れた所からでも分かるくらい、大きく身震いした。

「店舗前で社員が説明して、他の支店を案内しております。小切手交換などで、幸い急ぎはございませんで。ただ、朝方、ある顧客と現金引出で揉めまして」

「こんな事態で揉めるのは当たり前だ。要はその程度問題だ。訴訟になるくらいの大事か」

「今は分かりません。誠意は尽くしますが」

専務は苦々しく「誠意は当たり前だろう」と呟く。副支店長は身を縮めた。これ以上続けても無駄と判断したらしい、専務は再び支援室長の方を見やった。

「他の支店はどうなっている」

「今のところ、揉め事の報告などは来ていません。行列ができている店では、整理券で手続順を保証するか、伝票等を預かって郵送返却にするか、どちらかで対応を。地方店では、まだ行列というほどではありません。ただ、当社株価の下落報道が昼に流れてから、急に払出客が増えました。これは、全国の支店で、です。長引くと、今後、どうなるか」

「金融危機の時と比べてどうだ。払出は多いのか」

「あの頃の七分目くらいかと。但し、二時現在での比較です。つまり、閉店後の処理や伝票を預かっての送金処理まで含めますと、あの頃を超える払出になる可能性も」

「いつ頃、はっきりと分かる」

「大量の払出処理のため、ホストコンピューターの稼働を延長して、勘定の締めを遅らせています。確定迄は待てませんので、午後五時基準で未処理分の金額概算の報告を全店に求めました。従いまして、六時過ぎには信頼に足る速報値が出せるかと」

専務はため息をついた。独り言のように「最高益を出して、これか」と呟く。間を置いて、資金部の方を見やった。

「そっちはどうだ。会社全体の資金繰りもある。まさか、こんな事で邦和信託が資金不足なんて事は無いだろうな」

資金部のマネージャーは、ゆっくりと身を起こした。邦和信託全体の資金を管理するマネージャーだが、社外でも結構、名が売れているらしい。マネージャーは、いつでも転職できると思っているせいか、悠然と構えていた。

「まあ、今以上に騒ぎが大きくなっても、大丈夫でしょう。ニュースが流れる直前、思い切って、長め、多めに、資金を調達しました。うちには金融危機を経験した連中が、かなり残っておりますのでね。慣れたもんです」

支店支援室長が「甘いんじゃないですか」と反論した。

「長め、多めに、という程度問題じゃない。今からでも追加で資金を調達すべきではないですか。金融危機と今は違う。金融危機は業界の危機。だから、客が預金を払出しても、持っていく所が無い。今は当社だけの危機。つまり、資金の移動先は幾らでもある。つまり資金の流出し放題という危険性が」

「甘いのは、そちらだと思いますがね。市場相手の場合は即断即決。マーケットでは、もうプレミアムが付いている」

室長の怪訝そうな表情を見て、マネージャーは言い換えた。

「つまり、今、当社が調達しようとすると、金利を上乗せされるんです。余分な金利を払い続ければ、計画した資金収益は達成できない。だからこそ、ニュースが流れる直前に決断して、多めに調達したんです。マーケットでは既に、当社は要注視の金融機関ってわけですよ。金融危機の頃の不祥事を取り沙汰《ざた》して騒ぐアナリストまでいる。分かってますか」

「マーケットの人間は、すぐそういう局所論を……」

専務が「もういいっ」と怒鳴った。

「問題認識できているなら、それでいい。程度の判断は、担当部署がやるしかないんだ」

マネージャーは再び椅子に身を沈める。支援室長は不満げに黙り込んだ。

専務は事務統括部長の方を見やった。

「それより、事務統括部は一体、どうなっているんだ。対策を取ったんじゃなかったのか」

部長の矢田は油断していたらしい。慌てて居住まいを正して「取りましたが」と答えた。

簡明なる答えに専務が爆発した。

「じゃあ、何故だ。何故、二通目が届く」

　矢田は手元の書類に目を落とした。

「ええと、一通目は、プロバイダ五ヶ所、各二回から三回、延べ一二回発信されており……ええ、その発信アドレス、またスト、占拠等のキーワードを組み合わせ、フィルタリングを……」

「細かな技術の事は、いい。何故、防げなかったかと訊いている。端的に言え」

　矢田は答えようとして口ごもった。専務は怒鳴った。

「社内LANの担当は誰だ。今迄、何をしてたんだ。今、一体、何してんだ」

　古賀は、激怒する専務を見やりつつ、ため息をついた。さすがに、部長の矢田も、それは答えられまい。担当の西山はバックパッカーの放浪一人旅中、実は連絡も取れません、なんて言えば、火に油を注ぐようなものだ。まったく同期ながら西山もついていない。久し振りに取った長期休暇でとんでもない事件が起こる。呑気に一人旅から帰ってくれば、いきなり責任追及だ。どやされ、後始末をやらされ、そして、多分また、どこかに飛ばされる。

　身を縮めている矢田に代わり、隣席のシステム企画課長が説明を始めた。

「理由を申し上げますと、一通目直後に取った対策が意味をなさなかったんです。二通目は、昨晩メールサーバーへ侵入されて、社内メールとして発信セットされたものでした。外部メールのチェックは意味がありません。社内から社内のメールに、まさか犯人メールがあるとは思いもよりませんでした」

「侵入って、社内向けホームページだけじゃないのか」

「昨晩、ほぼ同時刻にメールサーバーに細工されてました。今日の午後二時、二通目のメールが届くように、メールサーバーにセットされてたんです。ホームページの改竄と支店占拠に手を取られ、他に侵入があるかのチェックまで、手が回りませんでした」

「侵入、侵入と軽く言うが、そんなに簡単なのか。それとも、侵入した奴は、とてつもない天才なのか」

　一瞬、矢田が身を縮めたように見えた。自分の権限が悪用されてましたとは言いづらい。

隣席の課長が再び答えた。

「外部侵入に対するセキュリティは一般企業以上に整えてあります。ですが天才である必要はありません。今回の事件で、必要となる技術は所詮、サーバーを触れる程度ですから。基礎知識だけで十分です」

「意味が分からん。じゃあ、何故、こんな事になる」

「簡単に言えば、身内に鍵を盗まれた、という事です。鍵さえあれば、熟練の泥棒でなくても、簡単に盗みに入れますから。身内ですので、鍵の入手を含め、やろうと思えば……例えば、システムセンターなら、できる人間が何人かいると思います。今、侵入犯の範囲の絞り込みをさせているところですが」

課長は、上司の失態には触れずに、うまく説明する。専務は腕組みして、低く唸《うな》った。

「朝から全部、犯人の思うように踊らされてる、という事じゃないか」

専務は腕組みしたまま俯く。矢田は安堵の表情を浮かべる。会議室に沈黙が流れた。

「しかし、システムセンターの社員には簡単でも、彼にそんな技量があったようには思えん」

沈黙を破ったのは、支援室長の小堺だった。専務が小堺の方を向いた。

「彼？　誰の事だ」

「今の段階では断定的な事は言いにくいのですが……支店に江本という五年目の若手がいて、今、店舗の鍵を持ったまま、連絡がとれない状態にあります。早朝、その江本が店舗警備システムを解除して入店したと、警備会社が。江本は独身寮に住んでますので、念のため、神田の課長が確認に向かってますが」

専務はまた低く唸る。小堺は言葉を続けた。

「ただ、神田の社員達に、彼の人となりを訊きますと、とてもそんな事ができる社員のようではなくて」

事務統括部長の矢田が身を乗り出した。同期ライバルの小堺に嚙みつく。劣勢挽回《ばんかい》という事らしい。

「分かってないな。ハッカーというのは、そんなもんだ。表面上は大人しくて、見た目は従順そうに見えるもの、と決まってんだ」

何人かの失笑が聞こえる。だが、矢田は構わず攻勢を強めた。

「ハッカーが『私はハッカーです』って名札を下げてると思ってんのか。それとも、お前の所では、一社員の私生活まで把握してんのか」

「支店支援室として調査事実を報告してる。それに犯人は何人か分からん。江本の同期にしても、何人もシステムセンターにいる。どこで誰が、どうつながっているか、そんな事は分からん。メールにも『我々』とあったろう」

「そんなもの、あてになるか。アジる時は、たとえ一人でも『我々』とやるもんだ。早稲田の学生街に行って、アジビラもらってこい」

会議室の空気が張りつめる。ライバル関係の復活だ。二人の鼻息が重なって聞こえる。

「ちょっと、すみません。今、新しいパターンの報道が」

古賀は声の方を見やった。口を挟んだのは、部屋隅で報道チェックしていた広報部の若手だった。若手はモニターに手をやった。

「今、音量、上げます」

画面にスーツ姿の男が映っていた。顔にはモザイクが掛かっている。画面下に『支店営業担当社員』とある。モザイク顔が喋り始めた。

『いやあ、この会社って、すぐ方針が変わるんですよね。そのくせ評価される人は決まっていたりして。メールに書いてある通りなんですよね。僕なんか、何年も外回りの営業やってるんですけど、ちぐはぐな事、本当に多くて……』

「そんなもの、消せっ」

若手は身震いした。全員が専務の方を見やる。専務は腕組みしたまま、真っ赤になっていた。が、一呼吸置き、口調を変えて言い直した。役員が若手に直接怒鳴るのはまずいと思ったらしい。

「いや、音を落とすだけでいい。君達は引き続き報道をウォッチして、また何かあれば言ってくれ」

そう言うと、専務は総務部長の方を向いた。

「丁度いいタイミングだ。総務から報告する事があるだろう」

総務部長は慌てて立ち上がる。総務部員達が資料を全員に配った。全社員対象の通達案だった。

『……以上の架電禁止に反した者については、特定でき次第、社内規則に照らした処分又は法的措置をとる事を検討する事がある』

総務部長は内線の一件を報告し始めた。実は、内線不通は興味本位の社員の引き起こした事でございます云々《うんぬん》。

「既に交換機には一部規制をかけておりますが、この会議終了次第、お手元の通達案を全部店宛に発信する予定にしておりまして」

また会議室の各所でため息が漏れる。古賀は、口頭説明と文面とを照らし合わせ、苦笑いした。小難しく書いてはあるが、要約すると「イタ電やめろ、見つけたら本気で怒るぞ」という話だ。読むのが嫌になるほど、幼稚な内容の通達ではないか。

専務は、苛立たしそうに身を揺すり、通達案を放り投げた。

「検討する事がある、なんてやめろ。措置をとる、と言えば十分だ」

総務部長が怪訝そうな顔をした。専務が怒鳴った。

「くどい表現はやめろ、と言ってんだ。それに、こんなもんくらい、会議終了迄待つな。今すぐ全部店に流せ」

総務部長が室内を見回した。

「皆さんも、これで、よろしいので」

「流せと言ってんだっ」

慌てて総務部長は会議室隅の電話に駆けていく。専務の顔は再び真っ赤になった。手も震えている。

「とんでもない事が起こったと思えば、どれもこれも社員だ。全部、内部からだ。この会社は、一体、どうなってんだ、ええっ」

古賀は、表情を出さないようにしつつ、思った。仮にも専務は会社の代表取締役だろう。そんな人間が、普通、「この会社はどうなっている」なんて言うか。言われた方も困る。

「経営企画部、人事部、お前らは、今迄、一体、何をしてきた。危機管理をどう思ってきたんだ。見当違いの事ばかりしてきたんじゃないのか」

専務は脇に置いてあった危機管理マニュアルをテーブル中央に放った。

「邦和信託はリスク管理体制が甘い。金融危機の頃、そう指摘されて、審査強化と並行して整備したマニュアルだ。強盗、立て籠もり、脅迫、街宣対応、天災なら火事、地震、大規模停電。よく列記したもんだ。警察との連携、監督官庁への報告事項、社内の所管と指揮系統。細部まで配慮しましたと言いたいんだろう。が、根本が抜けている。全部、発想は一つしかない。外部から何かあったら、との前提ばかりだ。社員が何かやらかす、という前提は、何一つない」

太田が小声で「いや、後ろの方のページに」と言いかける。専務は最後まで聞かず、テーブルを叩いた。

「社員が軽犯罪を起こした時にどうするか、だろうが。痴漢、万引き、そんなレベルの話をしてるんじゃない」

太田は下を向く。太田の言葉が火に油を注いだか、専務の口調はヒートアップした。

「生ぬるい、お前らは。社員性善説とでも言いたいのか。そんなもんは、高度成長期の幻影、終身雇用の幻想ぼけだ」

古賀も下を向いた。結果論的な説教演説。専務の得意技だ。

「いいか。今回は、会社が喧嘩《けんか》売られてるんだ。今は社員の存在自体が、同時にリスクなんだ。分かってんのか、まったく」

一瞬、声が途切れた。一気に怒鳴って息が切れたらしい。

「うかつでした。肝心要《かなめ》の観点が抜けておりました」

声がした隣席を見やると、上司の牧原が「誠に申し訳ない」と言わんばかりの表情をしていた。

「本件、落着次第、各部と連携して見直します」

さすがは経営企画部の次長だ、と思った。専務の扱いに慣れている。息が切れるくらい怒鳴らせた上で「イエス」だ。

専務は、「分かればいい」と呟き、椅子にもたれた。大きく息をついて室内を見回した。

「当たり前だが、こんな事態を長引かす事はできん。この会議で出た問題点を踏まえて行動してもらいたい。警察対応、顧客対応、資金対応、情報管理、閉じ籠もり人物の特定、マスコミ対応と、対応は多岐にわたるから」

専務は牧原の顔を見た。

「君の所で情報をまとめろ。必要な情報はこのメンバーに通知して、情報の共有を欠かさんように頼む。夕方には会社としてのコメントを出さんとならん。広報部とよく打ち合わせてくれ」

牧原は黙って頭を下げた。怒鳴られても、ちゃんと事態の管理者に任ぜられる。古賀は感心した。我が上司ながら抜け目がない。

ノックの音がした。扉が開き、秘書が室内に入ってきた。

「専務、会議中、申し訳ありません。急ぎというお電話が」

「つなぐな、って言ったろうが。もう終わる。かけ直すと言っといてくれ」

「それが、その、金融庁からなので」

専務の顔色が変わった。すぐに立ち上がり「下の執務室で取る」と言った。慌てて会議室を出ていく。秘書は室内を再度見回した。

「それから、経営企画部の古賀さん、いらっしゃいますか」

古賀は手を挙げ立ち上がった。

「外部の方からの電話なんです。いくら申し上げても、古賀さんが電話に出られるまで待つと。だから取り次いでくれと」

古賀は真っ赤になった。そうそうたる面々が、この会議に来ている。各々の仕事を置いておいて、である。そんな中、自分が電話で出ていく。若造のくせに何を格好つけてんだ、という話になる。

「すみません。私も、すぐにかけ直す、と仰っていただけませんか」

秘書は、また「それが、その」と口ごもった。

「その、支店の立て籠もりについて、古賀さん個人に話したい事がある、と。だから、急ぎだと」

「私に、ですか」

秘書は黙って肯いた。

古賀は唾を飲んだ。室内全員の目が自分に集まっているのが、分かった。

## 2

事務統括部　メインサーバー設置室　午後3時15分

事務統括部のフロアに主要メンバーは誰もいない。

社内SE黒縁は、メインサーバー設置室の扉を閉めた。以前、ここは伝票置場だったらしい。狭いながら誰の目も無い。気楽な密室だ。

黒縁は一人ほくそ笑んだ。部屋奥のメインサーバーの前に座る。大騒ぎの割には、いい加減な会社だと思う。こんな時に、俺一人に自由に触らせて、平気らしい。俺が犯人だったら、クビものだと思うが。

「さてと」

言葉は心の中で続ける。仕事開始、喋りも開始。

SEは黙々と仕事するもの？　冗談じゃない。この仕事をする人間の何割かは、俺と同じタイプ。ディスプレイに向かって、始終、喋ってる。ただ声に出さないだけだ。愚痴を言ったり、褒《ほ》めてみたり。探していたプログラムバグを見つけたりすると、旧友に会ったごとく

「こんな所にいたのかよお」と言葉をかけたりする。思わず涙ぐむ時もある。変人ってか？とんでもない。こうでもないと、こんな仕事はやっていられない。

黒縁はキーボードに手を添えた。少し思い直して、黒縁眼鏡を外した。笑いが漏れてくる。周囲が自分の事を裏でクロブチと呼んでいるのは知っている。くだらない。だって、こいつは、ダテ眼鏡なのだから。

邦和信託システムセンターの技能職中途採用に応募したのは、一年程前の事だ。銀行だから生真面目に見えた方がいいだろうと、わざわざ気を回して、黒縁眼鏡をつけた。以来、つい外すタイミングを失った。雰囲気に迎合《げいごう》して黒縁眼鏡にしたのに、今では、陰で「黒縁の奴」とか言われている。

まあ、裏で何と呼ばれようと、どうでもいい。自分達だけの符牒《ふちょう》を作って、当の本人とは距離を置く。程度の差はあれ、どこも同じだ。前職のシステム会社でも経験した。まったく一人一人は良くても、何人か集まると、人間て奴は、急につまらなくなる。

黒縁は大きく欠伸をした。首を数度、大きく回し、次いで逆向きに大きく回す。肩の凝り対策の一つだが、同時に仕事を始める前の儀式でもある。回し終えて、もう一度、わざと大きく欠伸をした。これも儀式。

黒縁は姿勢を戻し、猛然と手を動かし始めた。

　さあて、侵入犯捜しの探偵ごっこだ。会議には出たくなかったので、「サーバー探って、侵入犯に見当つけましょうか」と自分から言いだした。適当に通信プロトコル用語を並べると、ＯＫはすぐに出た。この職場で言い分を通すには、適当に技術用語を並べまくるに限る。もっとも、相手から返ってくる用語も理解不能。金融用語なのか経営用語なのか、よく分からない。相互に理解不能、だから、相互に不干渉。こうして、連中はつまらない会議に出ていき、自分一人、ここにいる。

　目の前のディスプレイに文字列が並んだ。接続履歴の一覧だ。

　さて、どこから洗ってみるか。まあ、悩むまでもない、こんな探索は意味が無い。今回の件は、システム技術の問題ではない。鉄壁のシステム防御を天才ハッカーが破ったともなれば、犯人捜しに燃えてくるのだが、今回、必要となるのは、素人に毛の生えた程度の技術。問題はシステムではなく、それを使う人間の側にある。この会社、技術そのものは悪くはないが、人間の方はぬけぬけと言っていい。現に、誰の目も無く、俺一人に、懸案のＬＡＮの根幹をいじらせている。まったく理解不能。

「甘いよねえ。加担しましょか、犯人君に」

　誰もいない小部屋だ。たまには声に出してみる。まあ、本気じゃない。ここは会議ばかりで、今一つ好きになれないが、所詮、職場とは、気に入らぬ事を金をもらいながら凌いでいく場所の事だ。それにしても、あれだけ会議をしているのに、情報管理の牽制機構一つ、できないのは不思議。これも理解不能。

「理解不能ばかりだよねえ」

皆、毎日、必死に動き回っているが、その理由も理解不能。毎日のように会社に泊り込む連中が結構いる。無論、ＳＥだった自分だって、よく泊り込んだ。が、それはプロジェクトの進捗に応じて、であったし、無理をしても、それをこなせばキャリアにプラス、という計算もあった。あの連中は、そんな風には見えない。昔ながらの滅私奉公か。でも、社員食堂では会社の悪口ばかり言っている。不思議な人達、理解不能。

黒縁はキーボードの手を止めた。やはり何も見つからない。だが、何か抜けている。侵入した奴は技術のプロじゃない。細かい所ではなく、もっと基本的な所。黒縁は、再び、猛然と手を動かし始めた。目指すはメールサーバーだ。

メールサーバーの情報がディスプレイに並ぶ。黒縁は笑った。

「ハロー。なかなか、やるじゃない」

こんなに分かりやすい、それでいて、こんなに目立たない犯行声明があるか。さて、どうする。こんな会社どうでもいいのだが、まあ、報告しとくか。後一時間もすれば、部長達も会議から席に戻るだろう。だが、いちいち、フロア迄出るのも、メモを書くのも、面倒臭い。

黒縁は内線電話を取り上げた。かけるのは、扉向こうの事務統括部。電話番の社員が出た。

「あ、俺だけど。部長か課長の机にメモ置いてくれる？　侵入犯の目処《めど》がついた、ってさ」

相手の返事は聞かず電話を切った。

黒縁は笑った。気分は最高。椅子で一回転する。これだけ世間に広まった事件だ。うまく職務歴に書き込めば、次の転職時には有利になる。面接時には「ああ、あの時の」てなもんだろう。

黒縁は椅子を止めた。床に何か落ちている。黒縁は拾い上げて笑った。例のメールだった。

『我々はずっと耐えてきた。誰のために』

このメールも理解不能。何に怒っているのか、さっぱり分からない。

「どうでもいいんだけど、報告しとくと、俺のキャリアにちょっとプラスなんだよねえ。別に邪魔したいわけじゃないんだけどさ。でも、これで……」

黒縁は宙にメールを放り投げた。

「これで、いいんだろ」

よく分かんないが、あんたも、この集団にイライラしてるみたいだ。そいつは俺も同じ。理解不能だが、気持ちだけは応援してるぜ。

黒縁は笑いながら、もう一度、椅子で一回転した。

3

経営企画部　午後3時55分

経営企画部に戻った古賀は、机の上の書類をまとめ、壁の書類棚に突っ込んだ。扉を閉めて、壁の時計を見る。もうすぐ四時になる。相手をあまり待たせるわけにはいかない。

自席に戻り机に鍵を掛ける。電話で聞いた言葉が頭をよぎった。

「古賀さんよお、ちょっと、ここへ来てくんねえかな。犯人、分かるかもしれねえんだ」

今日、会社に戻る事はできるだろうか。電話の話は要領を得ない。現地に行ったきり、戻ろうにも戻れなくなる可能性はある。古賀はメモ用紙に今日中に処理すべき事柄を書き上げた。それを向かいに座る後輩に渡し、「戻れないかもしれないので頼む」と一言添え、後を託した。

壁際のホワイトボードの前に立つ。少し考えてから、ボードに書き込んだ。

『行先　神田　帰社時刻　未定』

「古賀さん、戻れないかもって、神田の件ですか」

古賀は振り向いた。後輩が驚いた表情でこちらを見ていた。いや、後輩だけではない。部の全員がこちらを見ている。返事に詰まる。ただ黙って肯いた。大きく一回深呼吸をして背を向け、フロアの通路へ出た。

「古賀、待て。あった。あったから」

　今度は人事部からだった。太田が慌てて駆け寄ってくる。太田は通路迄来ると、胸元から封筒を取り出した。

「さっき、お前に訊かれた江本の写真や。大写しになっとるのを見つけた」

「人事部にある社員登録の写真か」

「そいつは、部外には出せん。大学のＯＢ会で撮ったスナップ写真や。飲み会やら、草野球の練習やら。見れば一目で分かる」

　太田は、そう言うと、いきなり、こちらの腕をつかんできた。腕を引っ張って通路を奥に進む。通路の突き当たり、フロアの片隅迄来て、ようやく止まった。

「古賀、聞いたで。対策会議中にかかってきた電話、神田本革堂の親父やったんやて」

　古賀は黙って肯いた。

「神田本革堂は、支店の道向かいや。親父の奴、犯人の顔でも見たか」

「俺にも分からん。親父さん、『電話じゃ話せん。ここに一人で来てくれ』と繰り返すだけで。けど、俺、江本という社員とは会った事が無い。もし、江本だったとしても、分からない。写真があれば親父さんにも見てもらえるし。人事のお前なら、と」

太田は封筒を差し出した。

「見てみい。写真の中で一番の阿呆面が、江本や」

古賀は封筒を傾けて写真の束を取った。居酒屋の光景だ。大口を開けて笑っている男がいる。これが江本か。しかし、こんな表情ではよく分からない。捲《めく》ると次の写真は、箸を鼻に突っ込んで、宙を向いている姿だった。その次は、トウモロコシ一本、かぶりつき、だ。数枚、居酒屋が続き、途中から背景がグラウンドに変わった。草野球編というわけらしい。が、写真の調子は変わらない。バットでゴルフスウィングする姿。そして、パンツ一丁、グラウンドを逃げ回る姿。古賀はため息をつき太田の方を見やった。

「他に、無いのか」

太田はにべもなく「無い」と返してきた。

「それに、すましとる人事の登録写真より、こっちの方が素顔に近い。こういう奴なんや」

その時、人事部の方で声が上がった。

「また、だ。また、何か始まったぞ」

古賀は太田と二人、通路を少し戻った。フロア隅に設置されたテレビに人事部員達が集まっていく。広報部に倣《なら》って、付けっ放しにしているらしい。テレビ前から声が上がった。

「貼ってあるの、例のメールだ。二通目の」

画面では、女性キャスターが、メールが貼られたボードを掲げていた。キャスターの横には白髭の男が座っていた。ニュース番組の識者コメントで見た事がある。確か、どこかの大学の社会心理学の教授ではなかったたか。

白髭の解説者がボードを覗き込んだ。

『このメールには論理的矛盾があるんですね。まず、寓話、つまり、たとえ話と言っておいて、後で本当は実話だと言う。それなら、最初から実話として言えばいいわけです。そうは思いませんか』

キャスターが『それはそうですね』と肯いた。解説者は白髭を触りつつ、話を続けた。

『一般には、実話の方が訴求力があると思われてますが、感情移入という点からいうと、必ずしもそうではない。つまり、実話と言われた途端、自分ではないのが分かりますから、もうそれ以上考えようとしなくなる。これが、たとえ話と言われると、わざわざ我が身を当てはめてみる。後で、実話と言われて、やっぱりと思う。アジテーション技術の基本を押さえている。つまり煽動技法における抽象化です』

『抽象化？　どういう意味ですか』

『つまりね、煽る時は、抽象的で刺激的な言葉を使うのが、基本なんです。愛のために戦え、のようなものです。一通目、二通目とも、よく見て下さい。肝心の所は、全部、うまく曖昧《あいまい》にぼかしてある。誰もが自分かも、と思えるくらいにね。古今東西、熱狂的な演説は、皆、内容が抽象的で曖昧なものが大半です。細かな数値が入る事は滅多にありません。呼称を、我々、としている事といい、犯人は人の微妙な心の動きを習熟しているような気がします』

隣で太田が「何が出てこようが、もう驚かんわ」と呟いた。こちらを向き、また腕を取る。

「そんな事より、古賀、話の続きや」

古賀は、太田に引き摺られながら、壁の時計を見やった。予定していた時刻を過ぎている。

「もう時間が」と言うと、太田は立ち止まった。

「古賀、どう思う。江本だと思うか、中にいる奴」

「俺には分からんよ。それを知りたくて行くんだから」

「テレビの白髭の言う通りや。この事件を考えた奴は、結構、頭がいい。江本には無理や。今、あいつの住んどる独身寮に、神田の課長が見に行っとる。もしかして、あいつ、何も知らんと部屋で寝とるんと違うかと思うくらいや。阿呆なんやけど、可愛がっとった後輩でな。性格はよう分かっとる。組織の潤滑油として採用した奴や。潤滑油は自分からは動かない」

「太田、もう行かないと」

太田は、小声ながら強く「あと三分で済む」と言った。

「最近、各支店に緊急用電話を配備し直した。番号も新しくなったが、まだ内線電話帳には載ってない。各支店、支店長席の脇に設置されていて、他の電話機とは、ちょっと違った音で鳴る」

その事は総務部から聞いて知っている。第一、配備予算を承認したのは自分だ。だが、突然、何故、太田がこんな事を言いだすのか、よく分からない。

「古賀、取り敢えず、お前は本革堂に行って、親父さんと話をしろ。それで江本だと確定できなければ、俺が神田の緊急番号に電話をかける」

「支店へ電話って、お前、総務から通達が」

「あんな通達なんか知るか。子供やあるまいし」

太田は吐き捨てるように言ってから間を置く。また喋り始めた。

「けど、俺も、我が身は可愛い。後で足が付かないように、このビルから数ブロック離れた公衆電話からかける。その直前には、お前の携帯に連絡するから」

「しかし、中にいる奴、電話なんか出ないだろう。総務の話では、今のところ、通話記録無し、との事だったし」

「出る必要は無い。緊急用のやつは自動応答する。簡単に言えば、留守番電話の高級機種や。聞きたくなくとも、室内に声は流れる」

「何て言う気だ。説得するのか。誰だか分からない相手に」

「そんな事するかいな。一気に怒鳴って切る。『俺だ。要求は上に飲ませる。外を見ろ』ってな」

「要求？　お前、犯人の要求を聞いたのか」

太田は、事も無げに「そんなもん、知るかい」と言った。

「ええか、古賀。夜明け前から占拠して、もう夕方や。興奮も冷めてくる。こうなると、感情コントロールの訓練を受けたプロでないと、冷静さは保てん。素人が起こした事件みてみい。緊張の中で半日、ジッとはできん。結局、我慢しきれず動きだして自滅する。今回も、中にいるのが普通の人間なら、もう不安で不安で仕方なくなっとる頃やろう。その時に、今迄鳴らなかった電話機が鳴る。おまけに訳の分からんメッセージや」

太田の言葉を聞きながら考えた。自分が犯人なら、出してもいない要求を「飲む」と言われたら、どうする。便乗犯がいると考えるか。いや、それ以前に、自分の関係せぬ所で事が進んでいるらしい、と怯えて不安になる。そもそも、この占拠は、煽動でありアピールだ。曲解されては意味が無い。不安にならなくとも、焦る事になるかもしれない。

太田は、江本の写真を見やって、言葉を続けた。

「中にいるのが、俺の知っている江本なら、次の行動は見当がつく。どうしようもなくなって、カーテンを捲り、外を見る。俺の声と分かったら、電話に出るかもしれん。相棒の犯人がいても、とめられんよ。パニクると、見境が無くなる奴や。大学の頃、遊園地のお化け屋敷で怖くなって、無我夢中で一人、逆走した事もある。連れの女、置いといてやで。その程度の奴や」

「けど、そんなんじゃ、解決には」

「解決なんか、どうでもええ。中にいるのが、江本やない、という事が分かればええんや。会社に不満もったオッサンが、閉じ籠もっていたところで、俺は興味ない。顔を見せれば、江本かどうか分かる。それを真向かいの神田本革堂から確認してくれ」

「江本だとしても、支店長席のある二階にいるとは、限らんだろう。電話の声は聞かないかもしれない」

「分かっとる。俺達は警察やない。できる探偵ごっこには、限度がある。けど、これは俺にとって、意味のある探偵ごっこなんや。少しでも確かめたいんや」

その時、背後から慌ただしい靴音が聞こえた。経企部の後輩だった。

「古賀さん、裏口の守衛さんから電話が。タクシーがずっと待ってるって。緊急で呼べって言ってたのに、どうしたんだって」

「今、行く」

「古賀、これを持っていけや」

太田がポケットから小さな双眼鏡を取り出した。

「内定者懇親会のオリエンテーリングで使ってるやつや。探偵道具やと思え」

古賀は双眼鏡を背広のポケットにしまった。エレベーターに向かって駆けだす。背に太田の声が飛んできた。

「頼むで、古賀」

通路を走った。胸ポケットの写真が落ちそうになる。写真の光景が頭をよぎった。パンツ一丁で逃げ回る江本の姿だ。古賀は走りながら胸元を強く押さえた。

4

邦和信託銀行　行徳独身寮　午後4時

廊下に並ぶドアに西日が当たっている。

課長の大友は、江本の部屋の前で、ため息をついた。鍵をドアの鍵穴に向ける。しばらく躊躇して手を下ろす。さっきから、この繰り返しだ。

様子を見てこい、とはよく言ったものだ。会社の寮とはいえ、勝手に個室に入っていいのか。普段ならここまで考えない。まして異常時の今、考える暇など無い。だが、こんな時だからこそ、気になるのだ。本当に大丈夫か。違法に収集した場合は証拠能力が無いとか、聞いた事がある。後で揉めて、俺一人が責任を取らされる事になりはしないか。

部屋の中からは何の物音も聞こえてこない。時間だけが経っていく。

大友は腹を決めた。日常生活でも、やりそうな事はやってもいい。平時でOKなら異常時でもOK。そう思う事にした。更に自問自答する。部下の病気見舞いなら、どうする。心配だから入るさ。部屋で倒れていたら大変だ。実際、江本は連絡が無いまま欠勤の状態、俺はすごく心配なんだ。

大友は鍵を差し込んだ。が、鍵が回せない。焦った。

朝の店舗光景が思い浮かぶ。背に汗が滴り、心臓の鼓動が速くなる。が、ノブを回してみると、ドアは呆気《あっけ》なく開いた。気が抜けた。最初から施錠されていないのだ。考えてみれば当然かもしれない。何せ、部屋の主は江本だ。寮内の個室に鍵を掛けるなんて性格ではない。

大友は部屋に足を踏み入れた。いかにも独身男の部屋といった光景が広がっている。小テーブルに積み重なったコンビニ弁当の空箱。その下には空のペットボトルが数本。部屋中央には布団が敷きっ放し。枕元には風俗雑誌。いわゆる洋物のエロ本日本版だ。そのページには片言のコメントと豊満な金髪美人。彼女はこちらを向いて微笑《ほほえ》んでいた。

『勇気ダシテッ！　カ・モ・ン』

エロ本のページが捲れる。

大友は顔を上げた。窓が少し開いていた。隙間《すきま》からの風らしい。ため息が出た。一階の窓が開きっ放しなのだ。廊下で悩んでいたのが、馬鹿らしくなる。大友はせんべい布団を踏んで、窓へと向かった。途中で何かを踏んで滑りそうになる。

足元を見やると、何か書き込まれた紙を踏んでいた。

また鼓動が速くなる。証拠品ではないか、との考えがよぎった。もしかして占拠の計画書ではないか。よく刑事ドラマで、そういう場面がある。大友は踏んだ用紙を拾い上げて読んでみた。が、途中で畳に放り投げた。これまた、馬鹿らしい。ただの社内稟議《りんぎ》の下書きだ。そういえば、パソコンが苦手な江本は、下書きしてからキーボードに向かい、人差し指一本で四苦八苦していた。

大友は窓際から室内を振り返った。

そんな江本に、今回の事が仕組めるだろうか。きっと計画を考えた奴は他にいる。江本は使い走り役、店舗解錠にてお役ご免、に違いない。あいつ今頃、犯人グループの中でも、やる事無く手持ち無沙汰でいるのではあるまいか。

胸元の携帯が鳴った。携帯を耳に当てると、いきなり「何か分かったか」と声が飛んでくる。支店支援室長の声だった。

「今、部屋におりますが、これといって」

言い終わらぬうちに、室長が喋り始めた。

「そこはもういい。すぐ浦安に向かってくれ。行徳の寮からなら、すぐだろう。住所を言うから、書き留めてくれ」

大友は小テーブルを引き寄せ、稟議下書きの用紙を裏返して置いた。床に落ちていた鉛筆を手に取った。「江本の関係者らしい」との前置きで言われた住所を書いていく。その間にも弁当の空箱の饐《す》えた臭《にお》いが鼻を突く。まったく呆《あき》れるほど、緊張感の無い部屋だ。大友は鉛筆を置いた。

「親戚《しんせき》か何かですか、これ」

「まあ、そんなところだ」

室長の口振りは、はっきりしない。大友は考えた。言葉を濁すという事は、なるほど、女のアパートか。分からないでもない。良く言えば、江本は母性本能をくすぐる優男《やさおとこ》タイプ、年上に妙に可愛がられる所がある。

「で、ここに行って、何をするんですか」

「取り敢えず……取り敢えずだな、そこの様子を見てきて欲しい」

またこの言葉か、と思った。大友は少し反抗する事にした。

「普通のアパートですよね。様子見なんて、どこまでやればいいんですか。範囲を仰ってもらわないと」

返答に少し間が開く。いきなり声が副支店長に変わった。反抗したせいだろう。「最終的な指示は上司のお前がしろ」と、室長に電話を押しつけられる姿が目に浮かぶようだ。

「大友、俺だ。いちいち子供みたいな事、訊くな。そんなもん、現地に行ってみんと分からんだろう。やれる範囲の事をしろ、と言ってんだ。噂好きのおばさんだって、隣近所を、いろいろ探るだろうが。文句言わず、さっさと行け。済んだら連絡しろ。いいな」

電話はいきなり切れた。

携帯を胸に仕舞うと、腹が立ってきた。子供みたいな事だって？　俺は自分の子供には、こんな事をさせやしない。ちょっと論理的に細部を詰めようとすると、これだ。本部の連中の前だからといって、格好つけ過ぎじゃないのか。

大友は立ち上がった。力を込めて窓を閉める。鼻息荒く室内に向き直った。

金髪美人が枕元でこちらを向いていた。今度は魅惑の眼差《まなざ》しで投げキッスだ。

『アブないコト、してみる？』

冗談じゃない。鼻息荒いまま、出口へと向かう。ペットボトルを踏み、弁当の空箱を踏む。ついでに、エロ本をわざと踏みつけ、大友は部屋を出た。

5

神田本革堂　午後4時15分

古賀は、歩道で足を止め、道向いに目をやった。

ビルの袖看板が鈍く光っている。『邦和信託』の文字は西日に溶けて見えない。しかし、こんな光景の銀行は他に無い。店舗前には溢れんばかりの野次馬。五、六〇人はいるだろうか。付近の道路には中継車が数台。警官が三人。だが、警官は事件解決のために、いるわけではない。混沌《こんとん》とした周辺の交通整理のためだ。

古賀は目を戻した。目の前の小さなビルにはひび割れが目立つ。そのひび割れを隠すかのように古びた看板が掛かっていた。

『鞄も靴も　革製品の神田本革堂』

古賀は店舗内に入った。懐《なつ》かしい匂いが鼻をくすぐる。革鞄の陳列の間を進んで、店奥に呼びかけようとすると、店内階段から懐かしい禿頭《はげ》が覗き「久し振りじゃねえか」と言った。神田本革堂の親父さんだった。

「古賀さんも変わんねえな。頭の後ろ、寝癖、残ってる。もう夕方だぜ」

古賀は赤面しながら髪を手で押さえた。親父さんは階段を下りてきた。

「一人かい。本部の鬱陶《うっとう》しい人達は来てねえよな」

自分も鬱陶しい人達の一人なのだが、と思いつつ、黙って肯いた。親父さんは店内階段の方を見やった。

「ブツは二階の事務所に置いてんだ。行くぜ」

「お店は、どうすんですか」

「奥に手伝いの姪《めい》っ子がいる。昔から、こんなもんだ。急に忙しくなったりなんかしねえよ。来な」

そう言うと、親父さんは、階段を上がっていく。詳しい事を聞き出す間も無い。古賀はその背を追った。二階に上がると、親父さんは事務所へと向かい、その扉を開けた。事務所といっても大仰なものではない。フロアの窓側を間仕切りで区切って、事務所としているのだ。

「おい、カカア。古賀さんだ」

窓際で白髪の女性が振り向いた。神田本革堂の奥さんだ。

「久し振りだねえ、古賀さん。今、お茶いれるから、まあ、入って」

古賀は事務所に入った。狭い部屋には大きめのテーブルが一つ。その上に、大量の伝票と帳面、それに靴の空箱。壁の棚には帳簿類。どれも昔と変わりないが、窓際は少し様子が違っていた。新しい棚に数段、高価そうなビデオ機器が積んであるのだ。おまけに窓には三脚、その上のカメラは窓の外を向いている。映しているのは真向かい、神田支店だ。

「親父さん、窓際、どうしたんですか。しかも、すごい機械が揃ってるじゃないですか」

「最初は孫を撮るためだったんだが、面白くて、つい、はまっちまってな。まあ、揃えたと言っても、知り合いから買った中古なんだがよ。それでも結構きれいに撮れるんだ。朝から、店の真ん前で、この騒ぎだろう。こんな事、滅多にあるもんじゃねえ。それでずっと、カメラを回してるってわけでさ」

奥さんが、お茶をテーブルに置きながら、合いの手を入れた。

「この人、若い頃の夢、映画監督だからねえ」

親父さんは髪の無い頭をかく。真っ赤になった顔をカメラに向けた。

「するてえと、妙なもんを撮っちまった」

次いで、親父さんは、真っ赤な顔をこちらに向ける。

「映っちまったんだよ、犯人が」

「本当ですか」

親父さんは肯いた。

「でもよお、テレビ見てると、犯人はどうも社員らしいじゃねえか。もしかすると、うちのお客さんかもしれねえ。お客さんを売る事はできねえ。かといって、うちは、邦和信託自体とも取引がある。いずれにしても、滅多な事はできねえ。けど、せっかくの映像だ。それでうちの奴と相談したら、古賀さんなら、って事になってな」

親父さんは、まるで言い訳するかのように、付け加えた。

「忙しいのは分かってんだ。けど、転勤しても、靴買いに来てくれるのは、古賀さんだけだからさ。古賀さんだと、俺達も安心できるんだよ」

奥さんが更に付け加える。

「古賀さんは、もう偉いさんだし、太田さんみたいに、人事じゃないでしょ。よく分からないのに人事の人に言うと、後で、まずい事になるかもしれないしねえ」

「ああ、人事に言ったら、誰が泣くか分からねえ」

今度は古賀が頭をかいた。この事はぜひ、太田に伝えねばならない。もっとも、太田に言わせると、経企部こそ諸悪の根源なのだが。

親父さんは窓際の棚に寄った。

「まあ、見てくんねえ。テープはもう巻き戻してっから」

棚のモニターの画面に映像が浮かび上がる。映っているのは、六階建ビルの一階と二階、丁度、神田支店の店舗の辺りだ。画面のカウンター表示が正しいとすると、今日の昼過ぎに撮ったものらしい。

親父さんは、「二階のさ」と言いつつ、画面を指さした。

「右端を見といてくれ。通りに面した大窓は今、全面がカーテンで、中の様子は分からねえ。けど、もうすぐ、そのカーテンが動く。一瞬だから目を離すんじゃねえぜ」

古賀は画面を見つめた。親父さんが小声で「来る」と言った。

カーテンが動く。その隙間から肌色が覗いた。

## 6

浦安市内アパート　午後4時25分

アパートの影が路地迄伸びている。

さて、これからどうするか。

大友は、路地の反対側から、アパートの建物を見上げた。何の変哲《へんてつ》もないアパートだ。様子見は五分で済んだ。頭の中で様子見の内容をまとめてみる。浦安旧市街地一画、二階建の木造アパート。部屋は二階。郵便受けに名前無し。新聞、郵便物の滞留は無し。だが、電気メーターは回っているから、空室ではなさそう。窓外に洗濯物無し。窓にカーテン有り、内部の様子は不詳。噂好きのおばさんがやる程度の事は、これにて終了。問題はこの先だ。指示通り電話で報告するか。

副支店長の言葉が浮かんできた。「子供みたいな事、訊くな」だ。腹が立つ。これで終わらせてもいい。が、ここまで来たのだ。ぐうの音も出ぬくらいやってから、報告してやる。

大友はアパートの階段を上がった。目的の部屋の扉前に立つ。ネームプレートには名札無し。軽くノックしてみる。返事無し。何気なくノブに触れた手を慌てて離した。

扉が開いている。

汗が一気に噴き出してきた。汗を拭いつつ考えた。こうなれば、先程のルールだ。平時でもやる事は、今やっていい。強引な新聞勧誘なら、どうする。契約が欲しいから多少の事はするだろう。昔の御用聞きを思えばいい。皆、土間迄踏み込んで、奥に呼びかけていたではないか。

作戦を練った。人が出てきた時には「江本の上司だが、連絡がとれない。お身内と聞いたがご存じないか」とでも言えば良し。江本の女なら文句は言うまい。案外、真っ青になって号泣するのではないか。そうなれば、副支店長に電話をかけて、いきなり電話を女に替わる。先程の仕返しってわけだ。

大友は改めて強くノックをした。これで正式の手続は踏んだ。

大友は扉を開けた。入ってすぐ、半畳程の土間がある。部屋の敷居には、床迄のカーテンがあって、室内の様子は分からない。

「ごめんください。ちょっと江本さんの事で」

返事は返ってこない。心の中で新聞勧誘に御用聞きと呟き、一歩、土間に踏み込んだ。

「どなたか、いらっしゃいませんか」

返事無し。人の気配は伝わってこない。ただ妙に酒臭い。だが、これ以上は様子見とは言わない。これだけやれば、十分だろう。大友は室内を出ようと、一歩下がった。

その時、室内で何か音がした。

大友は動きを止めた。息を潜め、耳をそばだてる。もう音はしない。気のせいかと思って、また半歩後ろに下がった。途端、また音がした。何かが揺れるような音だ。

「誰か……誰か、いらっしゃいますか」

カーテンに動きはない。窓の木枠が風で揺れただけではないのか。神経質になり過ぎている。このまま、ここに長居しては危険だ。犯罪者扱いされかねない。

低い唸り声がした。

動悸《どうき》が速くなる。大友は胸を押さえた。籠もるような音がしただけの事。声かどうかは分からない。アパート周辺の犬かもしれない。

ドアから風が吹き込む。仕切りのカーテンがゆっくりと揺れる。再度、撤退を始めた途端、無情にもまたゴトゴト揺れる音がした。そしてウーと低く唸るような音が続く。

「誰かいらっしゃいます？　どうかされました？」

ゴトゴトそしてウー。間違いない。こちらの言葉に反応している。

「大丈夫ですか。お手伝いしましょうか」

言ってから、お手伝いとは何の事だ、と思った。だが、意味不明の問いかけにも、返事は返ってきた。ゴトゴトそしてウー。誰かいるのは間違いない。イエスという意味かどうかは分からないが、答えている。

大友は意を決した。人命に関わる緊急時には、多少の事は許されるはずだ。刑事ドラマで、そう言っていた。事件に関係する場所と指示されて訪れたら、人が苦しむ声が聞こえた。仕方なく慌てて踏み込んだ。これは、そういう事だ。

言い訳するかのように「非常に心配ですので」と言い、仕切りのカーテンをつかむ。カーテンを引くと同時に叫んだ。

「開けます」

目の前には乱雑な部屋が広がっていた。酒の臭いが鼻をつく。床にウィスキーのボトルが転がっている。部屋隅のテーブルには、グラスとオツマミまである。宴会を急遽中断した、そんな風な光景だ。

唸りが聞こえる。

大友は室内を見回した。押し入れの襖《ふすま》が揺れている。唸りも、そこからのようだ。背に汗が滲む。大友は靴を脱ぎ、押し入れの前に立った。

「襖、開けますよ。いいですか」

揺れる襖が唸る。大友は襖に手をかけた。思い切って、襖を一気に引く。

目の前に男がいた。手足を縛られ、猿ぐつわをかまされている。

押し入れの上段で、男は身をよじり、こちらに寄ろうとした。が、途中で止まった。男の手足を縛ったロープの先が、押し入れ奥の柱のフックに固定されているのだ。これでは、押し入れから出ようにも、襖迄しか動けまい。

猿ぐつわの男が涙目でこちらを見る。

「江本、か」

猿ぐつわ男は何度も頭を縦に振った。

押し入れに寄った。足先が何かに触れた。押し入れの下段に、鋏《はさみ》と飲料水のペットボトルが、置いてある。まるで、使ってください、とでも言わんばかりだ。

「動くな。今、ロープを切るから」

大友は鋏を手に取った。押し入れ内に手を伸ばし、フックに伸びたロープを切る。アルコール臭い、それに小便臭い。トイレに行けねば仕方なかろう。手足のロープを解き、最後に猿ぐつわを取った。

「どうだ。押し入れから出られるか」

江本は肯き、床へ足を下ろした。足がつくと、そのまま、その場に座り込む。ペットボトルを開けて渡してやると、江本は一気に半分程飲み、大きく息をついた。

大友は屈んで江本の肩をつかんだ。

「一体、どうしたんだ。何があった」

「おれ、昨晩、呼び出されて……酒、あるぞって」

あるぞ？　女ではないのか。大友は江本の肩を揺すった。

「江本、ここは、一体、誰の部屋なんだ」

「どうしよう、かちょお」

目に涙が溢れ出す。江本は、ペットボトルを放り投げ、しがみついてきた。

大友はその体を支えきれず、二人して畳に倒れ込んだ。江本の酒臭い息が吹きかかる。なんて日だ、と思った。上司にはコケにされ、金髪には煽られ、こうして、男に力強く抱擁される。

「江本、落ち着け。ちょっと離れろ。離れろって」

その時、部屋隅で電話が鳴りだした。江本が身震いして動きを止める。大友は倒れた姿勢のまま、電話の方を見やった。

7

神田本革堂　午後4時25分

目の前で、親父さんは奥さんと二人、写真を捲っている。

古賀は親父さんに訊いた。

「どうですか。その顔と比べて」

「いや、ピンとこねえ」

親父さんは、写真を置き、テーブルに肘《ひじ》をついた。積まれた靴の空箱が揺れる。

「古賀さんは、比べてみて、どうでえ」

「その、ピンときません」

「もう一度、見てみっか。中古だが、多少は拡大もできるから」

親父さんは立ち上がって、棚のビデオ機器を触った。画面に拡大映像が浮かび上がる。画面中央に支店の二階右端。窓のカーテンが微かに動く。その隙間から肌色が覗く。覗いたのが人の顔であるのは間違いない。だが、人物の判別までには至らない。

古賀は黙って首を横に振った。

親父さんはテープを止め、ビデオ機器を叩き「馬鹿な機械だ」と言った。

「俺もカカアも、近目は駄目だが、遠目は大丈夫だ。人間の目には拡大機能なんて付いてねえが、直目《じかめ》で見た方が余程はっきりしてらあ。見た瞬間は、どこか見覚えのある面《つら》だと思ったんだが」

親父さんは奥さんの方を向いた。

「てめえが、金、ケチるからいけねえ。最新式のデジタルってやつで撮ってみろ。今頃、鼻の穴まで見えてらあ」

「そんな事、言ったって。あんた、店を、いっつも放っておいて」

言い争いに発展しそうな会話に、古賀は割って入った。

「いやあ、十分です。十分。ただ、ちょっと、お願いが」

二人がこちらを向く。古賀は言葉を続けた。

「さっきの箇所、最初から拡大レンズで映せば、大分はっきりと映りますよね」

「それはそうだが、そうすると、一階が映らねえぜ」

「その、一階は、いいんです」

タイミング良く胸元の携帯電話が鳴った。古賀は、一言断って携帯を取る。太田の押し殺したような声が聞こえてきた。

「どうや、そっちは。江本って確認できたのか」

「いや、人物の特定までは」

「どうなっとるんや。店の中を覗ける場所でもあったか」

「いや、ビデオ映像だ。昼過ぎ、二階から顔を見せた所が撮れてる」

太田が「ビデオねえ」と呟き、笑いを漏らした。

「本革堂の親父、あまりにも店が暇なんで、私立探偵でも始めたか」

「親父さんには、これから、同じ場所を拡大レンズで狙ってもらおうと思ってる。それが撮れる可能性が一番高い」

「分かった。俺は、今、電話ボックスにいる。お前とは携帯、神田支店へは公衆電話の態勢や。こっちは、いつでも、ええで」

カメラを再調整している親父さんの方に目をやった。親父さんは振り向いて、指でOKサインを作る。古賀は携帯に告げた。

「こちらも準備完了。どうする？」

「どうするも、こうするもあるかい。双眼鏡、大丈夫やろうな。支店の方、よう見とけよ」

太田の言葉に、古賀は慌てて体を探った。携帯電話をつないだまま靴の空箱の上に置き、背広から双眼鏡を取り出した。

空箱の厚紙の上で、携帯の声が響く。

「俺だ。要求は上に飲ませる。その証拠に外を見ろっ」

目を丸くする親父さんと奥さんを横目に、古賀は携帯電話を手に取った。右手に携帯、左手に双眼鏡を持つ。我ながら、何て格好してるんだ、と思う。もっとも太田は、もっと怪しげに違いない。人通りの多い電話ボックスの中にいて、片手に公衆電話、片手に携帯電話、だ。不審人物扱いされねばいいが。

「古賀さん、今、カーテンが少し動いたぜ」

古賀は慌てて双眼鏡を構え直した。円形の視界の中に、神田支店の大窓がある。確かにカーテンが動いている。古賀は携帯に報告した。

「今、カーテンが動いた。犯人は二階にいる」

カーテンから肌色が覗いた。人の手だ。カーテンが大きく揺れ、一気に左側に寄る。

古賀は息を止めた。

窓に男の上半身がある。男はこちらを向いたまま意味ありげに笑った。そして、またカーテンを引く。時間にして二、三秒。もう男の姿は無い。

手が震える。視界が揺れる。男の顔には見覚えがある。いや、見覚えがあるなんてものではない。古賀は双眼鏡を下げた。

「に、し、や、ま」

親父さんと奥さんが「西山さんかっ」と同時に叫ぶ。親父さんが後を続けた。

「そうだ、そうだよ。絶対どこかで見た顔だと思ったんだ。西山さんだよな。古賀さんと同期の。同じ頃、神田にいてた。うちにも結構来てくれた人だ」

親父さんの記憶は正しい。付け加えれば、今は事務統括部で社内ＬＡＮの担当をしていて、二日前から休暇を取って連絡不能。何故なら西山はバックパッカー放浪旅の途中で……。

携帯から太田の呟きが聞こえてきた。

「そうか。やっぱり、そうか」

古賀は携帯を耳に押しつけた。

「太田、やっぱり、って、どういう事だ」

返事は無い。

「答えろ、どういう意味だ」

「まあ、ええよ。古賀、早よう、そこ切り上げて、帰ってこい」

その言葉で電話は切れた。

古賀は携帯を持つ手を下ろした。双眼鏡と携帯を仕舞おうとしたが、手が震え、うまく仕舞えない。今、自分はどんな顔をしてるのだろう、と思った。みっともないほど狼狽《ろうばい》した顔か、緊張で強張った顔か。

親父さんは無言で窓際の棚に寄る。棚の前で、ためらうような仕草を見せて「テープ、持っていくかい」と言った。古賀はただ「はい」と返した。声は、かすれていた。

親父さんは、取り出したテープを見つめ「俺は馬鹿だな」と呟いた。

「店屋の親父がやる事じゃねえ」

親父さんは傍らに来てテープを差し出した。

「役に立てる事が、良いのか、悪いのか、俺にはよく分からねえが」

古賀は一礼して受け取った。テープを手に窓の向こうを見やる。

内心で親父さんと同じ問いを繰り返した。ここに来て、良かったのか、悪かったのか。つまらない探索をして、良かったのか、悪かったのか。自分には分からない。いや、分かりたくない。

深まる夕闇に支店が溶けていく。古賀は目をつむった。

8

人事部　研修資料室　午後7時30分

古賀は立ったまま太田に向かって声を張り上げた。

「署名付の犯行声明？　そんな物、あったのか」

「古賀、声が大きい。間仕切りだけの小部屋なんや。このフロアにも、そんな事、知らん奴もおるんやから」

太田は、椅子を軋ませ、作業机の煙草を手に取った。

「犯行声明と呼んでええのかな。まあ、ええんやろ。例の社内ＳＥの黒縁が、そう言うとるらしいから」

太田はため息と同時に煙を吐き出す。三年前に煙草はやめたはずだ。だが、こんな状況に吸わずにいられなくなったらしい。太田は、問いに答えず、逆に訊いてきた。

「神田本革堂から帰ってきて、大分、経っとるんや。お前も、いろいろ、周囲から聞いたんやないのか」

太田の言う通り、会社に戻って二時間程経つ。戻るとすぐに上司の牧原に一連の出来事を報告し、後輩に託した日常業務をチェックした。それから事件の状況を訊き回ったものの、聞き出せたのは断片的な話ばかり。仕方なく太田を探した。太田の姿はフロアに無い。こんな時の居場所は大体決まっている。その一つが、フロア隅に間仕切りで作られた小部屋だ。研修ビデオや教材が保管され、一般には、研修資料室と呼ばれている。太田は疲れると、ここに隠れて休んでいた。今日も、資料室の扉を開けると、案の定、太田がいた。そして、今、問い詰めている。

古賀は苛立って体を揺らした。

「皆、はっきりと言わない。何が何だか。どうなってんだ。西山のアパートで江本が見つかったとか。結局、二人の犯行なのか」

太田は、幾らも吸っていない煙草を消す。今度は煙無しで、ため息をついた。

「お前が神田本革堂に出かけていった直後の事や。人事の上の方が、急に慌てだした。ある社員に関係するファイルを全部出せと言う。誰のファイルやと思う？　西山のや。普通、部長クラスが末端社員の情報なんか、見たがるかいな」

太田は、また、ため息をつく。少し間を置いて話を続けた。

「会社が動き始めたんは、ＳＥの黒縁の話からよ。話を受けて、神田の課長が急遽、西山のアパートに向かった。騒動の始まりや」

「話？　黒縁が何で出てくる」

「今回の犯人は、事務統括部長の権限を悪用した。金が動く勘定系システムと違って、社内ＬＡＮ程度の情報系システムだと、事務統括部長の権限もあれば、何でもできるんやと。犯人は、この権限を使って、外部からメールサーバーに入った。サーバーには、二通目のメールが自動発信されるように、設定されていたそうや。普段は、先日付の通達の自動発信予約とかで、使《つ》こうとる機能らしい。ごく普通のサーバーメニューで、新人でも処理可能なレベル。無論、部長権限があれば、何の問題も無く設定できる」

じれったい。同じような話は各所から聞いている。古賀は声を荒らげた。

「じゃあ、何故、西山なんだ。システムセンターや事務統括部の関係者なら、部長権限を悪用できた可能性があったんだろう。黒縁自身、そう言ってたじゃないか。だとすると、西山に限らない。候補者は大勢いる」

「ところが、部長権限は、使われてなかった」

「何？」

「メールの自動発信の設定には、西山のＩＤとパスワードが使われていた」

「だって、お前、部長権限でサーバーに侵入したと」

「その通り。犯人は、オールマイティな部長権限で侵入した。この権限があれば、何でもできる。そやのに、侵入した後は、一個人のＩＤとパスワードで小細工や。『一個人の』とは無論、『西山の』やで」

太田は一旦、言葉を切る。少し間を置き続けた。

「何でそんな事すんねん。意図的にやる以外にあるか」

「西山のＩＤとかも盗まれたんじゃ」

「部長権限を盗んだら、一担当の権限は必要無いやろ。それに考えてみい。部長のパスワードは、社内で何人かの社員が知っとったかもしれんよ。けど、一担当の西山のパスワードなんか、一体、誰が知る。西山のパスワードを知っとるのは、西山だけやろ」

「とすると、わざわざ、あいつ」

「という事やな。メール発信設定の履歴なんぞ、調べりゃ一目瞭然や。こんなもの、侵入の痕跡でもなんでもない。犯人自ら『俺の仕事だ』と明示した。だから、黒縁は、この事を『署名付の犯行声明』と呼んだらしい。ＳＥから言わせると、目立たなくて、かつ、分かりやすい声明なんやと。俺はそうは思わんが。まあ、この話が出て、周囲が一気に西山を疑い始めたのは、事実やけどな」

「けど、そんなもんだけじゃ、断定はできないだろう」

「ああ、こんな話は確証にはならん。けど、無視できん。西山は、長期休暇でバックパッカー旅行、つまり連絡不能、所在不詳となっとる。支店支援室は手がかりが欲しくて、神田の課長を急遽、西山のアパートへ様子見に行かせた。危機管理マニュアル通りよ。社員失踪に社員不祥事あたりかな。ただ、まだ詳しい事は話せんから、ともかく行け、と言った調子やったらしいが。そしたら、課長が、アパートの押し入れで縛られていた江本を見つけた。ご丁寧《ていねい》にも、救出時に使えとばかり、鋏と飲料水が置いてあったそうや。おまけに、課長が、鳴った電話を取ると、微かに笑うような声がして、すぐに切れたそうな」

　太田は念押しするように付け加えた。

「電話は西山か、なんて俺に訊くなよ。誰にも分からんのやから」

「江本は、それから、どうしたんだ」

「帰社と同時に、診療所の医者に診てもらったよ。今は『マル特』で、神田の副支店長と課長に、事情聴取を受けとる」

「マル特？　よりによって、マル特、か。こんな時に」

マル特とは一種の社内隠語で、本部ビル地下にある特別応接室を指す。あまり大っぴらにできる部屋ではない。目立たぬように、各所にビデオカメラが設置されているからだ。数年前、民暴テーマの映画が公開され、その中でこんな施設が紹介された。それを見た役員が危機対応一環と叫んで作らせたのだ。

古賀は唇を噛んだ。幸い、マル特の設備はあまり活用せずに済んでいると聞いている。が、縛られていた江本に対して、こんな時に、マル特なのか。

「太田、マル特、使う話なのか。まるで取り調べじゃないか」

「言うな。江本が加担していないと決まったわけやない。ま、皆、躊躇したけどな。専務の一言でマル特や。『こんな時に使わんでどうする』ってな。まあ、あの人も、もう社員なんか信じられるか、という気分なんやろう」

太田の作業机の内線が鳴った。太田は受話器を取ると、すぐにこちらを見た。

「来てますが。いや、古賀君も、もう戻ると思います。ええ、伝えときます」

太田は受話器を置く。「お前の上司、牧原次長からや」と言った。

「もう、戻る、と言うてしもたで。午後九時から、また対策会議なんやと」

「ああ、ここに来る前に聞いた」

「それ迄に、お前が持って帰ってきたビデオテープ、見ておきたいそうや。神田本革堂で撮ったやつ。会議前に専務に見せに行くんかもしれんな。経営企画独自のルートで物証つかみました、てなもんや。あの人、こういう事になると、抜け目なく動くからな」

古賀はため息をついた。小部屋の中、お互い、ため息ばかりついている気がする。

「太田、会議には、お前も出るのか」

太田は、あっさり「出んよ」と言った。

「会議に出た方がマシなんやが、そうもいかん。実は、ここで待っとるんよ」

「待ってるって、何を」

「ビデオテープ。マル特で回っとるビデオや。事情聴取が終わり次第、そのビデオがここに来る。それ見てチェックしとけ、やと。チェックとは、言葉の聞こえはええけど、な」

太田は途中で言葉を飲む。想像はつく。人事部としての対応——処分の可能性を検討しておけ、という意味だろう。太田は気の抜けたような笑いを漏らした。

「何なんやろ。お前もビデオ、俺もビデオ」

太田は椅子にもたれ、頭の後ろで手を組むと、その姿勢のまま目をつむった。

「何か、妙な世の中やで」

古賀は黙って部屋を出た。

## 9

邦和信託銀行　大会議室　午後10時40分

声が……聞こえている。が、内容は……分からない。

古賀は眠気と闘っていた。

第二次対策会議は、予定通り九時に始まった。会議冒頭、神田本革堂での出来事の報告を求められた。だから会議開始後しばらくは気が張っていた。が、議論が堂々巡りし始めると、猛烈な睡魔が襲ってきた。溜《た》まっていた睡眠不足のツケだ。

机を叩く音がする。激しい口調の声が続く。が、言葉が耳に入っても、理解しようとする気力が湧いてこない。ただ、ぼんやり、誰だろう、と思った。また小堺と矢田か。いや、それぞれの部下達か。自分の上司がきれそうなのを事前に察して、先にきれてみせる要領の良い人達が、たくさんいる。あれ、声が止まった。そうか、専務だ。思い出した。怒鳴りつつ一番おいしい位置に立つ。確か太田の一句……。

「古賀」

耳元の声に慌てて姿勢を正す。隣席の牧原だった。肩を叩かれた。

「ちょっと外に出ろ」

牧原は席を立って出口に向かう。その背に従って会議室を出た。

牧原は、廊下の長椅子に腰を下ろし、ため息をついた。古賀は、その前に立って、頭を下げた。

「申し訳ありません。つい」

「いい。行きがかりで、お前を巻き込んだ俺のせいだ。こんな事は、本来、お前の仕事じゃない。もう帰れ。お前が、これ以上ここにいても、できる事は何も無い」

古賀は顔を上げ「ですが」と返した。牧原は淡々と続けた。

「危機対応の原則を忘れたか。『休める者が休むべし』に『休める時に休むべし』だ。危機管理マニュアルを作った経企部が、それを忘れちゃならんだろう。こんな状況だ。お前にも、また、いつ動いてもらう事になるか分からん。だから、今は体、休めろ」

「会議はどうなったんですか。支店の電源をどうする、とかいうあたりで、記憶がちょっと」

牧原は「その件か」と言って、微かに笑った。

「外から電源は切るが、水道は切らない。それが、後で外部に知れても批判されない人道的対応だそうだ。よく分からんが」

「すると、今は？」

「強行突入と対外発表の議論になっている。こっちは本題だ。今、支店支援室の社員が警察に行っている。不法ストの説明資料とやらを持ってな。内容に問題が無ければ、多分、警察も動きだすだろう。今夜のうちに、こちらも各部署毎の動きを決めておかんとな。だが、会議の結論にはまだ時間がかかる。だから帰れ。経企の連中も、大半、今日は帰らせた。遠慮する必要はない」

遠慮ではない。明日、本格対応となるならば、結論は聞いておきたい。が、気力は残っていない。神田本革堂で西山の顔を見てから、溜まっていた疲れが、一気に出てきたような気がする。

古賀は黙って一礼した。牧原に背を向ける。数歩進んだ所で、背に「そうだ、古賀」と声がかかった。振り向くと、牧原が言いにくそうにして、頭をかいていた。

「お前の本業、業務別会計の方、頼むな」

「申し訳ありません。今日は作業が」

「分かってる。社長が帰ってからで、いい。ただ、帰ってくると、すぐに見せたいんでな」

古賀は単に「はい」と答えて一礼する。背を向けた。

経営企画部のフロアに向かう途中考えた。社長が海外出張から戻るのは、いつだったろうか。確か、日本時間の明日夜には予定終了と聞いている。飛行機の時間を入れて計算してみた。気の抜けた笑いが漏れてくる。何だ、期限は何も変わらない。

　フロアに着いて、帰り支度をする。普段なら、まだ怒号が飛び交っている時間だが、フロアに人の姿はほとんど無い。皮肉なものだ。やっている仕事の大半は、実は必要無いのではないか、そう思えてくる。

　古賀はコートを着て通路に出た。人事部の方を見やった。人事部の机にも、人の姿は無い。太田が一人、人事部の隅にいた。椅子に座ってモニターの方を向いている。

　古賀は通路を進んだ。進むうちに微かな人声が聞こえてきた。太田の独り言かと思ったが、そんな素振りはない。どうやらモニターから漏れている声らしい。

　古賀は太田の背後で足を止めた。通路の仕切り越しに太田の背を見やる。太田は気づかないのか、振り向かない。が、見入っているというわけでもなさそうだ。よく見ると、太田の顔の向きは、微妙に画面からずれているのだ。

　古賀は画面を見やった。

　画面には背の高い気弱そうな男が映っている。写真で何度も見たから分かる。江本だ。その対面に二人の背が見える。恐らく事情聴取した副支店長と課長だろう。

　江本は、マル特の長椅子に座って、途切れ途切れに喋っていた。

『俺、内定者だった時に西山さんと知り合って、会社に入ってからも、西山さんにいろいろ助けてもらってて……西山さん、取引先紹介してくれた事もあるし。有志で作った野球部でも一緒で。寮と西山さんのアパートは近いし……帰るのも楽だから、二人でよく飲んでて』

『あの日も飲んだのか』

問いが飛ぶ。副支店長の方のようだ。江本は、不安げに体を震わせ、問いに答えた。

『鍵当番だから、ついでに残業してたんです。そうしたら支店に電話があって。いい酒あるから、帰りに寄れ、って。アパートで盛り上がって』

『いい気分になって喋りまくって、泥酔するまで飲んだというわけか。社員証やら店舗鍵やら取られても気がつかんくらい』

『よく分からないんです。途中から、急に意識無くなっちゃって。今迄、あのくらいで潰れた事なんて……無いんです。なのに……』

『酒に何か混ぜられたんだろう。思い出してみろ。妙な味がしたんじゃないのか』

今度は課長のようだった。江本はまた体を震わせた。

『俺、酒好きだけど、酔うのが好きなだけで……味とか分かんなくて。それに初めて飲む酒だったし』

話は同じような調子で続いていく。太田の背は動かない。古賀は太田に声をかけた。

「太田、まだ、かかりそうか」

　穏やかな調子で言ったはずなのに、太田は画面の江本のように身震いし姿勢を正した。緊張した面持ちで振り向く。太田は急に力が抜けたような表情を浮かべ「なんや、古賀か」と言った。

「会議、もう終わったんか。夜中迄かかるかと思うたが」

「かかるさ、多分。俺は用無しだから帰れ、と」

「ほな、一緒に帰るか。久し振りや」

　古賀はモニターの方を一瞥した。

「お前、それは……いいのか」

「もう何回も見た。見とるうちに、つい昔の事、いろいろ思い出してな。付けっ放しのまま、ぼんやりしとった。帰る準備はできとるんや。このまま帰るかどうか、ちと、迷とっただけで」

「もうお前だけか。人事は」

「三人程、別のフロアにおるよ。支店受付が混乱状態やろう。臨時シフトの打ち合わせや。夜中、いや朝迄やるやろ。それ以外は帰ったよ。危機対応マニュアル通りよ。金融危機以来、何かといえば危機やさかいな。もう慣れたもんや」

古賀は人事部のフロアを見回した。どの机にも数字の記載されたプレートが置いてある。数字は携帯電話の番号だろう。裏面には今晩の所在地があるはずだ。危機管理マニュアルの記載を思い浮かべる。『休息場所を明示せよ。確実な連絡手段を確保せよ。連絡あらば即、動くべし』だが、あの記載はどこの頁だったか。『状況の中期化、長期化が予期される場合』の頁だ。

太田は立ち上がり「お前の顔見て、帰る気になったわ」と呟く。モニターに手を伸ばした。

画面の中の江本が震えていた。震えながら顔を上げる。かすれ声が響いてきた。

『西山さん……一体、どうなっちゃうんですか』

太田がスイッチに触れる。

映像が消えた。モニター画面は真っ暗になった。

10

大手町界隈　午後11時15分

風が身に沁《し》みる。

古賀は、太田とビル街を駅へと歩いていた。歩きながら、太田に何か喋って欲しい、と思った。だが太田は、普段あれだけ喋るくせに、今はただ黙って足を進めるだけだ。ならば、自分が喋っていようと思う。しかし、言葉が出てこない。

ＪＲの高架下迄来た所で、太田は急に立ち止まった。高架下の屋台を見ていた。

「喉《のど》、渇いた」

そう言うと、太田は、振り向きもせず、さっさと一人で屋台に向かっていく。誘いの言葉も無い。が、古賀は黙って太田の背を追った。

屋台の親父が気配を察して、顔を上げた。

「おっ、二人とも、今日は早いね。早帰りの日かい」

太田は「冗談キツいわ」と言いながら椅子に座る。

「おっちゃん、お酒だけ一杯ずつ。今日は五分勝負なんや」

目の前にコップ酒が並ぶ。太田はコップを手に取ると、ほとんどを一気に空け、大きく息をついた。古賀は黙ってコップを口につける。酒は強い方ではない。苦い、それに、いつもより舌先が痺《しび》れる。

太田がコップを揺らしながら小声で言った。

「古賀、最近、あいつと話したか」

状況を考えたのか、太田は「あいつ」と言った。西山を指す事は言うまでもない。古賀はコップを置いた。

「ここ数年、ろくに話もしてない。廊下ですれ違っても、目を交わすぐらいだ。あいつとは、仕事での接点も無いから」

「会社の同期なんか、そんなもんや。仲好しこよしである必要は無いわいな。俺もお前と大して変わらん」

太田は底に残った酒を飲み干して息をつく。

「もう何年になるんやろ。あの件以来、あいつ、同期の中でも、ちょっと浮いとったからな」

太田にあわせて息をつく。屋台の電球がコップの中で揺れている。

「太田、あの事のせい……だと思うか。あいつがこんな事やらかしたのは」

「あほらし。あの頃、泣いた奴はようけおる。社員にも客にも。あいつだけやない。それで許されるんやったら、世の中、犯罪だらけや」

「けど、あいつは」

太田は苛立ったように言った。

「やめとけ。古賀、思い出したいんか」

古賀は「いや」とだけ返して黙った。横の太田をそっと見る。太田は黙って何も無いコップの底を覗き込んでいた。古賀はコップ酒を口に含んだ。先程の光景が思い浮かぶ。太田はビデオの前でぼんやりしていた。そして「昔の事、いろいろと」と言った。昔の事とは何の事だ。

高架下に列車の轟音《ごうおん》が響く。

古賀は口に含んだ酒を飲み込んだ。間違いない。太田も、きっと思い出していた。

「おっちゃん、それ、音、大きくしてんか」

突然、太田が屋台の親父に言った。親父の傍らには簡易発電機があって、その上に小型テレビが置いてある。親父はテレビに手を伸ばした。

テレビでは覆面インタビューが流れていた。昼間と同じインタビューなのか、また別のものなのか。声が変えられているから、どちらなのかは分からない。

覆面インタビュー独特の甲高い声が響いた。

『うまい人が得するんですよ。社内での交渉とかが、すごく大切で。アピールって、成果に対してじゃなくて、目標を決める時にするんですよね。目標自体が低くなるように。すると達成率一二〇パーセントになったりするでしょ。その分、もろに、他の人達にしわ寄せが来て。ボーナスなんかも全部そっち行っちゃうし』

太田は急に立ち上がった。

「五分経ってしもた。おっちゃん、お勘定して」

「え、本当に五分で帰るのかい」

「今日はどうも、悪酔いしそうやねん。堪忍《かんにん》して」

太田はさっさと自分の支払いを済ませる。古賀も慌てて支払いを済ませて屋台を出た。

先に出た太田は歩道で空を見上げていた。見上げた姿勢のまま「なあ、古賀」と言った。

「勘定系のホストコンピューターはまだ動いとる。今日の勘定の締めは、午前一時やそうや。払出、多かったから。まだ、伝票打っとる店もあるやろう」

太田は顔を戻した。屋台の方を見る。テレビ画面のインタビューは続いていた。

「そんな時に手柄顔してテレビに出る奴がおる。何を言うても別に構わんけど……こいつ、一体、今日のいつ、店を抜け出したんやろな」

太田は来た道を振り返る。邦和信託の本部ビルを見上げた。

「なあ、ここは、一体、どういう所なんや」

古賀は唇を噛んだ。問いの答え、俺も知りたいと思った。ここは一体、何なのか。もしかして、西山の奴、それに一人で答えるつもりか。

夜空に高層ビルがそびえる。ビルの谷間で星が微かに瞬いていた。

# 第三章

## 1

古賀自宅マンション　午前0時45分

古賀は自宅浴室のバスタブにもたれた。

目をつむると、疲れが湯の中に溶け出していく。何もかもが別世界。今日の出来事は全て嘘だったのではないか、とさえ思えてくる。

「ね、ビール、飲むよね」

妻の涼子の声に目を開けた。浴室の扉に人影がある。「ああ」と軽く答えると、人影は揺れて薄れ、足音と共に、扉窓の曇りの中に消えた。明るい口調に、軽快な足音。温かい湯の中で、それを聞く。悪くない。いや、率直に心地好《よ》いと言うべきか。

古賀はバスタブから出て、浴室の窓を開けた。

潮の香りがする。暗闇の中、遠浅を行く船の灯りが見えた。ここは、浦安臨海の分譲賃貸のマンション、二人には少し広過ぎるくらいで、家賃も安くはない。だが、ここにして良かったと思える。長崎、五島《ごとう》の出の自分としては、こんな光景が一番、心安まるのだ。学生の頃から、東京圏に通算二〇年近くいるが、これは変わらない。

古賀は窓を閉め、浴室の椅子に座った。鏡に顔を寄せた。

横側に白い毛が数本混じっている。まだ三五、少し早いんじゃないか、と思う。ため息をついて考え直した。いや、もう三五。意識せぬうちにも時間は経っている。そして、その時間の中で全てが変わった。外観だけではなく、立場も考え方も。現に今、西山は会社に食ってかかり、自分はそれを受けて立っている。

古賀は洗面器の湯を頭からかぶった。頭から湯が滴る。

二〇代最後の年、あの頃は、そうではなかった。皆が、同じ立場、同じ視線で、ふざけ合っていた。こう言うと、護送船団のぬるま湯時代、と世間は眉《まゆ》をひそめるかもしれない。それは正しく、かつ、間違っている。既に金融危機は後期、多くの金融機関が倒れていた。危機は日常的で常に間近にあった。が、俺達はわざと気づかぬ振りをして、オチャラケを演じ続けていたのだ。

古賀は鏡を見つめた。湯気の中に己の顔がある。

西山、覚えているか。あの頃は、お前も俺も、お互い大勢いる同期の中の一人に過ぎなかった。いつもお前は、太田とじゃれ合うように、ふざけ合っていた。最後に、同期皆で飲んだ時も、そうだったじゃないか。

あれは、確か六年前、まだ暑い夏だった——


焼鳥の匂いが漂っている。少し酔いが回ってきた。

古賀はビールのグラスを手に取り、グラスを空けた。

自分達の転勤祝いが名目では、飲まないわけにはいかない。古賀はほろ酔い気分で狭い座敷を見回した。自分に太田に西山。そして先に転勤になった川崎は遅れている。一年前に転勤になった分、仕事を抜け出しにくくなっているのかもしれない。

西山が冷酒のコップを手に取った。

「これで神田支店に残るは、俺だけ。四人もいたのにな。一年前に川崎が審査。先月の異動で、古賀は経企、太田は人事。川崎の時も無茶な人事だと思ったけど、今回は比較にならんね。邦和信託は大丈夫か」

太田が言葉を受けた。

「今日、うちの部長に、同じ事、言われた。今回の異動は失敗やったってな」

宴の開始早々、飲みまくっていた太田は、既にできあがっていた。両手に箸《はし》を持って皿を叩く。

「ワカ返りのつもりでやったのに、バカ返りやってしもたか、やて。俺の顔を見ながら、しみじみとやで。言うなら、笑いながら言うて欲しいわ」

笑いの中、「らっしゃい」と声が響く。太田が店の玄関を見やって大声を上げた。

「川崎、遅いがな。酒に弱い古賀なんか、もうすぐ寝だすで」

川崎は「悪い、悪い」と繰り返しつつ、こちらに向かって来た。背後に女の姿が見える。

「皆、すまん。急用できちゃって。久し振りだし、顔だけ見せに来た。けど、もう東京出ないと駄目なんだ」

川崎の背後で白いワンピースが揺れる。

「こいつの親父さんに、呼び出されちゃって」

「お前、同期より女かいな。まあ、こんな同期やからねえ」

太田は絡《から》み続ける。

「涼子ちゃん。男の友情にヒビ入れんといて。まあ、もうヒビだらけやけどねえ」

涼子が、川崎の背後から出てきて、頭を下げた。

「ごめんなさい。うちの父、ごねだすと子供みたいになって。後でちゃんと埋め合わせはさせますから」

涼子は座敷に身を乗り出してきて銚子《ちょうし》を手に取った。西山、太田と順に注いでいく。

「はい、古賀さん」

古賀は、目を逸らしたまま、杯を差し出した。銚子と杯が触れて、小さな音を立てた。動悸が速くなる。何やってんだ、と自分でも思う。そんな年じゃない。十代にでも戻ったつもりか。

涼子は姿勢を戻し川崎の元に戻った。言葉通り、二人は連れだって店を出ていく。

古賀は満杯の杯を一気に空けた。

突然、太田が、こらえ切れないかのように身を揺すり、笑いを漏らした。こちらを向いて「分かりやすい奴やな」と言った。

「俺みたいに、二人も子供作ってしまうと、お前みたいなのは実に新鮮やわ。古賀先生、失恋気分のやけ酒でっか」

「馬鹿言うな。あの二人、もうすぐ結婚だろうが。あの子は営業本部で支店受付をしてるだろう。稟議とか持ち込んだ時に立ち話する程度で、別に好きも嫌いもない」

「まあ、むきになるな。あの子は、鎌倉の医者の娘、いわば、お姫さんよ。昔から、お姫さんの好きなものは、決まっとるんやから」

太田は、右手に割り箸を持ち、時代劇調で言った。

「姫はのう、古《いにしえ》より苦労人が好きなのじゃ。だから、川崎めと、くっついたのじゃ」

「苦労人？　川崎のどこが苦労人だ。同期トップじゃないか」

太田は眉をしかめ「ほら、むきになっとる」と言った。

「あいつ、丹後ちりめんの織物屋の息子。家内工業やのに、働き手の親父を雪の山道での事故で亡くしとる。円高不況の頃やから、まだ幼気《いたいけ》な少年時代やろ。苦労しとるやん」

太田の話に西山が割って入った。

「それなら、俺も同じような境遇だぞ。幼い頃に親父を亡くしてる。しかも苦労人の割には東京育ちで洗練されてる。古賀でも川崎でもなくて、姫は俺に惚《ほ》れるべきじゃないか」

太田は、割り箸で講談師のようにテーブルを叩く。大仰に顔をしかめ、西山の前の皿を指さして「何が洗練じゃ」と言った。

「姫は、そのようなガサツ者は嫌いなのじゃ」

食い散らかした跡らしい。キャベツの千切りが散らばっていた。西山は慌ててキャベツを拾い始める。太田はそれを見つつ、「しかもや」と続けた。

「川崎の場合は、美談付き。親戚の援助で大学進学。姫好みのええ話やろ」

「黙ってたが、俺も、実は、そのくらいの美談は……」

「姫は、このようなソコツ者は嫌いなのじゃ」

そう言って太田は西山のネクタイを手に取る。今度は、ネクタイにケチャップが付いていた。西山は慌ててネクタイを拭《ふ》き始めた。太田は、真っ赤な顔でしゃっくりをした。

「優しい親戚とやらは、その美談を振りかざして、村長選に当選したそうな。あいつ、大学から帰省する度に、村中、引き回しよ。村長の生ける宣伝ポスターやから。かくして、内省的にして、やや屈折という姫好みのできあがり。何かと雑なお前とは違う」

太田は「そやろ、古賀」と同意を求めてくる。急に振られて、古賀は慌てた。何と答えたらいいのか分からない。が、太田は西山に向き直り、勝手に話を続けた。

「古賀は大学の頃から川崎と一緒や。確かサークルまで。そこんとこは、よう知っとるわけよ」

古賀は黙っていた。太田は割り箸で皿を叩く。歌舞伎よろしく決めのポーズを取った。

「だから、古賀殿は、川崎めに、姫を譲ってやったのじゃ」

そう言うと、太田はいきなり背中を叩いてきた。

「男じゃのう、古賀」

西山まで面白がって一緒に背中を叩く。古賀はむせた。グラスを置いて俯き、咳《せ》き込む。

頭上で二人の笑いが響いた――

「あなた、どうしたの。考え込んだりして。会社のこと？」

古賀は慌てて顔を上げた。食卓の向かいから、涼子が心配そうに覗き込んでいた。あの頃を思い出していたなんて、涼子には言えない。いや、言いたくない。

古賀はビールのグラスを置き「いや、何でもない」と返した。

「無理しなくていい。お前、先に寝てろ」

「何言ってるの。いつも、会社泊りか、帰ってきても二時過ぎの人が、珍しく早めに帰ってきたんだもの、まだ昼間みたいなものよ」

涼子はビール瓶を手に取って、思い出したように「そうだ」と言った。

「ねえ、かんころ餅《もち》、焼く？　また作ってみたの」

かんころ餅は長崎五島の名産だ。その昔、貧しい農家が、高価な餅の量を少しでも増やそうとサツマイモを混ぜてつき上げたのが、始まりらしい。つまり、元々はみっともない食べ物なのだが、これが素朴な甘さで、焼くと実にうまい。だが、先日、レシピを涼子に教えると、菓子作りが趣味の涼子は、いらぬ工夫を加えてしまい、素朴なかんころ餅を上品なスイーツにしてしまった。

涼子は「今度は大丈夫よ」と言った。

「言われた通りにしたから。かんころ餅に、余計なものは混ぜるな、って、あなた、本気で怒るんだもの」

「いや、今はいい。ビールだし」

涼子は「もう、信じてないな」と笑い、ビールをコップに注ぐ。その手を見て思う。白い、きれいな手だ。あの頃と変わらない。涼子は瓶を置くと、また心配そうに訊いてきた。

「でも、帰ってきて大丈夫？　テレビの報道だと、大変そうだけど」

「そんな時だから、帰れ、だとさ」

涼子は怪訝そうな表情を浮かべた。古賀は付け加えた。

「休んで充電しとけ、って事さ。会社じゃ、俺、いつも電池切れ状態で、ふらふらしてるから」

「じゃあ、今、充電してるの？」

「ああ、してる。もう、はち切れそうだ」

涼子は「馬鹿ね」と言って小さく笑う。立ち上がって、流しに向かった。皿を洗い始める。皿を片付ける度に、うなじが左右に動く。まだ子供は産んでいない体だ。スタイルは崩れていない。

古賀はわざと目を逸らした。あの頃とは違う。もう目を逸らす必要などない。だが、後ろ姿を見つめていると、本当にはち切れそうになるのだ。下半身から、何か込み上げてくる。太田が「疲れマラ」と言っていたが、それかもしれない。

寝室に行く迄に、まだ時間はある。

古賀はビールをあおった。支店に籠もる西山の事を思った。

確かに、あの時から今迄、いろいろあった。だが、そのいろいろを経て、俺は涼子と二人、ここにいる。一方、西山はたった一人であんな所にいる。この違いは何なのか。そう問えば、西山は何と答えるだろうか。

もう一度、涼子の後ろ姿に目をやる。夫の体を気遣い、夫の好物を作ろうと精を出す女の後ろ姿だ。目をつむる。もしかして今夜は……いい夜じゃないのか。

古賀は心地好い酔いをゆっくりと味わった。

## 2

邦和信託銀行　神田支店　二階フロア　午前0時50分

ようやく気づいたらしい、この俺だと。

西山は、支店フロアでノートパソコンの画面を眺めていた。

画面に文字が瞬いている。

『アクセス権限がありません』

西山は大きく伸びをした。これで一段落。先程、会社で一番制限が緩いサーバーにアクセスしてみた。事務統括部の部員なら誰でもアクセスできるはずだが、結果はアクセス不能。権限が取り消されたらしい。ようやく会社も、犯人がこの俺、西山良次《りょうじ》だと確信したと見える。もっとも、わざと手掛かりは、ばらまいた。いくら馬鹿な会社でも気がつく。

西山は姿勢を戻した。笑いが漏れてくる。

「どうだ、古賀。お褒めの言葉でも、もらったか」

夕刻、緊急電話が鳴り、妙なメッセージが流れた。誰かと思いカーテンを開けた。そうしたら、向かいで古賀が双眼鏡を構えていた。カーテンを閉めてから、腹を抱えて笑った。あいつに手柄顔させるつもりは無かったが、まあ、いい。ゲーム前に役者は揃ったという事だ。

突然、フロアの照明が消えた。

西山は身構えて、耳をすませた。だが、何も聞こえてこない。

体の力を抜いた。どうやらビルの電源を切っただけらしい。西山はパソコンを切り懐中電灯を付けた。飲料水に食料は、まだ、たっぷりある。学生時代によくやった一人旅の野宿と比べれば、ここは天国。むしろ、休息前に、電源を切ってくれるなど、至れり尽くせりと言っていい。

西山は寝袋を取り出した。寝袋を広げると、紛れ込んでいた何かが床に飛ぶ。摘《つま》み上げて、懐中電灯の近くに寄せた。

薬の空袋だ。

江本の酒に混ぜたやつだ。酒と薬のカクテル、昏睡ドロの手口。薬を混ぜた酒を何度も己の体で試してみた。寝てしまうが、副作用が残りにくい量は、どのくらいか。とはいえ、関係の無い江本を巻き込んでしまった事に変わりはなく、その救出だけが気がかりだった。が、無事、救助されたのは間違いない。

この会社の動きは読んでいる。

恐らく午前は、事態の把握だけで精一杯、何もできていまい。午後から顔を揃えて対策を練る。俺の手掛かりに気づき動きだすのは午後からだ。この時点で社員の不祥事と予測が立つ。とすると、会社が鉄則通りに動くのは間違いない。社員の不祥事対応の鉄則は、第一に本人と連絡、事情聴取。警察への通告等の対外対応はその後だ。俺とは連絡がとれない以上、まず、その居所を訪ねようとする可能性は高い。失踪社員に対する初期対応と同様だ。

今日は三〇分間隔でアパートに電話を入れた。留守番電話機能で室内の音をモニターするためだ。すると、夕刻、かけた電話を誰かが取った。背景に江本の声が聞こえていた。猿ぐつわを取った奴がいる。救出が遅くなるとまずいから、また手掛かりをばらまこうと思い始めた矢先だった。

だが、唯一の不安箇所も、無事通過した。

西山は懐中電灯を切り寝袋に入った。全て計画通りに進んでいる。俺が読み違えるわけがないのだ。ただ一回、あの時を除いて。

西山は目を閉じた。脳裏にあの言葉が浮かんでくる。

「もう、いいよ、良ちゃん」

よりによって、こんな時にと思った。浮かんできた光景を振り払おうと、寝袋の中で頭を振る。が、すぐに考え直した。浮かんできていいのかもしれない。自分がここにいるのは、六年前の事を思い返すためでもある――

「もう、いいよ、良ちゃん。無理しなくて」

西山はベッド際で戸惑いつつ、手を止めた。ティッシュで己の下半身を拭っている最中だった。ここはラブホテルのベッド、もう終わり、と思って後始末している時に、突然そんな事を言われては、男なら誰でも戸惑う。いや、焦る。

振り返ると、康子はベッドの上で身を起こしていた。頬はまだ紅潮しているが真顔だった。

「ずっと言おうと思ってたの。引き返せなくなる。父さんも、良ちゃんも。無理する事ない。廃業になったとしても誰のせいでもないよ」

どうやら仕事の話らしい。が、それはそれで焦る。西山は手のティッシュを捨てて、慌ててベッドの上に戻った。

「康子、何、言ってんだ。お前、自分の親父さんの会社の事だぞ」

「私、支店も違うし、窓口の事務担当だけど……同じ邦和信託にいるんだもの。今回、失敗しちゃえばどうなるか、大体、分かる」

世の中はデフレ不況に突入し中堅中小の企業は喘ぎ続けていた。康子の父の会社、小嶋化成も、その例外ではない。いや、何もしなければ先が見えている、と言った方が正しい。それも何年も先の事ではない。担当している自分には、それがよく分かる。

西山は康子の傍らに寄った。

「お前は、心配すんな。考え無しに走ってるわけじゃない」

小嶋化成には、緩衝吸音素材に関する技術が一つ眠っていた。現在の流通品に比べ、極めて吸音効率等が良い。が、販路のアテも無いから、製品化には踏み切れない。かくして、技術は眠り続ける。技術力に定評がある中小には、ありがちな話ではある。

康子は心配そうな表情を向けてきた。

「そんな顔するな。もうゴールは見えてる」

邦和信託のデータベースで、販売提携先を探し始めたのは一年程前の事だ。幾度もの徒労を重ねた結果、半年程前、内装大手の東京工芸が興味を示してきた。親父さんは素材特性を熱く語る。技術者同士の打ち合わせは意気投合、何とか発注交渉に入った。となれば、残るは、生産に必要な運転資金の問題、つまり俺の問題となる。

康子は心配そうな表情を強めた。

「けど、最近は中小企業向けの新規は難しいって。特に担保が無いと駄目って、支店の人が言ってた。うちには、もう何も無い」

「マニュアル通り稟議を書くしか能の無い奴と一緒にするな。担当は俺だぞ」

「ねえ、担当、代わってもらったら。皆、この事、知らないうちに」

二人の間ではずっと避けていた話題を、康子は口にする。西山は黙り込んだ。

本来、自分は担当してはならない。小嶋化成は生家の近所、康子とは幼なじみ、社長である親父さんには随分可愛がってもらった。加え、自分が父を亡くしてからは援助も受けた。だが、支店内では、今のところ、その事は知られていない。

担当決めを、まともに検討していれば、気づいたかもしれない。が、小嶋化成は支店統合による他支店からの移管先、慌ただしい統合作業の中、新担当は地域制で単純に決まってしまった。以来、約一年半、その事は黙っている。神田は中堅企業取引の中核店、収益基盤は、もう少し大きな会社だ。小嶋化成の規模では、誰も気に留めない。だが、濃い利害関係者と分かれば、担当にする事は無い。会社はそこまで甘くない。

「お前の言う事は分かる。けど、上の指示通りにしか動かない奴には、今回の件は無理だ。客観的に判断しても、今、小嶋化成を担当できるのは俺しかいない」

「でも、良ちゃん、あまり冷静じゃない。それが怖い」

「今回は鬱陶しい社内を通すテクニックってのがいる。こいつは俺にしかできない。心配するな。お前の男には、そのくらいの力はあるから」

西山は康子を引き寄せた。康子は鼻をすする。

西山は鼻の下をかきつつ、また黙って考えを巡らせた。

冷静でないという事は、当たってなくもない。だが、会社の人間として一線を越えた事は一度もない。いわば、ただ熱心過ぎる、というだけの話だ。収益性と効率を考えれば、小取引に「肩入れし過ぎ」という批判めいた忠告はある。

だが反論もあるのだ。強烈な思い入れと執着、それが無ければ取引深耕などできはしない。

その思いの薄い奴が営業成績を上げたなんて話は聞いた事が無い。自分はノルマ以上の実績は上げてきた。それも今のところ支店では断トツだ。その上でやっている。

「また、やってるよ。黙って何を考えてるの。不安になる」

西山は我に返った。康子は「ほら」と呟き、自分の鼻の下をかいた。

「難しいこと考え始めると、すぐに、これ。父さんと同じ」

西山は指を止めて鼻から手を離した。またやっていたらしい。

この癖は元々、康子の親父さんの癖だった。子供の頃から世話になるうちに、その癖を引き継いでしまった。康子はそれが嬉しいらしく、事ある毎に、鼻の下を指先でかいては、からかうように笑った。おまけに、会社でたまに顔を合わせる事があると、他人の振りをしながら、その仕草をわざとしてみせ、後で「合図分かった？」と訊いてきた。

「癖やめて、という意味じゃないよ。こんな話の時だし、良ちゃんに黙って考え込まれると嫌だから」

西山は大きく息をついた。康子を正面から見つめた。

「案件はすぐに片がつく。そうしたら、担当でいる必要は無いし、お前との事も会社に言う。『何故黙ってた』と叱《しか》られて、処分されても構わんさ。けど、全部うまくいって、二人一緒になれば、文句言う奴なんていないだろ。オールハッピィだ。だから心配するな」

康子がしがみついてくる。震えが伝わってきた。

西山はその背に腕を回した。口外できない事と交渉が長引いた事があって、待たせ過ぎたかもしれない。だが、もう少しの間だけだ。それ以上、待たす事は無い——

西山は寝袋から手を出した。闇の中で手を広げる。

あの時伝わってきた震えの感触は、今も手に残っている。

思えば、あの案件は取引工作の最高傑作だった。案件規模は大きくはないが、持てる営業テクニックを全て使った。不動産以外は担保でない、というスタンスの頃に、愚図る審査部を売上金担保で納得させた。発注条件も調べ上げ、承諾無しに変更できないようにした。そして東京工芸の担保承諾も取った。通常、トラブルはこの段階で起こる。「売上金を担保にするなんて、危ない会社なんじゃないの」ってトラブルだ。が、あの案件ではトラブルは起こりようがなかった。

闇の中で笑いが漏れてくる。

会心の出来だった。親父さんに頼み込んで、当初、東京工芸に、わざと大々的に持ちかけてもらったのだ。「資本提携してくれ」と。技術に妙味とはいえ、いきなりは難しい。次に資金供与を求める業務提携にレベルを落とし、最後にこちらが譲歩する形で、担保承諾で決着させた。東京工芸の担当は「申し訳ない」と頭を下げたくらいだ。思うに、数ヶ月かけて東京工芸を詐欺にかけたようなものだ。だが、営業の交渉事って、結局、そういうものではないか。

案件が仕組めただけではない、役者も揃っていた。

バブル期直後に大損させたせいか、邦和信託は東京工芸に頭が上がらない。その大損には、現審査部長も絡んでいるらしく、東京工芸絡みだと、妙に稟議が通り易いと営業の間で噂になっている。しかも、審査担当は、支店を熟知しているという理由で、川崎だ。川崎なら問題無い。性格は俺とは逆だが、物に対する考え方は似通っている。

案件検討の結果、当時、審査セクションは何と評したか。今でも覚えている。「不動産担保偏重から脱却するためのモデルケース。他支店も参考にされたし」と言ったのだ。

パズルのピースが埋まっていくようだった。そして、考えられる限りのピースは埋まった。実際、あの時点では、事前相談の決裁は取れ、もう、形式上の稟議を提出するだけの段階に来ていた。あれがなければ……。

いや、あれは異例、俺の読みは衰えていない。今でもこの会社の動きを読み切る自信はある。

西山は、夕刻、窓際で見た顔を思い浮かべた。今も昔も、古賀の奴は、この会社の事が何も見えていない。大層な部署で理屈に酔っている。西山は目を閉じて脳裏の顔に問いかけた。

古賀、何故、お前には、それが分からない。

3

古賀自宅マンション　寝室　午前1時40分

寝室の薄明かりの中、涼子の切なげな息が聞こえてくる。

古賀は、涼子の胸元から下半身へ、肌をかすめるように指先を動かす。聞こえる息づかいは次第に深くなっていく。古賀は己の全身が熱くなるのを感じた。もう何も考えられない。

「ねえ、待って」

涼子の小声に、古賀は動きを止めた。

涼子は身をひねり、ベッドマットの下へ手を伸ばす。薄い小袋を取り出した。

「これ、忘れそうだから。後になると、どうでも良くなっちゃうでしょ」

毎度の事だ。が、古賀は受け取るのを少し躊躇した。

「なあ、三年は二人だけで、とは言ったけど。今月で結婚三年になる。そろそろ、いいんじゃや」

「分かってる。私もそう思ってるけど……でもね、私達、付き合った時間、短かったでしょ」

涼子がこちらを見つめる。

「だから、もう少しの間、二人だけでいたいの。もう少しだけ。お願い」

古賀は唾を飲んだ。こんな気分の時に、潤んだ目で見られて、反論などできはしない。今は理屈っぽい話をする時間ではない。

涼子が背中に手を伸ばしてきた。引き寄せられる。涼子の囁《ささや》きが耳に入った。

「ね、私がつけてあげようか」

それも悪くないな、と思った。が、今日の気分はそっちじゃない。古賀は身を離し、涼子の腕をつかんだ。手から小袋を取った。

「心配するな。ちゃんとやる」

そのまま涼子の胸元に顔を埋める。寝室の薄明かりの中で、涼子の肌の上を動いた。涼子が身をよじる度に目の前の肌がうねる。どこかで見た光景のような気がした。頭の片隅で考える。そうだ、取引先の応接室に掛かっていた油絵だ。『砂丘の夜明け』とかいうタイトルがついていた。けれど、こんな砂丘があるか。

砂丘がなまめかしく動く。かすれ声の喘ぎが聞こえてきた。

古賀は肌の上を這《は》っていく。おかしくなりそうだと思った。が、同時に邪魔するかのように、六年前の下らない光景が頭をよぎる。思い出したくない。理由は他の奴らと違う。あの事が無ければ、俺達はこうしていない。それを思い出させられるのが嫌なのだ。

声が大きくなった。何かを求めるかのように、涼子の手が動く。古賀は涼子の手を握った。浮かんだ光景は荒い吐息の中にかすれていく。が、消えそうで消えない――


ピークを過ぎたせいか、社員食堂は閑散としている。

古賀は社員食堂で一人カレーを食べていた。スプーンを口に運びながら、昨日もカレーだったな、と思った。別に好物というわけではない。最も手早く済ませられるメニューだからだ。

「お前は、ほんまに、カレー好きやな」

声に顔を上げると、向かいに太田と川崎が盆を持って立っていた。気の無い返事を返すと、二人はそのまま向かいの席に座った。古賀は二人の盆を見やって苦笑した。二人の盆もカレーだ。

太田は周囲を見回して身を乗り出す。「古賀」と声を落とした。

「朝から支店に列ができとるらしいな。払出の。昨日の発表、裏目に出たんと違うか」

一一月下旬の昨日、半期決算を発表していた。打ち止め感をと、大幅に不良債権の償却額を増やした決算だ。当然、予想外の赤字となっている。無論、プラス効果を狙ってのものだったが、市場とマスコミはそうは受け取らなかった。彼らは次の獲物を待っていた。

川崎が不安そうに太田に訊く。

「そんなに、並んでるのか」

「ああ。ついに、うちにも来たか、という感じや。けど、これからやろう。今日の夕刻には、この行列光景がテレビで流れる。それ見た人が明日どう動くか。映像になると、影響も大きいし、反応も早くなるからな」

川崎は黙り込んでスプーンに手をつける。太田は喋り続けた。

「世間の言いようが正しいのか、会社発表が正しいのか、はてさて。人事の俺には見当もつかん。経企と審査、お前らの範疇《はんちゅう》やもんな」

末端の俺達に、そんな事分かるもんか、と思う。が、古賀は黙って食べ続けた。

唐突に川崎が小声で言った。

「なあ、邦和信託、大丈夫かな」

古賀は驚いて顔を上げた。太田も同じように川崎の方を向いていた。

「えらい事を言うてくれるわ、川崎。見てみい、古賀まで、ビビっとるやないか。お前の仕事は、今回の償却にも直接関係しとるんやで」

「その事じゃない。うちの会社の空気の事だ。最近、変だと思わないか」

太田は大仰に脱力のポーズを取った。ようやく皿に手をつけた。

「まったく何を言うかと思うたら。あほらし。お前の部署は換気不足なんやろ」

太田は皿を抱えて、かき込むように食べ始める。川崎は話を続けた。

「最近、すぐに方針が変わる。怖いくらい。先週、うちの部で本当に朝令暮改があってびっくりした。午前の会議の結論が、夕刻の指示で、ひっくり返ってたんだ。でも、最近じゃ、皆、それを少しも変だと思わなくなってる。なあ、こんな雰囲気、今迄あったか」

古賀は初めて話に加わった。

「外部環境が、それだけのスピードで変わってるという事だろう。対応するためには仕方ない。変わらないという事は、対応できてないという事だ。そっちの方が危険だろ」

「経企はすぐそう言う。外部環境、外部環境って。呪文《じゅもん》みたいだ。けど外部環境って何だ。うちの環境だろ。客には関係ない」

川崎にしては珍しく強い口調だった。が、すぐに川崎は口調を戻した。

「すまん。けど、これを変と思わないって変だよ、やっぱり」

太田は皿を盆に置く。もう皿には、ごはん粒しか無い。太田は腹を叩いた。

「変と思わんって変か。哲学者やの、川崎は」

その時、背後から「古賀」と声がした。上司の牧原だった。牧原はテーブル迄来ると、先に太田に向かって言った。

「人事は今から緊急会議を開くそうだ。君も自分の席に戻った方がいい」

太田は慌てて盆を持って席を立つ。川崎は不安げな表情を浮かべた。

牧原はこちらに向き直り「ちょっと話がある。いいか」と言って、食堂の隅へと足を向ける。古賀は戸惑いつつ立ち上がり、その背を追った。牧原は経企部会計グループの長、間もなく次長へ内部昇格との噂がある主任調査役だ。そんな牧原が自分を探しに、わざわざ食堂に来る。ただ事ではない。

牧原は食堂の隅迄来ると、周囲を見回し、近くに人がいない事を確認してから言った。

「中期経営計画を見直す。全体は経企部が決めるが、整合性はいる。至急、予算の所轄部に指示しろ。着任間もないお前には、きついかもしれんが、やり方は前任のノートを見ればいい」

「見直し、ですか」

牧原はもう一度周囲を見回した。耳元に顔を寄せた。

「支援要請用って事だ。いいな」

牧原はそう言うと、エレベーターへと向かっていく。古賀は追いかけようとして立ち止まった。食堂の盆をテーブルに置きっ放しにしている。古賀は振り向いた。川崎は立ち上がっていた。会話は聞こえていないはずだ。が、状況を察したらしい、川崎は真っ青な顔をしていた――


古賀は寝室のベッドの上で大きく息をついた。

胸元から寝息が聞こえてくる。

古賀はそっと腕を抜き身を起こした。涼子の寝顔を見やる。子供の顔を見てみたい気は当然ある。涼子だって年は二九、年が明けて少しすれば三〇、同じ気持ちはあるだろう。が、もう少し先でもいいような気がする。年齢的な事もあるから、ずっとではない。ほんの少し先だ。二人して、おっちゃんとおばちゃんになるのは、それからでも遅くない。

古賀は、枕元の灯りを消して、ベッドに横たわった。経緯はどうでもいい。俺達が二人ここにいるという事は変わらない。ならば、思い返す事は何も無い。

古賀は目をつむる。次第に強まる眠気の中で、ぼんやりと思った。俺は常に前を向いて戦った。だから今がある。だが、西山はそうではなかった。俺達の違いは、そういう事ではないか。支店に籠もる西山は、それが分かっているだろうか。

寝息が次第に重なっていく。古賀はそれを感じつつ、眠りに落ちていった。

4

神田支店　二階フロア　午前1時45分

闇に音が響いた。

西山は寝袋から出て身構えた。シャッターの音だった。懐中電灯を大通りに面した窓に向ける。机で作ったバリケードが浮かび上がった。窓際のカーテンが僅《わず》かに揺れている。西山は懐中電灯を握りしめた。

強行突入か。俺は、また読み間違ったのか。

懐中電灯を手に窓際へと走る。カーテンの隙間から店舗前の大通りを見やった。

シャッター前に、大きく揺れる人影があった。機動隊でも制服警官でもない。背広姿の男だ。男はよろけながら、こちらを見上げて「おりゃぁ」と叫んだ。

「やるなら、徹底的に、やれっ」

男はまた左右に大きく揺れる。

「男ならよお、やり遂げんだぞ。バーロー」

男はこちらに向かって手を広げ、振り回した。周囲を警戒していたらしい警官が走ってくる。通り向かいのマスコミ車両からフラッシュが飛ぶ。が、男以外に騒いでいる人間はいない。

体の力が抜けていく。酔っぱらいらしい。

西山は窓際を離れ、寝袋に戻った。ペットボトルの水を一気に飲み干した。空になったペットボトルを握り潰す。窓際のバリケードに向かって投げつけた。

「言われなくたって、やるさ」

西山は寝袋の中に戻った。

頭の中でもう一度、計画を検証してみる。真夜中の強行突入など、絵になり過ぎる。体裁を気にする会社ってやつは、そんな事はしない。強行措置の前に必ず連絡を取ろうとするはずだ。できれば「穏便」に済ませるために。強行しても世間に対して「全力を尽くした」と言えるように。鳴らなくなった電話はもう一度鳴る。勝負は明日早朝。が、やつらが動く前に俺が動く。情報戦を制するコツは昔から決まっている。直前まで様子を見極め、相手が動く寸前にこちらが動く。これしかない。

興奮がまだ冷め切らない。だが、休むのも戦いの一部だ。

西山は懐中電灯を消し、目を閉じた。大丈夫、俺がこの会社の動きを読み違えるなんて事はありえない。六年前は特別だ。あれは相手が同期の川崎だったからだ。

あの時の川崎の顔が脳裏に浮かぶ。

西山は頭を振った。眠らないと駄目だ。が、浮かんだ光景は消えていかない――


フロアの隅のテーブルを夕日が照らしていた。普段、静かなこのフロアも今日は騒がしい。

西山は審査部隣接の打ち合わせブースにいた。向かいには担当審査役の川崎がいる。同期で心安いとはいえ、審査役から直接、呼び出される事は滅多に無い。何かある。

西山はわざと平然とした調子で言った。

「決裁の連絡なら電話で済む。それとも、また、モデルケースと褒めてもらえるのか」

川崎は、話しだそうとする仕草を見せては、途中でそれをやめる。西山は平然とした口調を続けた。

「まあ、事前相談で方針決定済の案件だ。正稟議を上げたのは三日前、決裁は手間暇だけの問題、もう下りる頃かと思ってた」

川崎はようやく口を開いた。

「昨日の決算発表を受けて、支店に払出の列ができてる。どの支店でも」

「神田でも今日の店頭は忙しい。けど、それが、どうした。俺は小嶋化成の件で、ここに呼ばれてるんじゃないのか」

川崎は口元を歪め、かすれ声で「厳しい」と言った。

「資金枠が、思いの外、厳しい。この案件はBにする」

こんな時に審査部内の符牒《ふちょう》か、と思った。Aは即決、Bは状況次第、Cは却下だ。もっとも、Bとは角が立ちそうな時に使うランクというだけで、BがAになったとは聞いた事がない。

「川崎、うちの方針決定を受けて、小嶋化成は既に動き出している。知ってるだろう」

「どこの金融機関でも審査と資金枠とは別物だ。資金枠は資金部との協議事項だから、いい案件でも資金が無ければ、どうしようもない。高度成長期なんかは、いい会社でも資金枠の奪い合いで……」

「そんな事は分かっている。一般論でごまかすなっ」

思わず大声が出た。周囲が一瞬、静かになる。西山は深呼吸して口調を戻した。

「俺だって邦和信託の社員だから分かるさ。だが、そんな事は社内管轄の話だ。邦和信託の資金量はン兆円。小型案件なのに、いきなり資金枠の都合と拒否されても、客も困るだろう」

「来月にまた検討し直す。今度はきっと優先的に」

「数日の動きも読めなかった。そんなお前に来月が確約できるのか」

川崎は俯いた。西山は言葉を続けた。

「来月初旬には資材購入の最初の手形期限が来る。それ以降、順次、期限は到来する。事前相談時の資料で説明済みのはずだ。もう二週間も無い」

「邦和信託は、まだ、何も意思決定、していない。正稟議は、決裁して、いない。だから、まだ何も……決めていない」

「馬鹿言うな。事前相談の制度は何のためにある。会社の方針決定を段階的に行うためだろう」

「状況が違う。事前相談は大まかな方針の決定に過ぎなくて、その段階とは」

川崎は、一旦、言葉を区切る。苦しそうに「外部環境が」と続けた。

「その、外部環境が……外部環境が、変わってる。対応のため、仕方ない」

テーブルを叩きそうになった。が、思い留《とど》まった。川崎の手元には、小嶋化成の資料がある。単純に却下だけなら、資料は持ってこないし、呼び出しもすまい。まだ、何かある。

しばらく黙ったままでいると、川崎は俯いたまま「手はある」と小声で言った。

「追加で担保に取って欲しい。不動産だ」

「今更、無茶言うな。工場と社長の自宅は既に担保設定してある。もう何も無い」

「工場奥にある自宅の脇、親族名義の土地建物がある。三坪から四坪くらいで狭いけど」

川崎は、資料の束から、工場の見取り図を取り出す。西山はまた怒鳴りたくなる自分を抑えた。そんな事は資料を見なくても分かっている。社長のお袋さんの住む離れ、六畳程度のプレハブだ。

「金額にして幾らになると思ってる。川崎、ふざけてんのか」

川崎は「ふざけてない」と言い、ようやく顔を上げた。真顔だった。

「以前、同じような案件があった。工場の奥の数坪。こいつが代物弁済でマル暴関連に流れた。今、マル暴の連中に、工場敷地内の通行権を主張されて、揉めに揉めている。怖い形相の連中が、敷地を通らせろ、で毎日、大騒ぎだ。当然、担保の工場敷地自体の処分価値も大幅減になってる」

「小嶋化成がそうする、という事か」

「違う。だが、これができれば、邦和信託の対応は変わる」

言葉の意味がよく分からない。また黙っていると、川崎は言いにくそうに「そのトラブルは都内の某支店で」と言いだした。

「当時の支店長の肝いり案件だったんだ。で、数年後、その支店長は転勤して、今、どこにいるかと言うと……審査部にいる。今の部長だ」

川崎は話しながら、少し震えていた。

「前回の不良債権査定時には、揉めたよ。見苦しいくらいの責任の押しつけ合いだった。審査部長が不良案件の当事者の一人だから。何とか上手く逃れたみたいだけど。また同じようなトラブルが起こって、蒸し返されると、あの人には極めて都合が悪い」

「川崎、上司の部長を脅して、取引したわけか」

「これは仕事の話だから、脅しでも取引でもない。よく似た案件だから、それを持ち出して、部長を説得しただけだ。ただ、説得の時の話で」

　川崎はまた、言いにくそうな口調になった。

「離れの追加は、この貸出の承認条件だ。けど、書類は汚さない事にする」

　また意味が分からない。川崎は苦しそうに言葉を続けた。

「あくまで『新規貸出』の稟議のＯＫは変わらない。その後で、たまたま、『担保追加』の報告があった、と。担保書類を準備できた時点で、貸出していいから、そうして欲しい。書類上は別々の話になってるから、不都合は無い。西山も、その方がいいだろう」

　西山は顔をしかめた。川崎が裏で部長とニギッた話だ。だが、部長としては、後々まで残る書類に、そんな形跡は残したくない。書類はあくまで形式を整え、別途、口頭合意する事で了解した。どこの会社でも、よくある話ではある。ビジネスにおける裏の「ニギリ」ってやつだ。

「これが限界なんだ。西山、どうする」

西山は黙って携帯を取り出した。小嶋化成にかける。電話に出た親父さんに事情を説明した。数秒の間を置いて、親父さんは「分かった」と言った。

「ここまでやってくれたんだ。全部、言うようにするさ。明日の午前、来てくれんかな。書類、用意するから」

西山は電話を切って目をつむった。土壇場での追加条件、どう考えても汚い話だ。だが、この案件は、何があっても潰すわけにはいかない。

「どうだった？」

川崎の問いに西山は、息をついて目を開けた。

「決まってる。引こうにも、もう小嶋化成は引きようがない。お前だって、俺だって同じ事だろう。ここまできて、誰も引く事なんかできないんだ」

その時、川崎は微かに安堵の表情を浮かべた——

西山は寝袋の中で寝返りを打った。

俺と川崎は物の見方が似ていた。共に、幼くして父親を亡くしたという境遇のせいかもしれない。が、性格は逆で、川崎はあまり自己主張しない男だった。だから、あの時は意外で驚いた。気弱な川崎が、社内取引までして、何とか筋を通そうとしたのだ。

だが、その事で逆に、俺は周囲が見えなくなったのかもしれない。

西山は深い闇を見つめながら、川崎の事を思った。今のこの状況を、川崎はどう考えるだろうか。あの時、あいつは思いがけない案を出した。川崎なら、こんな状況でも、また何か予期もせぬ妙案を出してくるのではないか。

寝袋の中で大きく息をつく。やはり眠れない。西山は目を閉じ、また大きく寝返りを打った。

5

邦和信託銀行社宅　太田宅　午前1時50分

妻の広子は洗い物をしながら、事件の事をずっと喋っている。

太田は、食卓で生返事しながら、箸を置いた。喋りたくなるのも無理はない。ワイドショーネタが夫の職場で起こったのだ。多分、どんな事件よりも社宅ではニュース価値が高いに違いない。が、今は、そんな事よりも……太田は食卓の椅子の画用紙を手に取った。小学四年生になる娘が描いた絵だ。絵の中央にパパ。タイトルは「パパとみんな」だそうだ。素晴らしい。パパとその他大勢、パパだけ特別なのだ。太田は唸りながら、あごを撫で回した。娘には絵の才能がある。実物にそっくりではないか。いや、実物が絵に似てるのか。

「ちょっと聞いてんの」

太田は慌てて絵を置く。顔を上げると、広子がこちらを向いていた。

「聞いてる。よう聞いてる。で、何やったかいな？」

広子はため息をついた。

「あんた、事件に関係してへんよね。犯人はクビになった元社員で、それが恨みで、なんて話もあるみたいや。あんたは人事なんかやっとるし」

太田は「あほな事言うわ」とだけ言って、ごまかした。西山とは大いに関係あったが、今、それを広子に言うわけにはいかない。晩酌を進めつつ思った。それにしても「クビ」とくるか。ふと訊いてみたい気がした。広子なら、どう言うだろうか。

「なあ、けど、俺、クビになってしもうたら、どうする」

「あ、やっぱり。そうやったんやねえ」

太田は晩酌の手を止めた。広子は手を拭きながら、食卓に来た。

「最近、あんたの会社、えらい静かやろ。数年前迄、あんなにうるさかったのに。多分、どうせ、また荒れるわとは思とったんよ」

　広子は太い体を揺らして、向かいの椅子に座った。

「けど、まだ働き盛りなんやし、収入減っても、どこかあるわ。うちがまたパートに出たら、今の六分、七分くらいはいくやろ。不足分は生活を改めたらよろし。付き合いで入った馬鹿高い保険とか、盆暮れの贈答とか、いらんやろ。酒の付き合いは三分の一。弁当作るさかい、外食なんかやめなはれ。物価の安い田舎やったら、何とかなる。アパートで雑魚寝《ざこね》やけどな」

「お前、簡単に言うけど、子供達の大学までの教育費とかも考え始めると」

「夢、見過ぎなんや。子供ら、その気になるかどうかも、分からんのに。やる気があるなら、自分で本買うてでもする。そのくらいの出費は親の責任や。けど、それ以上はよろし。あの子ら、勉強のためより、子供同士の付き合いで、塾、行っとるんやから」

「お前は、ほんまに楽観的す……」

「楽観？　あほらし。最近のあんた、変やで。言う事が社宅の人達とそっくりやもん。うちらの同級生見てみいな。うちも含めて、田舎の高校出たら半分は就職したわ。それが普通やったやないの。あんた、背伸びし過ぎやねん。今、どんなに大層な仕事しとるんか知らんけど」

　広子は大きくため息をついた。

「今の仕事、好きで仕方ないというわけと違うんやろ。クビと言われても、丁度、ええ区切りやと思うたら、よろし。何とか食べられたら、それでよろし」

笑いが漏れてくる。そうか。その通り。太田は笑いながら妻に返した。

「本気にすなや。クビなんかなるかいな。今のは冗談や。ちょっと訊いてみたかっただけや」

広子は思いっ切り顔をしかめた。「冗談やて」と呆《あき》れたように首を振る。

「何考えとるの。こんな日に」

広子は勢いよく立ち上がる。銚子を取り上げた。

「おい、お前。まだ酒、残っとるねん」

が、広子は見向きもせず、銚子を持って洗い場へと戻る。

太田は妻の背を見やった。怒ったのか、丸い背中が大きく揺れている。笑いが漏れてきた。こいつがいる限り、うちの家は大丈夫だ。太田は酔いを感じつつ、目を閉じた。広子の言う通りだ。あれこれ考えるなんて、俺には似合わない。

今日は考え過ぎた。そして、六年前のあの夜も――

作業机で頭をかきむしる。こんな所で徹夜か。

太田は研修資料室にいた。

目の前には、数字が並ぶパソコン画面、手元にはそれを打ち出した資料がある。人件費の抜本的見直し。抜本的と言い始めて何回目になるか。もう、どれが抜本的なのか、自分でもよく分からない。

妙に苛立たしい。要請は常に緊急。せっぱ詰まってからの作業で、検証時間はほとんど無い。そんな計画に意味があるのか。今日、経企部の古賀に切られた期限は「緊急につき今夜中」だ。おまけに「俺は一晩中いるから何時でもいい」だ。

ため息をついて、天井を仰いだ。目が痛い、肩が痛い、首筋が痛い。手を抜くか。太田は姿勢を戻して頭を振った。いや、出た数字は必ず一人歩きする。それに、支店では既に払出を求める長蛇の列。明日、その列はどこまで伸びるか。緊急という事自体は古賀の言う通りだ。

だが、やりきれない。

古賀と夕刻ここで口論した。リストラの試算前提を意味無く変えていたからだ。「不用意に株式市場の見通しを動かすな」と怒鳴ると、古賀は怪訝そうな顔をしていた。人事にそんな事を言われるとは、思ってもいなかったらしい。

世の中は段々分からなくなっていく。これもそうだ。

訳の分からない国際標準会計とやらが始まっている。新会計では、年金会計の収益率やら差異償却があって、人件費が直接、連動するようになる。簡単に言ってしまうと、なんと今は「株価で人件費が動く」時代なのだ。固定費の親玉みたいな人件費が、だ。それもとんでもない金額が動く。実際に、その金を出そうが出すまいが、関係無い。

まったく、そんな事、世の人は分かってるのか。本屋で簿記の入門書を買ってくればいい。今でもちゃんと書いてあるはずだ。はて、固定費とは何ですか。はい、ほぼ一定額で動かない費用です。例えば給料などの人件費云々《うんぬん》。

太田は煙草に火をつけた。

おかしな時代だ。「分かりやすく」を名目に、複雑怪奇なルールが制定され、世の中はどんどん「ブラックボックス」になっていく。その証拠に、この新会計を計算するには、高度な統計論と確率論が必要だ。そのための専門資格があるくらいだ。だが、現時点では、それを理解する会計士など、ほとんどいない。先日、話をしてみると、俺の方が知っていた。だが、マスコミは大騒ぎするばかり、本質がどこにあるのか報じない。かくして一見分かりやすいブラックボックスばかりになっていく。ボックスの中身には、もう誰も触れられない。

太田は天井を向いて煙を吐く。

これは高邁《こうまい》な議論じゃない。訳の「分からない」事由で実際にコストは増える。理由はともかく、増えた分は吸収しなくてはならない。それには、人を切る、という「分かりやすい」事由しかない。そして、人を切る、とはどういう事か。一人一人社員を呼びつけて、そいつの生活を破壊していくという事だ。

太田は天井の煙を目で追った。ぼんやり考える。

こんな時に俺は感傷的になっているのだろうか。これでも俺はドライな人事の一員、感傷的になんかなりようがない。これまでのやり方を、守りたいわけでもない。ただ、何かやりきれない。

太田は煙草を消して、机に向き直った。資料を広げ直す。時間はあまりないが、実現不能な数字は出せない。時間のある限り検証するしかない。たたき台となる数字は、あと一息だ。

背後でドアの音がした。振り向くと、人員管理グループのチーフが扉口に立っていた。

「太田、お前の隠れ家に、すまんな。ちょっと休ませてくれ。フロアで休もうとすると、反乱者みたいに見られる」

チーフは古びたソファに崩れるように座った。目の下には、化粧品で描いたがごとき隈《くま》ができていた。

「もう、どのくらい寝てないんですか」

チーフは「さあな」と言いつつ、煙草を出して咥《くわ》えた。

「俺に構わず、太田、自分の方を早くやれ。お前の数字と俺の数字、整合性をとらんとならん。人切り過ぎて、仕事やる人いません、なんぞ、話にならんから」

　太田は机に向き直った。丁度良かった、と思った。各部店毎の人員配置数からの検証を、と思っていた矢先だったのだ。あと少しで仕上がる。太田は急ぎで残りの作業の手を進めた。

　背後からチーフの小声が聞こえる。まるで独り言のようだった。

「お前、夕刻、経企部の古賀と、やり合ってたようだがな、ほどほどに……な。経企の奴らも、好きでやってる、わけじゃゃ」

　太田は内心でチーフに返す。はい、はい、分かってます。私も好きでやってるわけじゃありません。それよりこの資料を。太田は資料をプリンターに出力した。静かな小部屋にプリンター音が響く。チーフの声はもう聞こえない。が、突然、プリンターの音に何かが混じった。

　鼾《いびき》だ。

　太田は振り返った。チーフは、火の付いていない煙草を咥えたまま、ソファで寝ていた。鼾はあっという間に大きくなる。太田は慌ててプリンターの資料を取り上げ、ソファに寄った。チーフを揺すった。

　チーフは薄目を開けた。口から煙草が床に落ちる。

「五分でいい。ちょっとだけ」

「あかんです。寝たら、もう起きられんでしょ。この資料、見終わってから、寝てください。朝迄に、経企部に出さなあかんのです」

チーフは何も言わず目を閉じた。太田は大きく息を吸った。「すんません」と言うと同時に、チーフの頬を張る。少し焦った。思いの外、手が痛い。

チーフが顔を引き攣らせながら体を起こした。太田は両手で検証資料を差し出した。

「これです。お願いします」

チーフは頬をさすりながら「おおたあ」と呟く。引き攣った顔に無理矢理作ったような笑みを浮かべた——

寝室の布団の中で太田は思った。

俺は考え過ぎると、ろくな事がない。あの頃も、そして、今日もそうだ。反発しつつも、西山に共鳴する部分が、俺自身の中に確かにあるのだ。考えれば考えるほど、そいつは大きくなっていく。だから、俺は考えては駄目なのだ。

広子の寝息はまだ聞こえてこない。

太田は暗闇の中で隣の布団の様子をうかがった。先程の食卓での会話が頭をよぎる。アパートの雑魚寝も、窮屈だろうが、悪くないかもしれない。そうなったら、こいつとの

「夜」はどうするか。金は無いからホテルにも行けない。付き合い始めの頃のように、公園の草むらか。だが、そこまで若くはない。そんな事をすれば、もう二人とも、風邪をひく年だ。

　太田は掛け布団を引き寄せた。布団の中で笑いが漏れる。

　隣の布団から声が聞こえた。

「どないしたんよ。いきなり笑いだして」

「なあ、雑魚寝暮らしになったら、子供ら、学校に行かせてから、いそいそ始めんのかな」

「何かと思うたら、あほらし。早よう寝なはれ」

　太田は隣を見やった。つくづく女ってやつは不思議だと思う。子供ができた途端、自分だけ大人になってしまう。気がついたら、こっちは置いてきぼり、子供以上に子供扱いされる。もっとも、それはそれで悪くない。別の居心地の好《よ》さがある。

　布団の中で、太田は手を横に伸ばした。広子の手に触れた。

「もう遅いで。あんた、ええ加減にしとき」

「子供らが起きだす時間やない。それに今日は興奮して、どうも寝れんのや」

「何で興奮するの。何も関係無いんやろ」

　西山の事は言えない。それに言ったとしても、広子なら「さよか」と言って終わるような気がする。太田は横を向いて言った。

「な、そっち、行ってええやろ」

返事は返ってこない。が、触れた手は離れていかない。

太田は布団を頭からかぶった。生暖かい布団の中で、一人小さく笑う。俺は大丈夫だ、と思った。広子と子供達がいる限り、俺は西山にはならない。

太田は、傍らの妻へと、布団の中を動いた。

6

神田支店　二階フロア　午前2時5分

眠れない。眠れないから、当てもなく暗いフロアを歩き回る。

西山は懐中電灯で周囲を照らした。まるで深夜の支店に忍び込んだ窃盗犯だ。占拠と窃盗、どちらの方が重罪なのだろうか。刑法の定めは知らないが、この会社にとっては、間違いなく占拠の方が、始末が悪かろう。

西山は受付カウンターの前で立ち止まった。カウンター内に懐中電灯を向けた。整然と並んだ机が浮かび上がる。あの頃と比べても、レイアウトが少し変わっている程度か。あれだけの事があったのに、ここは何一つ、変わろうとしない。

西山はカウンターの下壁を蹴った。どうしようもないほど苛立つ。戻した足が何かを踏んだ。靴底から固い物が割れる感触が伝わってくる。早朝、パターで割った花瓶の破片らしい。フロア隅に全部寄せたつもりだったが、まだ残っていたようだ。西山は込み上げるものを抑えようと、足に力を込め踏みにじった。

闇の中、足元で耳障りな音が響く。

西山は目をつむった。こんな音だった。あの朝、振り向いた親父さんの足元でも、こんな音がしていた——


担保書類を受け取りに来た朝、連れられてきた所は意外な場所だった。西山は建物玄関を行く背に問うた。

「社長、どうしてここに。ここはバアちゃんが」

親父さんは振り返った。

「ああ、入院している病院なんだ。その、担保に入れる離れの名義は、お袋になっているから……」

親父さんは言いかけた言葉を途中で飲む。

足元の砂利が耳障りな音で鳴った。

親父さんは言葉に出すのを躊躇しているようだった。が、少し間を置いて、思い切ったように言った。

「事が起こってからだと……手続が間に合わんだろう」

西山は黙って目を伏せた。バアちゃんには、幼い頃から康子と一緒に遊んでもらった。そのバアちゃんの具合が悪い事は、康子から聞いて知っている。そして、その病状が既に治る云々のものでない事も。相続が発生すれば、離れの権利が確定する迄、担保手続は凍結せざるをえない。一日を争う今、そうなれば、全ては白紙同然となる。

「お袋のやつ、頑固でな。トラブルになるといかんから、書類は直接、手渡すって聞かんのだ。それで、ここに」

そう言うと、親父さんは病棟に向き直った。西山は黙って、その背に従った。白衣が行き交う廊下を進む。親父さんは個室の前で立ち止まり、深呼吸を繰り返した。

西山は名札を見やった。バアちゃんの名前がある。この間、康子と見舞いに来た時には、大部屋だった。病室が変わった理由は分からない。今日の手続のためなのか、それとも、病状のためなのか。訊けるわけがない。

親父さんは意を決したかのように背を伸ばした。扉を開けて中に入る。西山はその背に続いた。かすれた声が病室から聞こえてきた。

「よく来てくれた、良ちゃん」

バアちゃんがベッドで体を起こそうとしていた。

「こんな所迄、来てもらって悪いねえ。許しとくれ」

親父さんが慌ててベッドに駆け寄る。バアちゃんは、親父さんに支えられながら、何とか半身を起こした。

「もういいから。さっさと書類出しな。わざわざ来てくれた良ちゃんを待たせちゃいけない」

かすれてはいても、声には昔通りの威厳があった。

「良ちゃん、手を煩わせて、すまんねえ。この子にも弟がいてねえ。そっちにも僅かながらでも、残そうかと、いらぬ事、考えてたもんだから」

親父さんは、ベッド脇のテーブルを動かし、その上に書類とボールペンを置く。バアちゃんは、ボールペンを手に取った。

「あんたも、必要なら、さっさと言えば良かったんだよ」

手のボールペンが大きく揺れる。バアちゃんは、左手で右手首をつかみ、震えを抑えた。

そして、親父さんの方を見上げ「いいかい、覚えときな」と言った。まるで幼い子供に説教するかのようだった。

「あんたは技術屋だ。技術ばかりで、こういう事、分かってないから。こういう書類は自筆じゃないと、後で揉めるんだ。だから、目の前で書いて渡すのが、一番確かなんだからね」

バアちゃんがこちらを向く。

「良ちゃん、自筆でないとまずい事は分かってんだけど、この子に添え手させるくらいは、いいかね。最近、手に力が入らなくてねえ」

西山は唾を飲む。ただ肯いた。

親父さんは、ベッドに膝をついた。バアちゃんの背に寄る。背後から自分の手でバアちゃんの手を包んだ。

「いいかい、母さん。いくぜ」

バアちゃんは、かすれ声で「ああ」と答えた。そして、親父さんと一緒にゆっくり書類に名前を書いていく。二人一緒に体を揺らし、書いていく。

西山は目をつむった。ボールペンの音にベッドの軋み。時折、震えるような息の音が混じる。

「ちょっと待ちな。銀行さんのこういう書類はね、捨印を押してから、渡すもんなんだよ」

バアちゃんの声に、西山は目を開けた。親父さんは仕舞いかけた印鑑を慌てて取り出す。バアちゃんは、それを見ながら、独り言のように言った。

「いくら、押してやりたくたって……もう、押せない時だって、あるんだからね」

その言葉に、親父さんは何度も子供のように肯いた。そして、印鑑をバアちゃんの手に握らせ、その手をまた包み込むように握った。そして二人で書類を見つめる。二人一緒に体を傾けた。

作業は終わった。バアちゃんの肩が大きく揺れる。

親父さんはベッド際に戻り、バアちゃんを横たわらせた。そして、テーブル上の書類を手に取る。押印書類を封筒に入れようとした。だが、うまく入らない。親父さんは大きく息をついて、こちらを向く。傍ら迄来ると、書類をそのまま差し出した。

「すまん。けど全部あると思う。権利証はもちろん、委任状や印鑑証明も」

書類を確認する。かすれ声で返した。

「全部、揃ってます。大丈夫です」

バアちゃんに安堵の表情が浮かんだ。親父さんはベッド際に戻りながら「俺、もう少し残っていくから」と言った。

「良次君、面倒かけるが、よろしく頼むな」

西山は書類を封筒に入れ、深く一礼した。この場で言える言葉は何も無い。扉に手をかけた時、バアちゃんの声がかかった。先程とは別人かと思うくらい弱々しい声だった。

「良ちゃん、無理せんでいいからね」

西山は振り向く。バアちゃんは親父さんの方を見やった。

「この子は昔から無理ばっかり言うんだ。それに付き合うのは、私だけでいいからね」

西山は何とか声を絞り出した。ただ「大丈夫です」と答える。もう一度一礼して、廊下に出た。扉を閉めて、封筒を握りしめた。

「もういいですかね」

廊下に初老の医者が立っていた。医者は封筒を一瞥した。が、すぐに目を逸らして、病室に向かう。そして、扉に手をかけると「薬を飲まない患者がいる」と独り言のように言った。

「わがまま言う人じゃない。昔からよく知っている人だ。揉め事になるのだけは嫌なんだ、と。薬で曖昧なまま契約と言われちゃいけない、と。訴えるように、そこまで言われて、医者に何が言える。そういう薬なんだから」

医者は振り返ると病棟出口の方を見やった。

「行って下さい。早く」

吐き捨てるようにそう言うと、医者は病室へと消えた。

封筒を持つ手が震え、廊下の光景が滲む。西山は唇を嚙んだ。胸内で、自分は間違っていないと呟く。奥さんが亡くなってから、バアちゃんは経理担当として、ずっと親父さんを支えてきた。会社を救う事は、二人を救う事でもある。医者にそんな事は分からない。

建物を出る。駐車場脇の守衛所近く迄来て、立ち止まった。胸を押さえて、深呼吸を繰返した。むきになる事はない。己のすべき事は最初から決まっている。

その時、胸元の携帯が鳴った。支店の貸出事務の担当だった。

「どこですか、西山さん。今、一体、どこにいるんですか」

随分と慌てた口調だった。が、西山は問いには答えず、担当に言った。

「丁度良かった。机に小嶋化成の融資伝票がある。それ、課長の印鑑をもらって、入力してくれないか。課長には全部整ったと言ってくれれば、通じるから」

電話向こうの担当も、こちらの言葉に応えない。

「西山さん、今日、支店に寄らず直行でしょう。今、大変な事になってて。うちの支店だけじゃなくて、テレビ見ると、どの支店でも大騒ぎみたいで」

西山は周囲を見回した。狭い守衛所で守衛がテレビを見ていた。駆け寄って「すみません」と言いつつ、守衛所に身を乗り入れる。守衛は怪訝そうにこちらを向いた。

「何だい、いきなり。失礼な人だな」

目は守衛所のテレビ、耳には携帯、その姿勢のまま動けない。

画面には長蛇の列が映っていた。その長さは昨日の比ではない。列が向かっているのは邦和信託の支店だ。どこの支店かは分からない。カメラが切り替わり、店舗前からの支店内部が映る。怒号が聞こえてくる。カウンター前には客が溢れていた。

レポーターの声が響く。

『新たな危機と言うべきでしょうか。金融再編により、近年、都銀、生保などで、系列を越えた統合が急激に進みました。これらは多くの金融機関の株主でもあります。その結果、業務関係、資本関係等にねじれが生じてしまい、逆に中途半端な立場になる金融機関もでき……』

不安げな顧客がアップになる。手には邦和信託の通帳があった。

『中でも邦和信託はその傾向が強く、はっきりとした支援先が見つかりにくいとの観測から、一気に信用不安に火が付いた模様です。また、先日の国債の格付引き下げ報道により、預金保険機構自体の履行能力を問う声まで出始め……』

耳元で泣きだしそうな声が響く。

「駄目なんです。融資は一切、駄目なんです」

「馬鹿言え。審査とは話がついてる」

「今日の午前一一時、貸出入力がストップしました。突然です」

体が固まった。携帯の声は続く。

「オンラインで、新規を入力しようとするとエラーになるんです。ホストコンピューター側で遮断したらしいです。朝一番、本店営業部が一斉に駆け込みで大口を実行して、慌てた審査部と資金部が全店一律、ストップにしたらしくて。審査部名の通達が来てます。今後、改めて個別申請の上、承認案件のみ本部で貸出処理をするって。今、支店では何もできないんです」

声が頭を駆けめぐる。聞いた言葉がうまく整理できない。

「おい、大丈夫か。顔色、悪いぜ」

守衛の声に我に返った。西山は震える指先で携帯を切った。


神田支店の様相は一変していた。店外に行列は溢れ、蛇行し、歩道の通行を邪魔するくらいまで延《の》びている。怒号も聞こえてくる。

西山は社員通用口の裏口へと走った。

裏口も普段と様子が違っていた。支店長車が横付けされ、人垣がその後部を囲んでいる。人垣になっているのは支店の同僚達だった。

「西山、何してる。来て、手伝え」

人垣の間から直属の上司、課長の大友の姿が覗いた。大友は、コピー用紙の段ボール箱を抱えている。その姿勢のまま、車の方を見やった。

「まだ、ある。片っ端から支店内に入れろ」

西山は慌てて駆け寄った。トランクから段ボール箱を取り出して、支店裏口の廊下に置く。人垣役以外の同僚達もそれに続く。薄暗い廊下に段ボール箱が積み上がった。全てを運び入れると、大友は裏口の鉄扉を閉めた。

「課長、こんな時に、何でこんな物を」

大友は問いに答えず、黙ってコピー用紙の段ボールの封を解いた。現金束が見えた。

「通常の現金配送じゃ、とても間に合わん。かといって、追加の配送手配なんて、もう間に合わん。都内では事務センターと本店が現金を手配して直接配っている。危険だが仕方ない。緊急時には、どこでも隠れてやってる。地方じゃ、日銀の支店に直接走ってるらしいから、それに比べるとマシだろ。この現金の山もすぐに無くなる。今日はこれで二回目だからな」

大友は段ボールの山を叩き、周囲に声をかけた。

「また二階に運ぶぞ。法人営業フロアの金庫室にぶち込め」

大友は、段ボール箱を抱え、階段に向かう。同僚達も箱を持ち上げ階段へ向かう。西山は鞄を段ボールの上にのせ、列最後尾で同僚達の背を追った。前を行く背を見つつ考えた。一千万円で約一キロ。この重さだと一箱一億くらいか。多分、一億円のパッケージである十束を崩して、目立たない段ボールにぶち込んだのだ。それを何人が持っている？　それが二回目だって？　そんな勢いで預金が流れ出ているのか。

奇妙な行列は二階片隅の金庫室へと入っていく。今度は金庫室に段ボールが積み上がる。西山は最後の箱を置いて金庫から出た。

大友が、扉口で再度、箱の個数を確認し始めた。確認が終わると、手元の伝票に印を押し金庫室の大扉を閉める。大友は、金庫室の横の営業課長席に戻り、崩れるように座り込んだ。

「皆も、ちょっと休め。ただし、客には休んでる所、見られんなよ」

西山は自席に鞄を置いて考えを巡らせた。一階店頭の喧噪《けんそう》が聞こえてくる。会社が緊急事態である事は間違いない。が、この鞄の中の書類も急を要する。いや、企業規模を考えれば、深刻度は邦和信託の比ではない。西山は大友の席の方を見やった。話しだそうとすると、幸い、大友の方から話しかけてきた。

「姿見えんから、探してた。午前中、一体、どこに行ってた？」

西山は、鞄から小嶋化成の封筒を出し「ここです」と返した。それを見ると、大友はため息をついた。

「小嶋化成の例の書類か。大したもんだ。良くやった」

大友は一旦、言葉を区切る。少し間を置いて続けた。

「けど、それは……返してこい」

西山は大友の顔を見つめた。冗談かと思った。が、大友は真顔だった。

「西山、そんな顔で見るな。俺も、金を出さなきゃ、小嶋化成がどうなるか、分からんわけじゃない。分からんわけじゃないが、仕方ないだろう」

西山は声を絞り出した。

「あるはずです。本部への個別申請が。これは、それの適用を」

「それはやらんよ」

あっさりとした口調だった。

「残念ながら、邦和信託も瀬戸際だ。今夜、全店に向けて貸出回収のノルマが出る。金が出ていくなら、金を回収して帳尻を合わせるしかない。そうでないと、こっちが危ない。資金繰りの鉄則だろう。とすると、貸出して、すぐに回収交渉する事になる。そんな馬鹿がどこにいる。そのくらいの理屈は分かるだろう。まあ、俺だって、担当課長として責任は取るがな」

体が熱くなってくる。こんな所で講釈をぶっている人間に、どんな責任が取れる。西山は震える手で封筒をつかみ直した。話をしても仕方ない。支店トップに直談判《じかだんぱん》するしかない。

西山は大友に背を向けた。

「また、お前得意の根回しか。やめとけ」

皮肉な口調だった。西山は振り返った。

「いいか、西山。そう決めたのは支店長だ。方針急変を詫《わ》びる電話が、審査部長から支店長にかかってきた。審査部長に詫びられた支店長は恐縮して、自分から、この案件はやらない、と明言した。まあ、どうしても支店長と交渉したければ行けばいい。一階にいる。止めはせん」

「恐縮って、身内同士で何をっ」

「大声を出すな。一階の客に聞こえる」

大友は苛立たしそうに身を揺すって、机の引出から小嶋化成の融資伝票を取り出した。無論、課長の印は無い。

「西山、不満か。それでもいい。だが、貸すのは邦和信託の金だ。お前の金じゃない。お前が怒鳴ろうが騒ごうが、俺は印鑑を押さん。どこであれ、それでは入力はできんよ」

大友は伝票を真二つに破った。

「つまり、どうなろうが、金は出ない」

大友は破った伝票を机脇のゴミ箱に放る。伝票は舞いゴミ箱から外れ、少し離れた床に落ちた。

「一階に行って窓口を手伝え。皆、必死なんだ。事務はできなくても、客の質問に答えるなり、外の客に待ち時間を伝えるなりしろ。お前にも、できる事はある」

体の震えが止まらない。今朝の病室の光景が浮かんでくる。西山は奥歯を食いしばり、拳を握りしめた。自分にできる事は何一つ無い。

ちぎれた伝票が揺れている。伝票は丁度「小嶋化成」の社名で裂けていた――


西山は暗闇の中、支店の床に座っていた。

壁にもたれて、懐中電灯を振り回す。横を照らせば、六年前のあの時、段ボールを放り込んだ金庫室がある。足元を照らせば、伝票が落ちていた床がある。

何も変わっていない。

それに苛立つ方が悪いのかもしれない。金融には感傷も激情も無い。あるのは、結論としての数字だけだ。もっとも、業種を問わず、会社とはそういうものかもしれない。そして、その結論部分だけを、事実であったと思い込む。数年経てば、もう、それしか残らない。かくして都合良く整理されたものが事実とされる。が、それは当事者による記録だ。事実ではない。

西山は懐中電灯を握りしめた。

小嶋化成は、あの年の一二月下旬、手形不渡を出した。邦和信託の店頭パニックから三週間、事実上の倒産だった。皮肉にも、その日は資金繰表から予想される日と一日の狂いもなかった。プロジェクトの資金計画は、何もかもうまくいっていたのだ。ただ、一点、邦和信託の貸出中止を除いて。

西山は天井を見上げた。あの時も親父さんは、こうして壁にもたれ、天井を見上げていた。

あれは手形不渡の翌日だった——


西山は工場の戸口で立ち止まった。

工場内には誰もいない。ただ、親父さんだけが、奥の壁にもたれ、天井を見つめていた。手には黒くなったタオルがある。製造ラインの機械を磨き上げたタオルらしい。

磨き上げた機械が夕日の中で鈍く光っている。静かな光景だった。もっとも、当然といえば、当然かもしれない。親父さんは、あっという間に、自分で始末をつけたのだ。

融資不能と分かった時点で、親父さんは一気に動いた。提携先の東京工芸と協議し、製造器機と技術関連の特許を低価で譲り渡すかわりに、製造ラインの従業員の引き取りを承諾させた。前々から工場敷地に目をつけていた大手マンション業者には、会社の状況を伏せて交渉し、見事な値で売却合意した。技術屋社長とは思えぬほどの早業だ。まるで、こうなるのを予期して、前々から準備していたかのごとくだった。それも、親父さんは、バアちゃんの葬儀の合間をぬって、これをこなしたのだ。

清算の見通しをつけると、親父さんは主要債権者を回った。清算金で完済との説明だった。親父さんの口ぐせは「己が事で人様に迷惑かけちゃいけねえ」だ。親父さんは、まさしく、それを実践したのだ。一方、その説明を邦和信託はどう受けとめたか。支店長記載の報告書には一行、こうある。「業績悪化による清算。返済は可能。応諾、やむを得ず」だ。金融機関の常套句《じょうとうく》「やむを得ず」で、全ては終わってしまった。

先程から工場内の親父さんはまったく動かない。西山は戸口で深呼吸した。思い切って戸を開けた。

「社長、工場の皆さん、どうされたんですか」

親父さんはようやく動いた。笑みを浮かべた顔をこちらに向け「一旦、家に帰ったよ」と言った。

「東京工芸は、那須に工場があって、そこで製造するらしい。皆とは離れ離れになる。最後に、今夜、ここで酒盛りやろう、という事にしたんだ。一旦帰って、夜にまた、皆ここに集まる。それ迄やる事無いもんだから、つい、ぼんやりしてた」

親父さんは、製造ラインの方を向いて、傍らの機械をタオルで愛おしそうに拭った。タオルには見覚えがある。財団から技術賞をもらった時の記念タオルだ。

「さっきまで皆で大掃除しててな。こいつも皆で磨き上げてやった。活躍してくれた奴だろう。ただの雑巾じゃ、申し訳ねえ。床拭いたので、こいつを拭くわけにはいかねえから。最後にこいつの手柄のタオルで、きれいにしてやった。こいつを肴《さかな》に今夜は昔話で盛り上がるさ」

西山は震えを抑えつつ、親父さんの前迄進んだ。陳腐であろうが、もうやれる事は、ただ一つしか無い。床に膝をつき、手をつく。声を絞り出した。

「申し訳、ありません」

「おい、どうした。気持ち悪い」

肩に親父さんの手が触れる。

「そんな事するな。俺はまだ金を借りてるんだ」

「いいんです。そんなもの」

親父さんは「物騒な奴だな」と笑った。

「邦和信託の金の事じゃない。そっちは、多少遅れるが、遅延金まで含めて、払うべきものは全て払うさ。言ったのは、別の金の事だ」

西山は顔を上げた。親父さんは言葉を続けた。

「ずっと黙ってた事がある。実を言うとな、君の親父さんに金を借りている」

二人が高校の同窓だった事は知っている。だが、親父が亡くなってから、もう随分経つ。

親父さんは、懐かしむような表情を浮かべた。

「創業して何年目かな。まだ、社員数人くらいの頃だから、間も無い頃の事さ。金策に回ったけれど、どうにもならん。規模の小さい頃だから、金額は大きくはなかったが、どうにもアテがつかんかった。どうしようも無くなって、最後に、あいつに泣きついた。仲を壊したくない友人には、金の事は頼んじゃ駄目なんだが」

初めて聞く話だった。

「しばらく疎遠にしていたくせに、俺は、高校時代の仲を持ち出して、頼み込んだ。駄目なら潰れるだけだ。諦めていたのに、あいつは翌日、なけなしの金を持ってきた」

親父さんは、こちらを見つめた。

「将来のためのお金。君の学資としての資金だったそうだ」

そんな話はお袋からも聞いた事がなかった。

「俺は卑怯《ひきょう》なんだ。君の親父さんが亡くなった時も、俺はその事を黙っていた。言いだすのが怖かった。まだ苦しかったから。会社が軌道に乗ったのは、その後の事でな」

「社長には、親父亡くしてから、ずっと面倒みてもらいました。それとは比較になりません。その時の親父の金なんて、僅かな金額です」

「余っている時の金と、足りない時の金。まったく別物なんだよ」

親父さんは工場の壁を見やった。「本当はあの時に潰れてんだ」と独り言のように呟く。

西山は唇を嚙んで俯いた。技術屋である親父さんは、見事なくらいの手際で、会社を手仕《てじ》舞《ま》った。もしかして、親父さんは、こうなる事を、どこかで覚悟していたのではないか。だから準備していた。そして、旧友の息子のやり方に危うさを感じつつ、社運をかけた。

両肩が震える。

「その、娘の康子の事なんだが」

顔を上げると、親父さんは指先で鼻の下をかいていた。

「むしがいいのは、分かってる。その、親父が会社を潰した事と、娘の康子とは、その、直接、関係無い。今迄通り、面倒見てやってくれんだろうか」

震えながら肯いた。親父さんは安堵の表情を浮かべた。

「ありがとう。それだけが気がかりでな。安心したよ」

親父さんは指を止め鼻から手を離した。工場内をゆっくり見回す。大きく息をついて、天井を向いた。上を向いたまま、かすれた声で「けど、良かった」と言った。

「幸い、お袋は会社がこうなった事を知らないまま逝ったんだ。まあ、今頃、また説教するために、手ぐすね引いて待ってるかもしれんが。何やってたんだい、って」

親父さんは顔を戻して頭をかいた。

「子供は幾つになっても、子供なんだな」

その顔を見て、西山はまた俯いた。親父さんの目には涙が溢れていた。手形不渡以来、初めて見る表情だった――

西山は、支店の闇を見つめた。

俺は何故ここにいる。何度も己に問う。何故、ここにいる。

小嶋化成の番頭格、専務から電話がかかってきたのは、工場での酒盛りの翌日の事だ。専務は言葉に詰まりながら「今度は社長の葬儀が」と言いだした。俺は電話を持っていられなかった。

親父さんは、あの夜、酩酊《めいてい》するまで飲み、敷地内の自宅に戻ったという。そして常用している睡眠薬を過飲した。表向きは、酒と薬の相乗薬効による事故で処理された。が、誰もそうは思っていない。朝、親父さんは、工場内の仮眠室で寝ている所を見つかった。自宅に戻ったのに、わざわざ仮眠室に行って、薬を飲用する者がどこにいる。だが、周囲は何も言わない。全ては言う必要の無い事だ。

西山は唇を嚙んだ。血の混じった唾を飲み込む。

自分には、頭を下げて許しを請わねばならない人が、たくさんいる。なのに、皆、そうさせてくれない。バアちゃん、親父さん、そして、康子。

「何故、誰も……俺を罰しない」

もし今、ここに康子がいて、俺を激しく罵倒してくれるなら、どれだけ救われるだろうか。

西山は闇の中で強く目を閉じた。

## 7

邦和信託銀行　会議室フロア　控室　午前3時

大友は控室のソファで足を伸ばした。壁の電灯スイッチに手を伸ばす。向かいのソファにいる副支店長に声をかけた。

「電気、消しますよ。いいですか」

副支店長は慌てて靴下を脱ぎ横になる。

大友は電気を消した。真暗闇の中、ソファで横になる。会社で寝るなんて何年振りだろう、と思った。対策会議が散会したのは二時半、そして再開は朝六時半。帰宅する時間など無いから、仕方ない。しかし、この副支店長と狭い控室で一緒に寝る事になるとは思わなかった。

闇の中で副支店長の声がした。

「支援室長から聞いた。西山って奴、優秀だったらしいな。君の部下になるまで」

曖昧に「まあ、そうですね」と返事を返した。副支店長の言う事は間違っていない。正確に言うなら、自分の下にいた時も、優秀だった。だが、小嶋化成の一件以来、西山は変わった。勤務怠慢と言わざるをえない態度をとる事が多くなった。そして二人とも異動になった。西山は大阪高槻の出張所へ、そして、自分は管理責任を問われ、市川の小店の窓口へ。はっきり言って、二人とも飛ばされたのだ。

闇の中で副支店長の含み笑いが聞こえた。

「君は、神田に舞い戻り、課長を続けている。その頃と今とじゃ、営業と総務兼務の窓口という仕事の違いはあるがな。今回の件、案外、君への恨みじゃないのか」

返事をせずに黙っていると、副支店長は慌てて付け加えた。

「冗談だ、冗談だよ。気にせんでくれ」

大友は内心で、馬鹿らしい、と呟く。確かに職場で激しく言い争った事はあった。が、店頭パニックの状況下での事、言葉が荒くなるのは仕方ない。そもそも全ては会社の方針である。無論、小嶋化成の件も例外ではない。担当課長が俺でなかったとしても、結論は変わらない。西山は、良くも悪くも頭が回る人間だ。それが分からぬ奴ではない。

大友は暗闇に目を凝らした。大きく息をつく。

まあ、あの頃を思い返せば、多少は悔いが残る事もある。だが、小嶋化成の件ではない。あれは、店頭パニックから一ヶ月半、市川に異動して間も無い頃だった。いや、これとて、決して悔いではない。ただ気にかかる――

既に店舗の空調は切った。店内の空気は次第に冷えてくる。もう店には自分達しかいない。

大友は応接室にいた。向かいには窓口課の部下がいる。

「課長まで、そんな事、仰るんですか」

大友は目を逸らした。この店に来る迄は、男臭い営業の課長経験しか無い。だから、こんな年頃の娘に対して、どう受け答えすべきなのか、よく分からない。だが、事実は事実。曖昧に言う話でもない。

「しかし、相手は地元名士の奥様だ。この店でも知らない社員はいない。その方が仰ってる」

「口座の……奥様の口座の動きを見てもらえば分かります」

確かに口座に不自然な動きは無かった。訴えるような口調が続く。

「私、勝手に、お客さんのお金を、動かしたりなんかしません」

大友は手元のノートを手にとった。表紙には手書きで『業務ノート』とある。

「君の勉強用のノートだが」

大友はノートをゆっくりと捲った。几帳面な字が並んでいる。業務で気づいた事が逐次メモされているのだ。この姿勢には頭が下がる。が、このノートには、あってはならない物がある。

大友は、頁の間に挟まっていた伝票を、テーブルに差し出した。

「金額ブランクの払出伝票。署名捺印してあって、金額記載が無い。君の私物のノートの間に、何故、こんな物がある」

「分からないんです。分からない。私は……」

「いいかい。お客と君、どちらを信じるか、といったレベルの話じゃない。あってはならない物が、現に、ここにある。金額ブランクの払出伝票。個人にとっては、白地小切手同然と言ってもいい。銀行の窓口の人間なら、やろうと思えば、いろんな事が勝手にできる」

大友はわざと声の調子を落とし優しげに言ってみた。

「大変な事だと言う事は、分かるね」

目の前の部下は震えながら肯いた。

大友は間を置いた。黙って考えを巡らせた。何とかこの場で片をつけてしまわねばならない。年が明けた今、店頭は何とか落ち着きを取り戻している。が、解決したわけではない。逆に、邦和信託に関する報道は経済誌から週刊誌へと拡大した。今や、週刊誌の目玉と言ってもいい。先週は、本部某部長の懸念先企業との豪遊、先々週は某支店長の痴漢スキャンダルだ。ニュース枯れになれば、過去の揉め事が蒸し返され、特集になる。その度に、電話が鳴り、怒鳴り声が響く。払出の列も幾分長くなる。外回りの社員は、客に説教されて手ぶらで帰ってくる。

邦和信託は風評という新たな問題で苦しんでいる。

毎週のように、社員に自制と自律を促《うなが》す通達が流れてくる。専門家は、内外の管理体制の甘さを指摘し始めた。業界の中でも際だって管理体制が甘い。こんな管理体制では、経営陣が認識せぬ隠れ損失があっても不思議ではない、とまで。実際、最近ある支店での不祥事が外部に漏れ、いきなり週刊誌の見出しとなった事がある。金額は大きくなかったが、その把握さえ十分にできていなかった会社は、週刊誌から経済誌に至るまで、また管理能力の欠如と叩かれた。

　経営問題からスキャンダルまで、騒ぎの度に邦和信託は体力を消耗していく。いつ、どこで、何に火が付くか分からない。実際、つまらぬ風評で払出が増え、顧客離れに苦しむ金融機関は幾つもある。だが、目の前の問題は、まだ小さい。こういう類《たぐい》は、訴訟事になってからでは手遅れ、表沙汰にならぬうちに消すのが常法だ。

　誰だって、やりたい事ではない。だが、逃げられはしない。

「いいかい。この事はまだ限られた一部しか知らない。幸い、今のところ、金は動いていないし、会社としては大げさにする気もない。が、相手も地元名士の家族、言いだした以上、このままでは、引き下がらない。騒ぎが大きくなれば、当然、内規に照らして、厳正に対応する事になる」

　目の前の部下は、大きく身を震わせた。大友は言葉を続けた。

「詳しい事は知らないが、結婚を考えている人もいるんだろう。その人の体面も考える必要はないのかな。君が決断すれば、誰も傷つかなくて済む。全ては内々で終わる。そうするつもりだ」

　部下は俯いた。拳を置いた膝が震えている。何も喋らない。

　長い沈黙の後、膝の拳が突如、硬くなった。途切れ途切れの声が聞こえてきた。

「短い間、でしたけど……お世話になりました」

大友はテーブルの伝票を手に取った。伝票を真二つに破り「安心していい」と言った。

「何も無かった。そういう事だ」

大友はソファにもたれて、安堵の息をついた。金融機関の管理職であれば、一度は経験すると言われる問題を乗り切った。しかも、こんな難しい時期に無事に、だ。

だが、安堵の思いは一ヶ月も続かなかった。

諭した部下が退職して一週間した日の昼休みの事だった。休憩室で缶コーヒーを飲んでいると、窓口の事務指導役が払出伝票を持ってやってきた。

「課長、この伝票どうしましょう？　外回りの営業が、ご主人から依頼されたんですけど」

例の奥さん名義の預金だった。夫が妻名義の口座の手続を依頼する、外訪先なら珍しくはない。部下の相談趣旨が分からない。怪訝そうな表情が通じたらしい、指導役は躊躇しつつ
「その、私、よく分からないんですが」と言った。

「その、奥様、預金の管理能力に問題があるようで、その、お年の事もあるし……いえ、何とも分からないんですが……その、特に最近」

「まさか」

指導役は、また躊躇の仕草を見せる。そして、少し間を置いてから、思い切ったように言

った。

「八幡《やわた》駅前の都銀に友達がいるんです。先週、そこの窓口で騒ぎがあったらしくて。奥様、私の金を騙しとられたって。けど、防犯カメラに一部始終が。その、奥様、社員の私物にこっそり伝票を」

指導役はため息をついた。

「はっきりとした悪戯なら、まだいいんですが、何とも言えない所があるみたいで。今は軽井沢の別荘で静養中とかの噂を聞いた事がありますし。外訪の話だと、ご主人は口を濁して何も」

大友は震える手で缶コーヒーをつかんだ。預金管理能力云々のトラブル自体は珍しくはない。対応に苦慮する難しい問題だが、ほとんどは内々で片が付く。目の前の伝票は大した金額ではない。仮に、払い出してトラブルに発展しても十分耐えられる。こっちは何とかなる。そんな事より……。

「課長、うちでも奥様とトラブルありましたよね。まさか同じ事じゃ」

大友は、無理矢理、コーヒーを喉に流し込んだ。咳き込みながら答えた。

「いや、あの時は、ただの接客態度への苦情だった。元々、礼儀作法にうるさい方だから。彼女の退職とは直接関係ない」

「良かった。あの子、苦労してるから。あの子、最近、会社を清算した取引先の娘さんでしょ。それって、結構、邦和信託のせいの部分があるって聞くし。課長、ご存じありません？」

「いや、よく知らない」

応接で震えていた姿が思い浮かぶ。窓口課相談受付係担当、小嶋康子。彼女は懸命に言葉を探していた。そして、結局、それを飲み込んだ。大友は缶をテーブルに置いて、口に手をやった。

「課長、どうしたんですか。どうもさっきから。具合でも悪いんですか」

黙って首を横に振る。手の下で唇は震えていた――

大友は闇の中で寝返りを打った。眠れない。だが、それはソファが硬過ぎるせいだ。

大友は何度も深呼吸を繰り返した。

意図していたわけでもないのに、俺は西山の人生に大きく踏み込んだ。神田では融資伝票を破り、市川では預金伝票を破って。後日、事情を聞いて回れば回るほど、何て因果なんだと思えてきた。だが、責《せめ》の一端は、あいつ自身にもある。その事は西山が一番分かっているはずだ。

ただ、市川の事を思い返すたびに、拙速に過ぎたか、という考えがよぎる。諭旨《ゆし》解雇――

表沙汰になる前に、諭《さと》して自発的退職をさせる。不祥事の大半は、懲戒解雇に至る前に、そうやって消えていく。今でも珍しい手ではない。が、今なら、もう少し時間をかけて調査の上「諭す」だろう。

しかし、あの頃は、そうもできない状況にあった。社内は全て卑屈と言えるほど萎縮し、商売のバランスは大きく崩れ、本来あるべき客との距離感が無くなっていた。あの頃の歪んだ空気を思い出すだけで、息が詰まる。歪んでいたのは社内だけではない。世間は金融機関叩きに熱狂し、ひたすら叩く事柄を探していた。金融危機中盤以降は、そのニュアンスも変化して、「高慢潰しは、ああ痛快」といっただけの論調が急増した。それに、あの頃ほど、無責任な風評が流れた時期は無い。一時期は、世の中自体が歪んでいたのではないか。そして、そんな状況にもかかわらず、いや、そんな状況だからこそ、即決して行動せねばならなかった。

大友はまた寝返りを打った。

だが、あの時、彼女が最後まで反論していれば、どうだったか。さすれば、顧客を巻き込んでの泥仕合、双方確証無く水掛け論。当面、彼女を事務前線から外すといった程度の処置になった可能性は高い。そうこうしているうちに、事態は明らかになったかもしれない。しかし、彼女は反論を飲み込んだ。何故か途中で何も言わなくなった。

その思いは分からないでもない。当時、店頭パニックの状況下で、彼女に何が起こったか。一連の出来事を通じて、既に、彼女の気持ちは周囲から離れていた。それを、俺は更に上から踏みつけた。だが、それが無かったとしても、結果は同じであったろう。あの時、彼女は言葉を飲み込んだ。自ら去る事を選んだのだ。こんな周囲に見切りをつけて。無論、大元の原因である金融危機は、俺一個人の問題ではない。

長い自問のすえ、大友は再度、自分に問い返した。結局、市川での出来事は、俺個人にとって、悔いなのか、悔いではないのか。はっきり言って、どっちなんだ。

何度も同じ問いを繰り返した。そして出た結論を反芻した。俺は独断専行した事は無い。常に、適正な時期、適切な内容を、上に報告し、相談しながら物事を進めた。あの時だってそうだ。支店長の判断を仰いだ上でやった事だ。もし、今、同じ状況に置かれれば、どうするか。答えは決まっている。

恐らく同じ事をやる。

会社における正しい行動とは何だ。適時適度に自分の状況判断を上席に上げる。組織としての方向を決めさせるためだ。そして、その方針決定を受けて、改めて組織の一員として動く。それが適切に行われているなら、同じ環境下では、何度やっても同じ結論が出るはずだ。後からなら何とでも言える。俺のこの考え方は間違っていない。これは組織における行動の基本だ。今の若い連中は口先ばかり。こんな基本さえ理解できぬようだが。

暗闇に副支店長の鼾が響く。すっかり寝入ってしまったらしい。

大友は深いため息をついた。支店に籠もる元部下の事を思った。

西山は、そういう同世代の他の連中とは違っていた。若いながら組織の勘所も分かっていたし、それを実行に移せた奴だった。だから、俺はあいつに一目置いていた。西山だって、俺の事を同じように思っていただろう。だとすると、俺と西山の違いは、一体、何なんだろうか。

鼾は次第に大きくなる。大友は耳を塞いで背を向けた。

8

古賀自宅マンション　寝室　午前3時5分

古賀は夢を見ていた。

夢に埋もれつつ、夢だと分かっている自分がいる。だが、夢を止める事はできない。曖昧な意識の中で、何年振りの夢だろう、と考えた。暑い、そして薄暗い。時は大学四年の夏、場所は大学の構内、軽音楽部の部室だ。

薄暗い部室に川崎がいた。キーボードを前にして左手を見つめ「決めてきたよ」と言った。夢の中の自分は考える。その先は言わないでくれ、と。が、川崎は就職活動用のスーツを着ている。次に来る言葉は決まっている。

「邦和信託に決めてきた」

必死に川崎を説得しようとする自分がいる。川崎、お前は俺と違う。別の将来もある。音楽の道に行く手があるじゃないか。すると、それを察したかのように、川崎は言うのだ。

「左の薬指が痺れる。使い物にならない。肝心の時になると、幼い頃からいつも、そうなんだ」

目の前の川崎に言いたい事がある。川崎、頼むから……。だが、声はかすれ、出てこない。息が詰まる。喉に手をやる。お前に言いたい、言っておきたい。駄目だ、息が詰まる。

息苦しい。

古賀はベッドの上で目を覚ました。身を起こして息を整える。あの夢は、いつもあそこで終わる。息苦しさで目覚めるのだ。

傍らでは涼子が寝息を立てている。

古賀は額の汗を腕で拭った。何も変わりない。いつも通り平穏な夜だ。だが、このままでは、もう寝られない。古賀はベッドを抜け出した。

台所に入って、食器棚からウィスキーを取り出した。グラスにウィスキーを注いで、食卓の椅子に座る。一気にグラスを空けた。自分で自分が嫌になる。こんな時に、何故あんな夢を見る。荒唐無稽《こうとうむけい》なら別に構わない。が、あの夢はいつも現実をなぞる。

川崎とは大学の軽音楽部で知り合った。俺はサックスで、あいつはピアノ。川崎の技量は抜きん出ていた。横浜拠点のジャズクインテットから誘いがあったくらいだ。学生時代、川崎は常に身近にいて、趣味でも学業でも、常に俺の上を行った。大学在籍の四年の歳月を通じて、分かった事がある。人には、やはり、才能というものがある。

古賀はグラスをテーブルに置いた。

部室で言いたかった言葉は何か。当時は、自分でも、よく分からなかった。今なら、冷静に考える事ができる。俺は川崎にはっきり告げたかったのだ。「付いてくるのは、やめてくれ」と。「頼むから、別の所に行ってくれ」と。

古賀はウィスキーをグラスに注ぎ足した。アルコールばかりで大丈夫か、と思う。冷蔵庫には、かんころ餅があるだろうが、今は口にする気はしない。酒が好きなわけではない。ただ酔いたいだけだ。そして、酔うだけなら、空きっ腹の方が早い。

古賀は再びウィスキーを流し込んだ。

川崎の顔が頭をよぎる。浮かんでくる川崎の顔は、必ず不安げな表情をしている。川崎は、始終、周りの顔色をうかがっているような所があった。そのくせ、時折、妙に些細《ささい》な事に固執した。今なら分からないでもない。親戚の援助を受けて育ったという環境が影響していたのだろう、と考える事もできる。が、当時は、そんな川崎の態度がよく理解できず、苛立って仕方ない時さえあった。

あの時もそうだ。川崎は不安げな表情を浮かべていた——

休日の社員食堂には、自分達以外誰もいない。

古賀は、太田、川崎と一緒に、遅い昼食を取っていた。休日出勤三人組、無言でコンビニ弁当をつつく。そんな時、突然、川崎が言った。

「これから、小嶋化成の工場に行ってみようと思ってる」

古賀は驚いて箸を止めた。隣席の太田も川崎を見つめていた。

驚くのも当然だ。小嶋化成の一件以来、川崎は、極端に口数が少なくなっていた。審査担当になって一年強、己が主体的に下した判断が倒産に直結したのは初めてだったらしい。しかも、それがあんな事になった。自責の念を抱くのも分からないでもない。だから、川崎がいる場では、その事は話題に出さないようにしていた。なのに、川崎が自ら、小嶋化成の事を言いだしたのだ。

「俺が行くとすると、今日しかない。買主への引渡で、明日には敷地が閉鎖されるらしいから」

行くと断言する割には、川崎の顔には不安そうな表情が浮かんでいた。

「やめとけ、川崎。倒産の現場なんて、どろどろの極致だ。行く所じゃない」

「そんな事ない。静かだ、穏やかだって聞いた」

余計な事を言う奴がいる、と思った。

「行って何になる。お前の仕事は客観中立でなきゃならない。ドライな仕事だ。会社清算はお前のせいじゃない。逆にお前は良くやったくらいだ。もう結論が出ている話、必要以上に感情移入してどうなる」

「必要以上じゃない。店頭パニックの数日、邦和信託が何をしたか。良い事も悪い事も整理しておくべきだって、審査部内でも、そんな意見がある。だから、何があったか、一度、この目で見ておきたい」

古賀は黙った。箸を口に運びつつ考える。川崎の言う事の趣旨は立派だ。だが立派過ぎる。店頭パニックから三ヶ月弱、店頭は落ち着いたとはいえ、二月半ばを過ぎた今も、依然として払出は多い。この調子が続けば、数ヶ月後、邦和信託があるかどうか。立派な事は、会社が完全に回復してから、やればいい。

　川崎は俯いて言葉を続けた。

「一昨日、同じような話を、西山とした。この週末、法事で東京に来てるんだ。いろいろ、二人で話し合った」

　余計な事を言ったのは西山らしい。太田が顔をしかめて会話に入ってきた。

「それなら、川崎、俺も『やめとけ』と言わしてもらうで。今、西山が関係しとる話に、ろくな事はない。俺達が知っとるあいつとは違う」

「そんな事ない。以前と同じだった。同じ西山だった」

「人事の俺がべらべら喋るわけにはいかんけど、転勤先でも、あいつの評判は良くない。店では、もう、もてあましとる。人事に聞こえてくるくらいや。相当と言っていい」

　川崎は、俯き加減のまま左の薬指をさすり、小声で「西山は関係ない」と言った。

「話をしただけだ。今日、工場に行く事とは直接関係ない。俺が見たい。それだけだ」

　川崎は妙にこだわる。そのくせ不安げな態度は変わらない。

　古賀は、ため息をついた。週末の段取りを考えてみる。どの仕事も月曜日迄に仕上げればいい。今日は土曜日、まだ時間はある。古賀は食べかけの弁当に蓋をした。

「分かった。付き合うよ、川崎」

「付いてきて欲しくて、言ったわけじゃない」

「お前は分かってない。俺は、新人の頃、物見遊山気分で一人、倒産現場に行った事がある。こっぴどく殴られた」

古賀はあごをさすりつつ「このあたりを二針縫った」と付け加えた。次いで太田の方を見やった。

「太田、お前もいいだろう。仕事なら明日、日曜もある」

「ここまで聞かされて『二人で行っといで』とは言えんやろ。けど、何か起こったら、格好つけんと、皆で走って逃げる。ええか」

古賀は川崎の方を見やった。川崎は不安そうな表情のまま肯いた。


夕日の中に工場の建物はあった。

古賀は工場敷地に入って周囲を見回した。軒下で雑巾が揺れている。時折、吹く風の音以外、何の物音もしない。

川崎は一人、吸い寄せられるように、工場建物に歩み寄っていく。そして、軒下の手前で立ち止まり、動かなくなった。

古賀は川崎の傍らに寄って、その視線を追った。

建物内には、もう何も無い。東京工芸に運び込んだのか、売れる物は売ったのか。ただ、製造機械が二つ、取り残されたように置かれ、社員らしき男達が囲んでいた。どちらも錆《さび》が浮き、見るからに廃棄寸前だ。多分、数日内には処分されるだろう。だが、男達は数人がかりで、その機械を丁寧に拭いていた。

太田がその光景を見やりながら、訝しげに言った。

「敷地買ったんは、マンション業者やろ。建物は壊されるし、機械も捨てられる。今更、どないするつもりや」

川崎は何も言わない。ただ工場の光景を見つめていた。

「お前さん達の中に、川崎って人、いるかい?」

突然の声に、川崎が大きく身震いする。背後に白髪の男が立っていた。

「別に驚かんでいい。ここの守衛のもんだ。今日で終《しま》いだけどな。やっぱり制服着といた方が良かったか」

男は封書を胸元から取り出した。

「見慣れん顔が来てるから、もしかして、と思ってな。この工場によく来てた人から、午前中、頼まれたんだ。川崎って人が来る事があったら、渡してくれって。いるかい?」

川崎が一歩前に出て、封書を受け取る。男は腕の時計を見た。

「後一時間くらいで、玄関は閉めちまうから。用件があれば、それ迄に頼むぜ。俺は裏口の方にいるから」

守衛は背を向け去っていく。川崎は封書を開けた。

「西山からだ」

古賀は傍らから覗き込んだ。文頭に『川崎へ』とある。

『お前に、きかれた事が分かったので、メモに残しておく。場所が変わらなければ、物は軒下の列、向かって一番右端にある。俺は所用をすませてから大阪に戻るが、お前とは、もう一度、ゆっくり話がしたい。では』

太田が首を傾げた。

「何や、右端って？　川崎、お前、何を訊いたんや」

川崎はそれに答えず軒下の雑巾の列へ寄る。その右端に干してある物を手に取った。

「何や、それ。汚いタオルや。周年行事かなんかの記念タオルかいな」

「ここの社長、亡くなる前日、ラインの機械を……磨き上げたらしい。これで、きれいに」

川崎は黒いタオルを広げる。「同じだ」とかすれ声で言って、タオルを握りしめた。そのまま崩れるように地面に膝をついた。

「俺の親父も、前日、ちりめんの織機を……経済振興課からもらった工芸賞の手拭いで」

川崎は地面に肘をつく。伏して祈るがごとき格好で「事故じゃない」と呟き、タオルに顔を埋めた。タオルの中で絞り出すように「俺は」と言うと、そのまま言葉を飲んだ。もう何も言わない。ただ震えている。

「川崎っ」

古賀は屈んで川崎の肩をつかみ、無理矢理、その体を引き起こした。

「俺はお前の親父の事はよく知らない。けど、川崎、ここはどこだ。邦和信託の取引先の工場だろうが。取引先の社長は、お前の親父か」

川崎の唇は震えていた。

「川崎、お前は何の仕事をやってんだ。自分の言葉、忘れたのか。感情移入しない。来る前、そう言っただろうが。余計な感傷で混乱してどうするんだ。何を混同してるんだ」

「混乱も、混同も……してない」

川崎はよろけながら立ち上がった。かすれた声で「分かってる」と言った。

「俺は、自分が担当した案件を、見に来ただけだ。その事は、忘れちゃいない」

古賀は黙っていた。口には出さないものの、内心で反論する。お前は最初から混同していた。そして、わざわざ確認するために、ここに来た。だから不安を感じつつも固執した。

川崎は工場を見つめながら呟いた。

「単に、見に来ただけだ、俺は。だから、混同したりはしない」

工場の窓には夕日が映っていた。川崎がまた呟く。

「古賀……俺は、どうしたら、お前みたいになれる」

「馬鹿。うらやましいのは、こっちだ。俺はずっと」

古賀は言葉を途中で飲んだ。思わず出た言葉に後悔の念がよぎる。

だが、川崎は、そんな言葉など聞こえていないかのようだった。ただ、胸の前でタオルを握り締め、風で揺れる窓の夕日を見つめている。身動き一つせず、川崎はただ立っていた――


古賀は台所で頭を振った。グラスをあおる。熱い塊が落ちていく。

何もかもが苦い。

記憶の奥底に追いやっていた。それでいいはずだ。忘れているからこそ、うまくいっている事だってある。だのに、次から次へと、いらぬ過去が湧いてくる。理由は分かっている。

西山のせいだ。あいつが下らない事をやらかしたせいだ。

「どうしたの。ベッドにいないから、びっくりしたわ」

声に振り向いた。ガウン姿の涼子が台所に入ってきた。

「夜中に、お酒なんか飲んで。悪い夢でも見たの」

古賀は己に問うてみた。川崎の夢は悪い夢なのか。どうなんだ。

「ああ、悪い……すごく悪い夢を見た」

手が震えた。ごまかすために、グラスに手を伸ばす。涼子が先にグラスを取り上げた。

「もう顔、真っ赤よ。飲み過ぎ。体調も良くないのに」

涼子は洗い場に向かい、ガウンの袖をまくり上げた。白い腕に長い髪。ガウンが揺れる。グラスを洗い終えた涼子は振り返り、次いで、ボトルを仕舞おうと、テーブルに手を伸ばしてきた。古賀はその手を握った。涼子が呆れたように言った。

「これ以上飲むと、起きれなくなるわよ。会社、休む気？」

「酒じゃない」

古賀は立ち上がり、涼子の手を引っ張った。

「ちょっと、どこ行くの」

「決まってる。寝室」

涼子の手を力ずくで引っ張り、廊下へと向かう。廊下で涼子は「あなた、ちょっと」と言って、逆らうように立ち止まった。古賀は妻の顔を見つめた。

「俺達の寝室に戻る。ただそれだけだ。おかしいか」

古賀は廊下の先を見やった。廊下に寝室の薄明かりが漏れている。おかしいわけがない。

自然にして当然、必然。俺達にとって当たり前の事をやる。

強引に手を引き、薄明かりへと進む。脳裏にまた過去の光景がよぎる。古賀は頭を振った。

だが、消えるのは頭を振る瞬間でしかない。あの日の光景は執拗《しつよう》に頭の中を漂っている――


週明けの経企部フロアは騒がしい。だが仕事は片付いた。

喧噪の中で、古賀は大きく伸びをした。

一昨日、川崎の工場見物に付き合って生じた遅れは、日曜日の出勤で取り戻した。何とか、この月曜の午前中に、各部宛に予算の査定方針を伝え終わった。会計担当としては、一息つける時間だ。

「古賀、ちょっと、ええか」

声の方を向くと、太田がフロアの通路にいた。戸惑いか、困惑か、太田は妙な表情を浮かべていた。立ち上がって寄っていくと、太田は胸元から携帯電話を取り出した。

古賀は苦笑した。新しい物好きの太田は、また最新機種を買ったらしい。インターネット接続可能な機種が欲しいと、前々から言っていた。太田の主張によれば「給料出とるうちに買うべし」だ。それも考えの一つかもしれない。

「何か妙なメールが入っとるんや。川崎からお前と西山宛。俺にはＣＣで来とるんやけど」

太田はそう言って携帯をこちらに向ける。古賀は携帯の小画面を覗き込んだ。

『薬指だけじゃない。左手全体が痺れる。もう使い物にならない』

「何や、これ。あいつ、腱鞘炎《けんしょうえん》かいな」

血が引いていく。古賀は近くの電話に飛びついた。川崎の机の内線番号を夢中で押した。

「古賀、突然、何なんや」

古賀は太田を手で制し、電話口の会話に神経を集中した。だが、会話は、審査事務の女性と二、三言葉を交わしただけで、終わってしまった。古賀は力なく受話器を置いた。

「川崎の奴、まだ出社してない。なのに、会社には、連絡無い、らしい」

「もう一一時になる。あいつが欠勤？　冗談やろ」

古賀は太田の携帯を指さした。

「そいつで、川崎の携帯にかけてみてくれ。登録してるだろう」

太田は表情を固くした。携帯を押して耳に当てる。が、何も喋らないまま、数秒で携帯を切った。太田は呆然《ぼうぜん》とした表情を浮かべていた。

「どうなんだ、太田。出たのか」

「出た」

太田は口ごもりながら付け加えた。

「何でか、駅が……出た。それで、思わず切ってしもた」

太田は顔を引き攣らせて訊いてきた。

「何なんや、古賀。このメール、どういう意味や」

「そんな事、俺に訊くなっ」

語気荒く太田に返し、古賀は周囲を見回した。広報部との境に、報道チェック用のモニターがある。壁の時計を確認する。一一時前。今なら首都圏の交通情報をやっているはずだ。モニターに駆け寄った。チャンネルを合わせる。

画面に首都圏の鉄道網マップが映った。

『……大幅にダイヤが乱れておりましたが、一〇時半頃には復旧、現在は通常通り運行されています』

古賀はモニターを叩いた。胸の内で怒鳴る。どこでだ。もう一度言ってくれ。

「涼子ちゃん、何でここに」

太田の声に、古賀は振り返った。真後ろに、真っ青な顔の涼子が立っていた。

「今、呼ばれた。人事の上の人から」

涼子はつまずく物など何も無いフロアで、大きく姿勢を崩した。古賀は慌てて駆け寄って支えた。涼子は胸元で大きく身震いした。

「駅から連絡……線路に……あの人の社員証が」

涼子は吠えるような声を出して、シャツをつかんできた。喚《わめ》いているのか、泣いているのか、分からない。目の前で長い髪が揺れていた──


古賀は涼子を寝室に引きずり込んだ。

抗《あらが》われる前に、思い切り涼子をベッドへと放る。涼子はベッドへと倒れ込んだ。はだけたガウンの間から白い物が見える。古賀は起き上がろうとする涼子の肩をつかんだ。そのまま体重をかけて、ベッドに押しつけた。

「ちょっと待って。台所の灯り、つけたまま」

「そんなもん、どうでもいい」

涼子は動きを止め、下からこちらを見つめる。少し間を置いて言った。

「酔ってるの」

酔いのせいか。そうかもしれない。体の奥底が熱い。耳が詰まったみたいになって、己の荒い息が耳内で響いている。が、酒は理由の一つに過ぎない。何にも勝る理由は、目の前にある。

「酔ってても、酔ってなくても、こうする」

古賀は、涼子のガウンの襟元に手をかけ、乱暴に開いた。蔑《さげす》まれるなら、それでいい。俺はこの程度の男だ。あの事が無ければ、何も手に入れる事はできなかった。無論、同期の死を悼《いた》んでいないわけではない。付き合いの長かった俺は、誰よりもそれを悼んでいる。だが、悼む気持ちだけでないのも事実だ。

下劣か。そう俺は下劣な男だ。古賀は己のガウンを脱ぎ捨てた。

酔いの回った頭の片隅、何かが聞こえる。誰かが笑っている。まとまりがつかぬ頭の中に、とりとめもなく、思いが湧き出てくる。おかしいか、西山。笑うなら笑え。蔑むなら、蔑め。だが、俺はお前と違って、後悔など何一つ無い。そう、何一つ。

古賀は己の荒い息を感じつつ、眼下に横たわる体へ腕を伸ばした。

9

神田支店　二階フロア　午前3時15分

西山は、ただ座っていた。

闇を見つめて、ぼんやり考える。考えてみれば、俺は、言うべき時、言うべき言葉を、ことごとく失ってきた。皆、いつもと同じ表情を浮かべていて、何も気づかなかった。気づくと周囲には誰もいなくなっている。

西山は手で胸元を押さえた。胸元には、康子と二人で写った写真がある。だが、取り出せない。写真の康子は昔と同じ笑みを浮かべている。俺は、その笑顔を見るのが怖い。

あの時も、康子は笑みを浮かべ「もう、いいよ、良ちゃん」と言った。法事の後、俺が「お前の事は俺が何とかする」と言った時の事だ。俺は曖昧な言葉の意味を探ろうと考えを巡らせた。続けて康子は「それ、やめて。お願い」と言った。俺は、また気づかないうちに、鼻の下をかいていた。

手を下ろし、そのまま黙り込んだ。法事の関係者がいる場所柄だからという事はある。だが、それだけではない。二人の間で、からかいのネタにしたり合図にしたりした仕草なのに、あの時、康子は目にする事さえ拒絶した。正直言って、その言葉の意味を訊くのが、怖かったのだ。

西山は目を閉じた。浮かんでくるのは、康子の姿そのものではない。己の馬鹿さ加減を悟った時の光景だ――


工場戸口の踏板が鳴る。周囲の雀《すずめ》が飛び立った。

西山は戸口で室内の様子をうかがった。

建物内では、小嶋化成最後の会合が行われていた。一番前に番頭格の専務が立っている。室内にいるのは、幼い頃から親しい人達ばかりだが、邪魔はしたくない。今の小嶋化成は、会合場所の確保にさえ苦労する状態、貴重な会合時間だ。それに、専務の口振りでは、会合もそろそろ終わりそうだった。

「那須は、ここより冷える。初めての単身赴任という者もいるだろう。私の立場で言うのも僭越《せんえつ》なんだが、那須の工場に行っても、皆で助け合って、やっていって欲しい」

社員の輪の中から工場長が出てきた。工場長は胸元から厚い封筒を取り出し「皆と話し合ったんだが」と言った。

「社長のおかげで、俺達は何とかなる。問題はお嬢さんだ。会社も辞めたそうじゃねえか。皆で少しずつ出し合った。少しでも足しにして欲しい。専務から渡してくれねえか」

「お嬢さんは頭のいい人だ。こういう事もあるかって、予期しなすってた。自分だけ楽するわけにはいかない、何も受け取らないでくれ、と言われてる」

「専務、あんたにしちゃ、馬鹿な事を言う。所詮、手に職の無い二〇代の娘だろうが。自宅を追い出されて身寄り亡くして、何ができる。俺達ゃ、心配して……」

「分かってるっ。今はいろんな事があった直後だ。お嬢さんの気持ちを考えて、しばらく黙ってろ、と言ってんだ」

専務の言葉に工場長は黙り込んだ。会話の応酬を見ていた人達は一様にうなだれた。外から見ていても気まずい沈黙だった。

「黙って覗き見られても困る、西山さん」

専務がこちらを向いた。

「何のご用ですか」

話を振られては仕方ない。西山は戸口を開け、建物内に足を踏み入れた。専務は顔をしかめた。

「今日の事は、当事者以外、誰にも連絡してない。誰から聞いたんです」

「申し訳ありません。東京工芸の担当から。専務が買主に掛け合って、会合場所を何とか確保されたと」

専務はため息をつき「待ってられても困るんです」と言った。

「ご用件を先にお聞きします。最後ですから、皆で打ち合わせたい事が山ほどあるので」

西山はためらった。社員全員の前で言う事とは思えない。だが、専務はその思いを察したのか、催促するように言った。

「いいから言って下さい。後でと言われても、お取りする時間は無い」

「この場でお訊きする事かどうか。あいつが、その、康子がいないんです。自宅を出て借りたアパートが空で」

専務は表情を変えず淡々と「それだけですか」と言った。あまりにも淡々とした口調のせいか、専務の言葉が咀嚼《そしゃく》できない。すぐに返せずにいると、専務は更に促すように言葉を続けた。

「部屋に、あなた宛の伝言とか、あったんじゃないですか」

「その、儀礼的なメモが。『お世話になりました。ありがとう』とだけ。移転先の事は、何も」

専務はこちらを見つめる。間を置いて「じゃあ」と言った。

「それが、お嬢さんの答え、なんでしょう」

西山は戸惑った。今日の専務はどうも分からない。

「その、それで、専務にお訊きしに来たんです。会社の清算業務で、康子に連絡される事とか」

「お教えできません。お嬢さんには『誰にも言うな』と言われてますし、『必要な人には自分から連絡する』とも言われてます」

専務は付け加えた。

「という事は、お嬢さんにとって、あなたは『必要な人ではない』という事ではないのですか」


頭の中が混乱した。体が勝手に震えだす。返す言葉が見つからない。

専務は大きく息をついた。

「西山さん、申し訳ないのですが、お帰り頂けませんか」

西山は専務の顔を見つめた。この顔が工場をずっと支えてきた。そして、幼い頃の自分には、自転車の乗り方を教えてくれた。

「ここは、身内、だけの場所です。外部のあなたが、いていい場所じゃない」

全身に視線を感じる。全員がこちらを見つめていた。だが、誰も何も言わない。体の力が抜けていく。西山は一礼して会社の人達に背を向けた。戸口を出て、振り返った。

室内では、もう会合が再開されていた。誰もこちらを向かない。

西山は黙って戸を閉めた。震える脚を拳で叩く。工場敷地を進み、無人の守衛室の横迄来て、立ち止まった。もう振り返る勇気は無い。ただ上を向く。

西山は拳を握りしめた。上げた顔が戻せない。空が滲み大きく歪《ゆが》んだ——

西山は、支店の闇を見つめて、思った。自分が馬鹿である事は間違いない。それも救いようがないほど。結局、周囲の馬鹿を道連れに自滅するしか、この身の使い道は無い。

この会社には己の馬鹿に気づかぬ者が多過ぎる。西山は同期の顔を思い浮かべ、その顔に言った。古賀、俺の馬鹿は分かりやすいが、お前の馬鹿は分かりにくい。その違いだ。お前は、その事が分かってるか。

支店の暗闇の中で、ため息をつく。闇は闇。見つめ続けたところで、何も見えてはこない。西山は黙って目を閉じた。

10

古賀自宅マンション　寝室　午前3時30分

古賀は、荒い息をしつつ、涼子を押さえつけた。

涼子は、はだけたガウン姿で身をよじる。抵抗するように腕を突っ張り、体を起こそうとした。

「やめて、やめてったら」

古賀は身を離した。荒い息をしながら妻に訊いた。

「嫌《いや》か、涼子」

涼子は体を起こした。ガウンを整えながら「嫌じゃない」と小声で言った。

「嫌じゃないけど、今からだと……朝方近くになる」

薄明かりの中、なめらかな肌がまた衣に隠れていく。

古賀は目の前の光景から目を背けた。寝室の壁を見つめつつ、深呼吸を繰り返した。確かに今日の自分はおかしい。それは分かっている。だが、どうにも体の熱さが収まらない。

涼子のシルエットが壁に映る。シルエットが髪を払って動く。

「ごめんなさい、私、あなたの体が心配で」

背後から涼子が身を寄せてきた。髪が首筋に触れた。瞬間、抑えていたものが、また爆発した。体を乱暴に振り払い、「うるさい」と怒鳴る。振り向いて、涼子の腕を取った。細い腕を強く握る。

「ゴムなら、幾らでもつけてやる。けど、それ以外は、ぐちゃぐちゃ言うんじゃないっ」

古賀は細い腕をベッドに押しつけた。

「いいか、涼子。俺に逆らうな」

涼子の首筋に顔を寄せた。古賀は震える肌に唇を這わせ、涼子の手を握った。指と指とを絡ませた。

従ってくれ、頼む。

肌の震えが止まった。涼子は手を握り返してきた。

体に熱いものが湧き上がってくる。あの時の涼子と同じだ——

古賀は部屋の光景をぼんやり見ていた。アパートの部屋自体は、いつもと変わりないのに、どうにも現実感がない。

壁際には涼子がいた。本棚を覗き込んでいる。今日は二人で川崎の墓参をした。その帰途、涼子を誘った。そして、涼子が、今、部屋にいる。

「古賀さん、さすがね。難しそうな本が一杯」

古賀はわざとぶっきらぼうに「大して読んじゃいない」と返す。涼子が壁際で振り向いた。

「うそ、素直じゃないね」

どうも言葉がスムースに出てこない。会社では何ともないのに、今は、まるで子供だ。いかにも返事に困ったという風に見えたらしい、涼子は小さく笑った。そして、また本棚に向き直った。

古賀は大きく息をついた。場を保《も》たせようと、テレビをつける。ゴールデンウィークだというのに、どのチャンネルも大手金融グループの信用不安を報じていた。こんなものは、この場にはふさわしくない。古賀はテレビを消した。

涼子の様子をうかがう。涼子は楽しそうに本棚を眺めている。

古賀はその背を見つつ、どんなニュースが流れようと、もう関係が無い、と思った。あの店頭パニックから二年半、もうどこで何が起ころうと、邦和信託に飛び火する事は無い。

店頭パニックの数ヶ月後、邦和信託は危機を凌ぐため、上位株主の二大金融グループから、それぞれ支援を受けた。持株シェアに応じて支援という極めて日本的なやり方でだ。この支援は思わぬ結果をもたらした。邦和信託という同じ爆弾を抱えた二大グループは、自衛のため、急接近せざるを得なくなった。そして、再度、大々合併をして、超巨大金融グループとなったのだ。今、邦和信託は、その統括会社、全邦ホールディングスの傘下にある。もう多少の事では揺るぎようがない。思えば、危機によって、邦和信託は得をした。危機、危機と周囲は騒ぐが、マイナスばかりではない。

「この本、見たことある。会社の机にも置いてるよね」

涼子はそう言いながら本に手を伸ばす。古賀は立ち上がって、涼子へと寄った。手の先にあるのは、金融界で使われている会計要項だった。

「ぶ厚いし重いだろ。持ち運べない。だから、二冊買って会社と部屋に置いてる」

「へえ、なんだか、もったいないね」

たまにしか経企部には来ないのに、涼子はちゃんと俺の机を見ている。

古賀は背後から涼子の肩に手を回した。「駄目、本が」と呟く涼子を黙って引き寄せる。本棚から本が数冊落ちた。唇を合わせる。互いの息を感じながら、二人一緒に床へ崩れた。手を握る。涼子の手は震えていた。涼子は小声で問いかけてきた。

「古賀さんは、私を一人にしないよね」

黙って肯く。

「古賀さんは、嘘をつかないよね」

かすれた声で「ああ」と返した。それと同時に、涼子の震えが止まる。涼子は黙って手を握り返してきた。

より強く手を握る。より深く唇を合わせる。

ぼんやり思った。二人とも分かっていた。だが、墓参の時も、その帰路も、敢えて口には出さなかった。季節はずれ、そして、二人だけの墓参。それが一体、何を意味するか。

肌が痺れていく。古賀は握り合った手で床の専門書をどけた。もう邪魔物はいらない――

寝室の暗がりに涼子の声が響く。涼子は求めるように手を握ってきた。

古賀は強く握り返した。互いに確かめ合うだけではない。握り合っていないと、体が離れてしまう。

涼子はいつもより激しい。

理由は分かっている。自分がいつもに増して涼子を求めているからだ。頭がとろけるような感覚が、今日はずっと続いている。太田の言葉がよぎった。「疲れマラ」か。それでも、いい。これが疲れのせいなら、毎日疲れていい。毎日疲れて溺《おぼ》れていい。

涼子が大きくのけぞる。古賀は、その体を引き寄せた。

痺れるような感覚の中で、俺は知っている、と思った。涼子は思いの外、体が柔らかい。こんな風に大きくのけぞる。涼子はこんな風にかすれた声も出す。最初はこうではなかった。

俺が涼子の中にあったものを引き出した。

熱い息が激しく混じり合う。

もうどこから自分で、どこから涼子の体なのか、よく分からない。ただ体が何かを求めて動く。何かおかしい。溶けるのか、壊れるのか。聞こえるのは、涼子の声か、俺の声か。俺は今、どこにいる。

このまま、おかしくなってしまうのではないか、と思えた。だが、それならそれで構わない。俺は悔いを残さない。いいか、西山、俺には一切、悔いは無い。

体を揺する。いや、揺すられる。二人で。互いに。

西山、何故、お前はこちら側に来ない。

# 第四章

## 1

古賀自宅マンション　台所　午前6時50分

包丁の音が響く。卵の焼ける匂いが鼻をくすぐる。

古賀は、食卓から調理台に目をやった。涼子の両肩がリズムを取るように動いている。時折、弾むようなハミングまで聞こえてくる。ほとんど寝ていないのに、今朝の涼子は機嫌がいい。

古賀はリモコンを手に取った。朝のニュースでニューヨーク市場の概況を確認する。テレビの解説にハミングが混じる。頭の片隅で、こういうのも悪くないな、と思った。

「ちょっと、固くなっちゃったかな」

涼子が皿を持ってテーブルにやって来る。皿を受け取ろうとすると、手と手が触れた。一瞬、涼子の手がぴくりと動く。涼子は照れを隠すかのように俯き加減になって、いそいそと調理台に戻っていく。

古賀は先程の考えを少々改めた。

悪くないどころではない。まるで新婚の時みたいではないか。ふとした瞬間、昨晩を思い出す。思い浮かべるのは、人前では、とても口に出せないような事だ。そして互いに照れる。昨晩は、下らぬ事を思い出し、情緒不安定になってしまった。だが、もう大丈夫だ。事件は程なく終息するだろう。方針さえ固まれば会社は愚図愚図とはしない。こうして何もかもうまくいく。雨よ降れ、地よ固まれ。昨晩とはまったく逆、気分のいい朝だ。

『邦和信託の占拠事件で続報が入りました』

古賀はテレビ画面を見やった。早朝の神田支店が映っている。レポーターらしき人物が興奮した調子で喋り始めた。

『事態が動きだしたのは、今朝六時過ぎ。多くの報道機関に、犯人の声明と思われるファックスが送られてきました。動きが無かった昨日とはうって変わり、今日は早朝から慌ただしい動きとなっています』

レポーターは手元を見やった。

『声明の内容によりますと……この占拠には私利私欲は一切ない。あるのは、ただ、やむにやまれぬ思いと義憤だけである。真摯なる経営改革のきっかけとするべく、立ち上がった事を明言する。鑑《かんが》みれば、今迄は全て、ご都合主義の辻褄《つじつま》合わせであったと言わざるを得ない。真の自省と変革を求め、本日午前、会社との交渉を開始する』

包丁の音が止まった。

『また、この声明の後半で、犯人は、逃げも隠れもしないと前置きした上で、自らを、邦和信託銀行社員、西山良次、と名乗りました。犯人の在籍を含め声明の内容に関しては、会社側は、現時点では一切コメントできない、としています。本日、両者の動きが注目されるところです』

スリッパの音が近づく。傍らに涼子が来た。

「西山って、もしかして、あの西山さんのこと？」

「ああ、あの西山だ」

その時、画面の背景で何かが揺れ動いた。

『その後ろ、何ですか。今、何か動いたようですが』

キャスターに促され、レポーターは振り向いた。カメラ映像が支店の二階に寄る。

垂れ幕だった。二階左の窓枠から下がっている。幕には独特の書体が並んでいた。学生街の立て看板やビラによくある角張った書体だ。

『占拠中』

画面の右端でまた何か動いた。カメラ映像が慌てて動く。袖看板『邦和信託銀行』のすぐ横、窓際で何かが動いている。西山の手か。窓から白い物が一気に下に広がった。また垂れ幕だ。だが今度は、子供っぽい丸文字が並んでいる。

『反省中』

手はビルの中に引っ込んだ。二つの垂れ幕が揺れる。

古賀は画面を見ながら舌打ちした。これが西山のやり方か。わざわざマスコミを通じて名乗る。そして、子供じみたやり方で目を集める。苦々しい、いや、苛立たしい。

その時、部屋境にある電話が鳴った。

涼子が慌てて電話に出る。すぐにこちらを向いた。

「あなた、次長さん、牧原次長さんから」

駆け寄って受話器を受け取る。電話に出ると、牧原は唐突に「今すぐ出社できるか」と言った。単に「出ようと思えば」と返すと、牧原は話を続けた。

「緊急時だ。タクシーで高速を飛ばした方が早ければ、使っていい。お呼びがかかった」

どういう事か分からない。言葉に窮していると、牧原の方から言った。

「犯人から連絡があった。指名だ。交渉役は経企部社員の古賀。それ以外は容認できない、と言われている」

「私が、交渉役、ですか」

「いいか。本部ビルの周りはマスコミだらけだ。特別に警備員専用の地下裏口を開けてもらっている。そこから入れ。直接、大会議室裏の控室に上がれ。事前に打ち合わせたい事がある」

電話はその用件だけで切れた。黙って電話を置く。涼子が腕をつかんできた。古賀はテレビの方を見やった。

支店が大映しになっている。朝日の中、『占拠中』と『反省中』が揺れていた。

2

邦和信託銀行　会議室フロア　控室　午前8時5分

古賀は牧原の向かいに座った。狭い控室には自分達しかいない。

牧原は大きくため息をついてから「早朝五時過ぎくらいかな」と話しだした。

「コールセンターに犯人から電話がかかってきた。二四時間対応をセールス文句に、下期にスタートしたばかりなのに、いきなりミソつけられた」

牧原は手元のメモ用紙を見やった。

「犯人からの要求は二つだ。一つ目は、お前を交渉役とし待機させろ。二つ目は、お前の他に、事件に関わる全部署を網羅《もうら》して、午前一〇時迄に大会議室に勢揃いさせろ、だ。全員が揃った大会議室に、一〇時丁度、電話をかけると言っている。詳細はその場で話すそうだ」

「電話では相手は分かりません。その電話、誰かの悪戯では」

「その可能性はある。が、電話の男は、西山、と名乗ったそうだ。マスコミに西山の名が出たのは、ファックス声明以降だから、大体、六時過ぎ。コールセンターの電話は、その約一時間前、世間にまだ名前は流れていない。無論、対策会議のメンバーなら悪戯できるが、考えにくい。どのみち、直接、電話がかかってくるなら、声で判断はつく。古賀、西山の声は分かるな」

古賀は黙って肯いた。牧原は話を続けた。

「何故、交渉役がお前なのかは、分からん。ただ、神田本革堂で、お前が西山を認識したという事は、向こうもお前を認識したという可能性があるという事だ。実際、西山は交渉役指名の際、経営企画部所属、探検好きの古賀を、と言ったらしい。探検とは、多分、お前が神田本革堂でやった事を指してるんだろう」

脳裏に、窓際で見た西山の顔が浮かんでくる。そうだ、あいつは俺を見て、意味ありげに笑った。

「一〇時には、要求通り、お前も大会議室にいてくれ。それ迄は、この会議室フロアを出るな」

「一旦、経企部の席に戻って、日常業務の指示を出しておきたいんですが」

「そんな事は後でいい。取り敢えず、今のお前には、確実に一〇時に大会議室にいてもらう必要がある。今、お前がビル内をうろつくと、どこでつかまるか分からん。騒ぎになると、一〇時の待機に支障が出るかもしれん」

「騒ぎ、ですか」

「実は、お前の名前まで、マスコミに漏れた節《ふし》がある」

言葉の意味が飲み込めない。

「ある新聞社から問い合わせがあった。在籍有無の確認だ。西山の名が出るのは当然として、お前の名前まで出た」

「そんな。一体、誰が」

「最初は、俺もそんな事はありえんと思った。が、経緯《いきさつ》をよく聞いてみれば、不思議じゃない。コールセンターで電話を受けたのは、契約したばかりのパート。事件の事と推測はついたが、どうしたらいいのか分からない。パートマニュアルにそんな項目は無いからな。仕方なくパートの同僚に電話で相談、驚いた同僚はまた別の同僚に相談、皆で上司の連絡先を探し回り、直属のパート長に連絡。このパート長が、また同じ事をやって、電話をかけ回った。ここに連絡が入るまでに、どれだけの人間が関与したか。出入りの激しい職場で、おいしいワイドショーネタだ。漏れても、何の不思議もない」

牧原はため息をついた。

「例の危機マニュアルは、天災での指示系統確立が念頭にある。既に全員が異常を認識できている事が前提だ。しかし、平穏な時に組織末端で事が起こると、どうなる。そもそも異常を認識する事自体が難しい。うかつだった」

古賀は目をつむった。知らないうちに、沼地に足を踏み入れているようだ。もう抜けられない。

「古賀、心配するな。取り敢えずは、犯人の要求通りにするが、お前を危険な目に遭わせるような事にはせんから」

古賀は息をついて目を開けた。牧原に「それで、私は具体的にどう動けば」と訊いた。

「まず、お前に会社の方針と状況を説明しておく。昨晩の対策会議で、強行突入の方針と手順は決まった。タイミングは、専務が状況を総合的に判断して決める。警察内でも、昨晩、鶴の一声が駆け巡ったらしい。うちの関連会社にいるOB達が勢揃いして一喝したんだと。今は偉いさんになってる昔の部下達を、だ。『警察が金融危機を引き起こすつもりか』ってな。悲しいかな、組織ってやつは、いずこも同じなんだな」

「じゃあ、警察の方は」

「ああ、何とかなりそうだ。今日は、いきなり早朝から資料の内容について細かな質問がきた。即対応できるよう、今も一人、警察で待機している。警察も大枠の方針さえ決まれば、連携を取ってくれるだろう。ただ、時節柄、あまり警察の手を煩わせたくない。それで取引先の鉄工所の協力を取り付けた。シャッター、通用口を壊すくらいは手伝ってくれるそうだ。あくまで危険でないと思われる範囲でだがな。全てが順調に進めば、今日の夕方くらいには突入できるかもしれん、と踏んでいた」

牧原は言葉を一旦区切り、控室隅の小型テレビを見やった。

「それが、マスコミへの声明とやらのせいで、この始末だ」

こんな所にまでテレビがあるのか、と思った。恐らく昨晩か早朝に持ち込んだのだろう。金融危機の時もそうだった。報道の一報一報に戦々恐々とし、ビル内の各所にテレビが置かれたのだ。

牧原はテレビを付けた。どのチャンネルも、この声明の話題で、もちきりだった。

「まったく正義の大声明文だよ。この状態で強行突入すれば、邦和信託の方が一方的に悪者にされる。命がけの社員の声を圧殺した会社ってわけだ。ストの適法性云々なんて議論は吹き飛んでしまう。このせいで、いきなり動きづらくなった。無論、犯人の言いなりになるつもりはないが、突入するにせよ、プロセスが必要だ。今はその段階にある。古賀、分かるな」

古賀は肯いた。言われるまでもない。

牧原は「それと、もう一つ」と言いつつ、脇に置いていた封筒を手に取った。中から資料を取り出す。一通目のメールでばらまかれた部店別損益の資料だった。

「メールの資料と、お前が作成した部店長会議の配布資料と、表、注釈を、一つ一つ見比べさせた。数字、文言に違いは無い。つまり、漏れたのは部店長会議資料だと思って間違いない。この手の資料は対外秘とはいうものの、取り扱いは結局、個人の裁量だ。簡単に言えば、机に広げたままトイレに行く支店長だっている。絶対に漏れない、といった資料ではないが」

牧原は一旦、間を取る。そして言いにくそうに話を続けた。

「問題はだ、会議に出ていた部店長クラスに、犯人への協力者がいるかもしれん、という事だ。もし、それが明らかになると、極めてやっかいな事になる」

古賀は資料を手に取った。どうもピンとこない。立場も考えず、ヒラの部下の前でも平気で会社批判する部店長は、確かにいる。だが、その不満と西山の不満は、似ているようで違うのではないか。どこか質が違う気がする。

牧原は「難しい話だとは思うんだが」と前置きして言った。

「お前には、会話の中で、協力者の有無について、それとなく探りを入れて欲しい。西山がお前を交渉役としたからには、直接、会話できる機会は、他の人間よりもあるはずだ。難しい事とは分かってるが……古賀、どうだ、やれるか」

古賀は手元の資料を見つめていた。牧原の些細な手直し指示に何度も作り直した。何日か徹夜もした。飽きるほど見た資料だから、記載が違えば違和感があるはずだ。それは無い。だが、全体から受ける印象が、どことなく素っ気ない。そう、素っ気ない……。

「古賀、聞いてるか」

資料を持つ手が震えだした。違う、これじゃない。古賀は顔を上げた。

「次長、部店長会議の資料じゃないです、これ」

「そんな事あるか。数字一つ違わない。事務課の方で確認した」

「確か『素っ気なさ過ぎる』って、次長に言われたんです」

牧原を見つめる。

「結論の部分を目立たせろ、と。それで、印刷直前に、末尾の数字をゴシックに、薄い網掛けを。それが無いんです」

牧原は資料を奪い取った。目を近づけ、食い入るように見る。牧原の手まで震えだした。

「じゃあ、古賀、これと同じ物は、どこにある」

「元々はパソコンの表計算ソフトで作った資料です。最近は、情報漏洩《ろうえい》防止で、机のパソコンのハードディスクへの保存は許されてませんから」

古賀は頰を強張らせて、言葉を続けた。

「経営企画部の文書サーバーに」

牧原は「サーバーか」と呟き、資料を持つ手を下ろした。呆然とした表情を浮かべた。

「もしかして、漏らしたのは……俺か」

「そんな簡単に、情報持ち出しは」

「一〇日程前になるか。中間決算作業の締め直前、社内LANで障害が起こったろう。サーバーにアクセスできず、作業中の決算関係書類が突然、見る事も触る事もできなくなった」

その事は、はっきりと記憶にある。決算の通期見通しをどうするかで、揺れていた。丁度、社長の海外渡航の出発と重なり、一刻を争う事態の時だった。自分は会議室に缶詰になって、作業に追われていた。苛立ちながら電卓での検算作業に切り替えた。このまま復旧せねばどうなるのかと、やきもきした日だった。

「よりによって、経企部が一番忙しい時だ。すぐに事務統括を呼びつけた。社内LAN担当という奴が来て復旧作業していったが、今、思えば、それが西山だった」

「しかし、次長、経営本部のサーバーには、会社全体のLAN管理者でも、ユーザー側の承認コードがないと、アクセスできないはずです。そう簡単には」

「だから俺のせいだ。『アクセス復旧確認のため、承認コードを教えてくれ』と言われた。焦っていた俺は何の疑いもなく教えたよ。それに、西山は俺の机のパソコンで復旧作業していた。俺のパソコンなら、うちの部が関与する物には、ほとんどアクセスできる。無論、俺もその程度は分かってるから、一応、作業の進み具合を見ていた。だが、訳の分からん文字が並ぶ画面を、ずっと眺めていたわけじゃない。それに、見慣れたOSの操作画面ならともかく、コンピューター言語を使われたら、素人の俺には、目の前で悪さをやられていたとしても、分かっていない」

牧原は、顔を引き攣らせるように歪め、立ち上がった。

「くそっ。協力者云々より、もっとやっかいだ」

牧原は部屋隅の内線を取り上げた。勢いよく喋り始めた。

「ああ、矢田部長、至急調べて頂きたい事がありまして。いえ、一〇時の会議迄に確認してもらいたくて」

相手は事務統括部らしい。牧原は苛立たしげに身を揺すった。

「だから、緊急なんですよっ。事件絡みで」

電話のやりとりを聞きながら思った。何の因果か、自分も次長も、知らないうちに、沼に踏み入ったらしい。抜け出したくとも、もう抜け出せない。

古賀は、テーブル上の資料を裏返し、目をつむった。

3

邦和信託銀行　大会議室　午前9時45分

古賀は、説明を聞きつつ、テーブルの下で拳を握った。

予定より早めに始まった「会議」では、事務統括部の説明が続いている。部長の矢田が額の汗を拭った。

「以上のような次第で、経営本部サーバーのデータについては、西山が入手している可能性があります。つまり、経営企画、人事、広報、役員室の四セクションのサーバーです」

室内にどよめきが起こる。「防げなかったのか」と声が飛ぶ。矢田は、再び額の汗を拭い、問いに答えた。

「皆さんは、ご自分のパソコンが、突然、壊れた場合、メーカーの修理センターに出されると思います。我々はメーカーのサポートを信用してますが、その担当者が小ずるい奴だったという事です。全てを相手側に委ねてしまえば、大半のセキュリティは役に立ちません」

専務が怒鳴るように言った。

「そんな事はいい。今は議論の時じゃない。それより、電話がかかってくる前に、もう一つ、言っておく事があるんだろう」

専務の声を受けて、システム企画課長が立ち上がった。

「事の発端は一〇日程前のLAN障害です。復旧作業報告書とサーバーのログから、障害自体を調べ直しました。あくまで可能性ですが……障害は故意に起こされた可能性があります。その場での思いつきであれば、復旧時間から考えて漏洩の範囲は限られると思いますが、西山が周到に準備した上での事と致しますと、極めて手際よく情報を流出させた可能性が高く、その、容量の軽い文書ファイルなどは、ほぼ全部と言えるかも」

「肝心の事を言え。計画的であった可能性は、どのくらいある」

「はっきりとは言えませんが、その、かなり高いです。彼は社内LAN管理者ですから、随時、その使用状況をチェックする立場にあります。この事自体は当たり前の日常作業ですが……ただ、障害日の数日前から、そのチェック頻度が異常に高いんです。つまり、彼は、LANの状況から経営本部の忙しさを判断し、事を起こすタイミングを計っていたのではないかと」

専務が目をつむる。システム企画課長が言いづらそうに付け加えた。

「実は、こうなりますと、他の可能性も出てまいりまして。支店LANのメンテ等で、彼は定期的に現場を回っています。従いまして、その時に支店のサーバー等に何らかの細工をした可能性も。ペーパーレス運動以降、各部店の総務掲示板には、様々な庶務連絡がありますから。その、警備ロックの番号変更通知なども。本来はアクセス制限をかけてはおりますが、あるいは」

専務は「もういい」と言った。矢田と課長の二人が座る。専務は目を開けると、椅子を軋ませ室内を見回した。

「この場には対策会議のメンバーを中心に集まってもらったが、全員じゃない。絞り込んである」

古賀は周囲を確認した。確かに法務部や資金部はいない。人事部などは、部長とチーフ格の主任調査役だけで、太田はいない。人事部だけではなく、出席部署の顔ぶれに、担当クラスはいない。例外は経企部だけだ。交渉役とやらで自分がいる。

「全員に言っておく。これから電話で耳にする話は、他言無用だ。漏らした場合は、故意であるかどうかにかかわらず、厳正に処分する。これは無論、私自身も含めて、だ」

専務は、お得意の脅しをかまし、息をついた。テーブルを見やる。テーブル上には、コードでつながった灰皿のような機械が三つ置いてあった。電話会議用の端末のようだ。

「電話の声はそこから出るのか。こっちは喋るだけでいいんだな」

中央端末の真正面にいる支店支援室長の小堺が答えた。

「大会議室の電話線に、つないであります。室内で普通に聞こえる程度の声で大丈夫です。相手の声は、この上部のスピーカーから。電話に出るのも、この機械のスイッチで」

「途中で邪魔は入らんだろうな。肝心な時に、携帯なんか鳴らす奴がいたら、ただでは済まさん」

「既に全員、携帯は切ってます。それに、一段落する迄、このフロアへの立ち入りは禁止しました。階段とエレベーター前に支援室の人間を立たせてます」

専務は「分かった」と言って、壁の時計を見やった。

「一〇時まで後三分ある。待とう」

会議室は静寂に包まれた。壁時計の針の音が響く。

一分経過した。後二分。突然、背後で音がした。

古賀は身震いして音の方を見やる。部屋に入って初めて気づいた。会議室後方、並べた長机の上にヘルメットの山があるのだ。その下でヘルメットが一つ揺れていた。総務部長が慌てて駆け寄る。ヘルメットを拾い上げ山に戻した。

室内は再び静寂に戻った。二分経過、後一分。

支援室長の小堺が立ち上がった。時計を見やって会議端末のスイッチに手を伸ばした。よく見ると、伸ばした指先が震えている。

午前一〇時。電話がうるさいくらいの音量で鳴った。

室長が即座にスイッチを押して電話を取る。低く抑えた声で「邦和信託大会議室だが」と応えた。が、何も返ってこない。数秒の沈黙の後、スピーカーから押し殺した笑いが漏れてきた。

「誰かと思った。随分、格好つけた声だから。無理してますね。支店支援室の小堺室長でしょう」

牧原が隣席からメモを滑らせてきた。走り書きで「西山の声か」とある。古賀は黙って肯いた。

　室内に西山の声が響いた。

「皆さん、揃ってますかね。いるのは、経営本部の三部、あと、当事者の支店支援室、事務統括部、総務部。偉いさんは、社長が出張中だから、お留守番の専務、といったところですか」

　室長が返した。

「今、言った部署は全て席に着いている。あと指定通りに古賀君。神田支店にも同席してもらっている。それと、君の声は全員に聞こえるから、心配せんでいい」

「準備万端ですね。ありがとうございます。でも、神田支店は考えてなかったな。誰がいるんですか」

「副支店長と総務担当の課長に来てもらってる」

「別に、その二人はいらないんですけど。副支店長はゴルフぼけだし、課長はもうすぐ会社を出されるし」

　西山は呼びかけ調で続けた。

「大友課長、お久し振りです。出向ですってね。でも人事は、来春にもう転籍を目論《もくろ》んでますよ。実質、首切りですね。あれ、言っちゃまずかったかな」

大友が顔を引き攣らせた。人事部長と主任調査役が顔を見合わせた。

「それと、副支店長、ダジャレ系の語呂合わせ、センス今いちですよ。過去の暗証番号も見ましたけど、ポケベル文化って感じ。もっとセンス磨いて下さい。それに庶務掲示板の重要事項は、抹消期日を厳守して下さいよ。ちなみに江本君は、おねんねしちゃって、喋ってませんから。あ、そうそう、ご愛用のゴルフパター、お借りしますよ。暇なんでね」

今度は副支店長が顔を引き攣らせる。西山は饒舌な調子で続けた。

「ゴルフと言えば……そうだ、専務、会社のパソコンが私用禁止なの、知ってるでしょう。なのに、ゴルフのスコア記録をつけたりして。そのくらいは愛嬌《あいきょう》ですけど、飲み屋のお姉ちゃんとのメールは、どうですかね。もうメールには全部署、フィルターかけてますから、そのうち大恥かきますよ。用途は仕事だけに。社長とのこちょこちょ話だけにするとか。でもメールって、暗号化でもしない限り、皆さんが思ってるほど、安全じゃないんですよ。分かってます？　ねっ、矢田部長」

西山は独り言のように「部長じゃ分かんねえか」と呟く。口調を戻して、話を続けた。

「経企部からは誰ですかね。古賀だけじゃ、頼りないから、牧原さんあたりが来てるのかな」

隣席の牧原が答えた。

「牧原だ。経企部からは、古賀と私が来ている」

電話の向こうで手を叩く音がした。西山は「おお、牧原次長」と大仰な口調で言った。

「常日頃、うちの古賀がお世話になってます」

古賀は拳を握り締めた。

「ですから、牧原次長には一つお教えしときましょう。このスト、何故、今かと言うとね、支店無くならないうちに、と思いましてね。もう半年もないし」

この言葉に牧原もテーブル上で拳を握った。支店統合で膨れあがった神田支店を、来春、中小企業担当部として大々的に再編しよう、という計画がある。だが、まだ、経企部内でも一部しか知らない話だ。

「それと、広報部の皆さんにも言っときますよ。部長の悪口、LANでチャットするの、やめてもらえます？　本当に無駄な負荷なんですよ。それと部内の掲示板に、秘密のディレクトリ作って部長達の悪口を書くのも。さすが広報と言いたいですが、いい加減、頭にくる」

西山の話を聞きつつ、古賀は息が荒くなってきた。西山の奴、ぐだぐだ世間話をしているように見せているが、そうではない。俺は隅々まで知ってるぜ――西山は、そう言いたいのだ。

「専務、どうです？　まだ続けますか。ゴルフスコアの隣のフォルダにある文書ファイルの話なんか、どうでしょ。これは皆さんも、大いに興味あると思いますがね」

専務は苛立ったように語気荒く言った。

「もういい。十分、分かった。要求は何だ、早く言わんか」

「今、犯人として電話をしてます。犯人と被害企業、対等の関係です。悪いけど、今、俺は、部下じゃないんですよ」

西山は強い口調で続けた。

「俺に対する指揮権なんて無い。その命令口調は言い直してもらいたい」

専務の顔が引き攣る。

「専務、さあ、言い直してっ」

「要求を早く言……」

専務は口ごもった。

「言っ……言って欲しい」

西山は即座に甲高い声で「あんた、馬鹿か、専務」と言った。

「ここで言っちゃあ、古賀の存在意義が無くなるだろうが。古賀にしてみりゃ、せっかく交渉役なんてありがたい役目を仰せつかったんだ。無理解な上司ばかり、古賀も苦労してるな」

専務のこめかみが動く。が、専務は黙っていた。

西山の口調が変わった。

「遊びは終わりだ。今から交渉の手順を指示する。指示に反した場合、あんた達が真っ青になるブツをマスコミに一斉に流す。ネタには困らない。真っ青だけじゃなく、真っ赤になるのもある。何やってんだ、この会社は、って感じのやつ。例えば、専務、あんたの『メモ』もある。余計な口出しして、大トラブルになったやつだ。あんたの筆跡だってすぐに分かる」

古賀は専務の顔を見やった。何とかこらえているようだ。専務のメモ――本部で知らない者はいない。専務は権限外の業務に口を出す場合、稟議に直接書き込むとまずいから、メモ用紙に自分の指示を書いて、バインダーに差し込む。指示とは言うが、大抵は、無理押しの話ばかり。戻ってきた稟議にメモ用紙がついていると、担当者は「メモ付きだ」と言って顔を引き攣らせるのだ。

「いいか。俺の手元にある資料は、今、言ったような可愛い話じゃない。週刊誌は手を叩いて喜んで、金融庁は激怒して、顧客が店頭に押し寄せる。そういう内容だ。ばらまけば、どうなるか。影響は、専務、あんたが一番分かるだろう」

「分かってる。分かってるから、早く先を言わ……」

専務は口ごもり、苦々しそうに続けた。

「先を言って欲しい」

「まずは支店支援室と総務だ。三〇分以内に支店の主電源を入れろ。警備システムが稼働できるようにするんだ。電源が入らず警備システムが稼働しなかった場合、また、警備システムが異常反応した場合、指示違反と見なす。銀行の店舗だ。震動感知の警備装置もある。シャッターを壊そうとか、余計な事すりゃ、どうなるか分かるな」

支援室長が「分かってる」と答えた。

「次は古賀だ。聞いてるか」

古賀は立ち上がった。座っていると西山のペースに引きずり込まれる気がする。

「ここにいる。話は聞いてる」

「お前は一二時半に支店に一人で来い。要求等の詳細は、その時お前を通じて話す。時間の誤差はプラスマイナス五分とし、それ以外の時間帯に入店しようとした場合、または来なかった場合、即、指示違反とみなす」

古賀は隣席の牧原を見やった。牧原は黙って肯く。古賀は西山に「時間は分かった」と返した。

「だけど、全部ロックされてては、入る方法がない」

「いいか。ビルの三階は、内壁で区切って、テナントが二つ。一方は支店の倉庫、片方は、取引先の竹橋工器の事務所だ。内壁のドアに互いに鍵を掛け合う形になっている。覚えてるか」

「覚えてる。俺だって神田にいた」

「竹橋工器の事務所を通って入ってこい。時間には、こちら側の鍵は開けておく。大勢で来たり、不審な行動を取ったりすれば、二階と三階の境にある鉄扉を即時ロックする。ここは銀行店舗、店内は監視カメラで何処《どこ》でも見られる事を忘れるな。大勢がビル内に入ろうとすれば、出入口のカメラでも分かる。お前の指示違反は取引先にも迷惑をかける」

古賀は牧原を見やる。牧原は先程と同じように肯いた。古賀は顔を上げた。

「指示には反しない。で、俺は何をする。何か持っていく物はあるか」

「身一つで来い。余計な事は考えるな。ラグビーやっていた俺と、ジャズサックス吹いてたお前とでは、喧嘩にならんぞ。それに俺は今、武装している」

室内に緊張が走る。西山の笑いが響いた。

「心配すんな。副支店長のゴルフパターで、だ。けど俺は子供の頃、剣道習ってて、二段を持ってる。お前じゃ、どうやっても勝てんぜ」

「別に戦う気はない。俺は交渉役だ」

西山は黙った。数秒間を置いて、全員に宣言するように言った。

「もう一度言っておく。ここには、監督官庁が激怒する危機ネタも、世間が騒ぐ恥部ネタもある。同時に流せば、六年前の比じゃない。マスコミに流すだけじゃない。ファイル交換ソフトでネット上にアップする。ウィルス感染しての情報漏洩が世間じゃ大問題だ。それを、わざとやる。情報は永遠にネットを漂い続ける。事務統括なら、その意味する事が分かるはずだ」

システム企画課長が返した。

「分かってる。ウィニー対策をやったのは、君と私じゃないか」

西山は笑って「課長もいましたか」と言った。

「そうそう、課長も控えた方がいいですよ、仕事にかこつけてのメール。確かに相手は美人の営業ですけどね、所詮、受注目的の営業です。向こうも商売ですから、勘違いなされんようにし」

「お前、まさか、事務統括の中央サーバーも」

「今回は見てませんよ。事務統括部のサーバーはつまらないんです。一人で残業の時に、課長の机の中、覗いただけです。わざわざメール、打ち出しとくなんて、相当、色香に迷いましたね。それにしても、汚い机でした。整理しといて下さい」

西山はまた一人笑った。急にのんびりとした口調に変わった。

「古賀ァ、飯食ってから来いよ。おなか減ったとか言っても、俺は知らんぜ。ここには非常食しかない。一応、食いかけのコンビニのあんパンがあるがな、これは好物だから、いざという時に俺が食う。頂戴と言っても、お前にはやらんよ。さっき『身一つで』と言ったけど、水やお茶が欲しいなら、自分で持ってこい。ちなみに、苦労している俺への差し入れなら、大歓迎だからな。じゃあな」

電話は一方的に切れた。緊張が一気に溶けていく。

が、次の瞬間、会議室内に鋭い音が響き渡った。古賀は立ったまま身を震わせ、音の方を見やった。

専務からだ。

専務が硬い表情で身を起こした。躊躇するかのように少し間を置き、胸元から携帯を取り出した。部下には切れと言っておいて、自分は電源を入れていたらしい。

携帯に出た専務は、低く唸るだけで何も喋らない。最後に小声で「分かった」と言うと、すぐに電話を切った。会議室が静まりかえる。小堺が緊張した面持ちで訊いた。

「専務、まさか、また西山ですか」

専務は答えない。大きく息をついて、室内を見回すと「警察待機の社員からだ」と言った。

「警察が動く。これで……刑事事件だ」

そう言うと、専務は目をつむる。古賀は椅子の上に崩れた。

## 4

証券事務部　国際証券事務課　会議室　午前10時30分

今日も私達は籠もっている。

事務主任は会議室隅のテレビ画面に目を細めた。あの人と一緒に戦っている、そう思うだけで、気分爽快。化粧のノリも普段より少しいい。

画面では女性キャスターが手際よく番組を進めていた。

『この声明の前半で、犯人は会社をこう分析しています。該当部分をご紹介しますと……長年、邦和信託は経営計画を下回り、顧客、世間を裏切り続けた。が、ここ一、二年、まるで、そんな事は存在しなかったのように、振る舞い始めている。これは過去の自省を踏まえてのものか。そうではない。

計画、実行、検証。計画値と実績の差が出れば、その原因を追及し、次の計画に生かす

──社員に言い続ける行動理念を、会社自身はまるで為さぬまま、今日に至った。あの方針は早期撤回すべきだった、あの施策は行き過ぎだった──この程度の話さえ、社内では聞いた事が無い。

外部に向かっては頭を下げ、内部に向かっては、抽象用語でごまかした上、鼓舞するのみ。趣旨不明の制度変更をしては、社員の意欲を削《そ》ぎ、生産性を落とし、単なる就業環境の悪化である事が露呈しそうになると、また次の制度へと変えていく。己が行為を何ら鑑みる事なく、内外にわたり場当たり的対処を繰り返した。これをご都合主義と言わずして、何と言うか。求めるは、感情的な個人攻撃ではない。客観的な事実認識であり、冷静なる組織としての意思決定分析である』

主任は画面に向かって肯いた。あの人は、私達が感じている事を、全部分かってる。言葉は少し難しくて凝り過ぎだと思うけど。

「涙、出そうになりません？　先輩」

振り向いて先輩の顔を見やる。先輩も目が少し潤んでいた。が、慌てて顔を逸らし、手元の資料を広げ直した。

「さあ、仕事よ。怠けてないで、仕事しなきゃね」

事務主任は笑った。自分もテーブルに資料を広げる。こんな事をしている自分達は本当に健気だ、と思う。国際証券事務課のフロアには、もう誰でもできる簡単な仕事しか残っていない。難しい仕事は私達で朝一番に片づけた。私達は、ちゃんと、やる事やって、籠もったのだ。

しかも、籠もる前、先輩は棚から埃《ほこり》を被《かぶ》った資料の束を取り出した。レア事務プロジェクトの資料だ。私達にしかできない事務をマニュアル化する作業だけど、日常業務の忙しさの中では、遅々として進んでいない。私達の存在価値が薄れるから放っておけばいいと思うのに、先輩は違うらしい。先輩は「こういう時には普段できない事をしなくちゃね」と言いながら、資料を抱えて会議室に向かった。私は慌てて資料を取り出して先輩の背を追った。その背を見ながら、思ったのだ。私達は仕事を怠けたくて、会議室に籠もるんじゃない。西山さんと同じく、やむにやまれぬ思いから、なのだ。

なんか体が痺れる。私達は、間違いなく格好いい。

主任は、先輩の目を盗みながら、そっと膝元に目をやった。膝の上には、最新の社員名簿がある。個人情報云々で作るのをやめたから、最新といっても三年前のものだ。だけど、顔写真が載っていて、結構、重宝する。

名簿には、事務検定の優秀賞でもらった栞《しおり》が挟んである。そのページは、もちろん、西山良次さんが載っているページだ。胸元から上だけの写真だけど、がっしりしててスポーツ万能って感じに見える。悩みを相談したら、何でも答えてくれそうな感じ。この人の奥さんって、どんな人なんだろう、と思う。いかにも内助の功、って感じの人だろうか。いや、多分、逆じゃないかしら。外資系風のキャリアで、男の部下をあごで使ってる。それでいて、家庭を大切にしていて、西山さんの前だけでは、大人しかったりして。

テレビの声が会議室に響く。

『会社は正式のコメントを発表してませんが、同社幹部の話によりますと、平和的解決に向けて全力を尽くすとの方針、交渉には応じる模様です』

会社側の人って、どんなだろう。多分、無精髭に薄毛か禿、爪楊枝《つまようじ》をシーシーやってるようなオヤジ。確か人事にそんな感じの人がいた。太田とかいう名札がついてた。あんな感じのオヤジ。またいい加減な事を言って、西山さんに叱られる。おまけに殴られて、ひぃひぃ叫んで支店の床を這い回る。きっと、そんなオヤジ。

ノックの音がした。

主任は我に返った。名簿を置いてドアに駆け寄る。鍵を開けてドアを少しだけ引く。隙間から顔が見えた。よりによって一番、生意気な子だ。

ドアの隙間で伝票が揺れる。

「この伝票の書き方が分からなくてェ」

「マニュアルにあるんじゃない」

主任は冷たく返した。もう同じ事に五回は答えた。

「聞いた方が早いしィ」

「ごめんね。私達、今ね」

ドア向こうの顔を見つめた。大きく息を吸って、奥底から声を出す。

「スト中っ」

全身の力でドアを閉め、鍵を掛ける。ドアを背に、荒い息を整えつつ思った。

もう最高。気持ちいい。

先輩が怪訝そうな顔をして、こちらを見ていた。

5

役員専用応接室　午前11時

応接に入ると、牧原は躊躇なく、専務の隣へ腰を下ろした。

それを見て、古賀はそっとため息をついた。二人の向かいに座りつつ、内心、愚痴をこぼしてみる。なるほど、牧原次長、今、あんたはそっち側か。この場は、よってたかって、いたいけな社員に因果を含める場ってわけだ。

専務が大きく息をつく。おもむろに話し始めた。

「苦渋の決断としか言いようがない。元々の仕事とは関係ない君を、犯罪現場に一人でやる事になる。本来はあってはならん事だ」

専務は身を乗り出し、手を握ってきた。

「だが、代替できる者はいない。古賀君、引き受けてくれるか」

専務の得意技の一つ、浪花節。何の先入観も無ければ、専務がここまで、とむせび泣く者もいるだろう。だが、経企部にいて、こんな場面を何度も目撃した。特に感慨は湧いてこない。ああ、例の得意技、やられてるな、と思うだけの事だ。

古賀は考えを巡らせた。信託銀行は業務が多岐にわたるせいもあって、組織の層が薄い。良く言えば、フラットな組織だ。世の中には、担当役員の前では直立不動といった会社もあるようだが、邦和信託はそうではない。期末の打ち上げなどで、専務と差し向かいで飲んだ事もあれば、酔いに任せて一緒に下ネタに興じた事もある。

が、業務を専務から直接頼まれた事は今迄に無い。占拠現場に一人で行くなんて、ありがたい話ではないが、プラスマイナス合わせて、若干プラスってところか。どのみち、拒絶するという選択肢は残っていないのだ。

古賀は答えた。こういう時は、しおらしくしておくに限る。

「次長から話があった時点で覚悟しております。やれるだけの事はやるつもりです」

専務は満足げに肯き、牧原の方を見やった。

「古賀君の決意には、応えんとならんよ。分かってるな、牧原」

次長の牧原が恭《うやうや》しく頭を下げる。

専務は「で、だ」と言って向き直った。顔つきが変わっている。

「犯人は真実もデタラメも区別できない状態で喚いている。君も支店で向き合えば、いろいろ耳にするかもしれんが、聞き流せ。内容は全部、他言無用、その場限りだ」

口調も変わっていた。残念ながら、もう儀式は終わったらしい。

牧原が会話に入ってきた。

「古賀、何を言われても、黙って聞いてろ。反論する必要は無い。ただ、言う事を黙って聞いて、帰ってこい」

「何も、ですか」

「ああ、お前は自分からは何もせんでいい。へえ、へえと聞いてればいいんだ。言われた事のうち、できる事があれば、会社で対応する」

意外な言葉だった。西山の言う事など、一切、拒絶すると思っていた。

「次長、それは、その、一時的とはいえ、西山の言いなりになる、という事ですか」

「できる事があれば、と言ったろう。相手を苛立たせて、変な行動に出られても困る。従う事は本意じゃないが、もし、それで済むなら、それでもいい。言ったろう。会社の方針は何も変わっていない。長期化はさせられない。突入はする。ただ物事にはタイミングがいる」

理由はともかく、それは「一時的に西山に従う事もある」という事そのものではないか。これは犯罪だ。あらゆる要求を全て完全拒否するのが、筋ではないのか。

「タイミングっていつですか。外部には、まるで犯人に屈服したかのように」

言葉途中で、牧原は語気を荒く返してきた。

「そうじゃない。いいか、古賀。事態がここまでくれば、会社には考える余裕も時間もない。金融庁からも警察に話がいってるし、会社としては……」

専務が牧原を肘で小突いた。牧原の言葉が止まる。専務は一呼吸置いてから言った。

「危険な場所に行くのは彼なんだ。我々じゃない」

専務はこちらに向き直った。

「古賀君、妙に事を荒立てて、その結果、君が危険になる事だってあるだろう。私も牧原も、君の身を心配している」

専務はため息をついて言葉を続けた。

「それに、タイミングがいつか、今の時点では、はっきり言えんのだ。警察とか金融庁とか、やっかいな方面の根回しが、完全には終わっとらんのでな。警察に動いてもらうにせよ、勝手に動かれるのも困る。警察以外でも同じ事だ。第三者が犯人を刺激したり、犯人の持つ情報を嗅《か》ぎ回る事になっても困る。そんな事が起こらないように、よくよく根回しをせんとならん。そういった状況を総合的に勘案した状況、それがタイミングだ。まあ、なんとなく分かるだろう」

古賀は肯いた。警察に金融庁、いかにも画策好きの専務が気にしそうな方面だが、確かにそういうタイミングはある。これ以上、反論しても仕方ない。ビジネス用語で言えば、専務マターって事だ。

「いずれにせよ、君の身の安全を第一に考えるから。牧原、そうだな」

それは別に同意を求めなくてもいいのではないか、と思う。根回し事項は断言できるが、俺の安全はそうではないのか。不満そうな表情が少し顔に出たらしい、牧原が言葉を加えた。

「心配するな。いくら条件が整っても、お前が店内にいる間は絶対に動かない。この事は対策メンバーを含む全関係者と関係全部署に徹底してある。警察からも、こちらの意向を最大限尊重する、という言質は取ってある。連中だって、不用意に動いて世間の標的にされちゃ、たまらんのだろう。適法性も何もないとはいえ、自称スト。おまけに正義の大声明文だからな。但し、こちらの条件が整えば、すぐに、お前の携帯に連絡を入れる。その時は適当に切り上げて、さっさと帰ってこい。携帯は持ってるな？」

古賀は再び肯いた。牧原は壁の時計を見やった。

「奴の言う通り、昼飯食っとけ。一二時一〇分前に車を出す。専務車を用意するから乗っていけ」

「時間迄、一旦、経企の席に戻っていいですか。いない間の指示を出しておきたくて」

牧原が「熱心だな」と笑う。古賀は心の中で返した。別に熱心なわけではない。そうしないと、要求された締め切りに、資料が間に合わないからだ。

「分かった。出発時間迄は好きにしていい。広報は、今、地下の分室で対応しているから、マスコミが上階迄来る事は無いだろう。だが遅れるな」

古賀は立ち上がった。二人に一礼して、部屋を出た。

廊下を歩きつつ、意外だな、と思った。犯罪現場に単身乗り込むのに、思いの外、怖くない。きっと相手が見ず知らずではなく、西山だからだろう。無論、西山も何をしでかすか分からない。だが、危害を加えられる事は無い気がする。古賀は苦笑した。何て事だ。それは、ある意味、西山を信頼しているという事ではないか。

経企部に戻った。部内の視線が自分に集まる。交渉役云々の話は、対策メンバー以外も知っているらしい。だが誰も話しかけてこない。古賀は黙って自席の椅子を引いた。向かいの席で後輩が「あの、お帰りなさい」と言って立ち上がる。内心、また苦笑した。お帰りなさい、か。

後輩は机の上の封筒を指差した。

「さっき、太田さんが来て、その封筒を」

古賀は人事部の方を見やった。席に太田の姿は無い。また組合に行っているのかもしれない。ストと名乗っている以上、少しは事前調整しておかないと、うるさいんだろう。机の封筒を手に取って、中を確認した。手書きのメモが入っていた。

『会社は会社。お前はお前。無理するな。無事を祈る』

封筒にはまだ厚みがある。古賀は封筒をひっくり返し、出てきた物を手に取った。

お守りだ。

「それ、太田さんが持っていけって」

気の抜けた笑いが漏れてくる。太田、お前、本当に心配してくれてるのか。これじゃあ、よく分からないじゃないか。

お守りが左右に揺れる。日本橋水天宮、安産祈願のお守りだった。

## 6

東京駅構内ネットカフェ　午前11時45分

コーヒーをすする音が聞こえてくる。それにキーボードの音が混じる。

邦和信託SE黒縁は、ディスプレイの前で手を揉みほぐし、周囲を見回した。

駅構内のネットカフェという場所柄か、背広姿やOL姿が多い。隣席の会社員は激しくキーボードを叩いている。

黒縁は凝った首を回しながら考えた。入店時に、隣席を見たらディスプレイに株式のケイ線が出ていた。ネット証券らしい。並列して開いている画面は、これまたネット銀行のようだった。不思議な人達だ。目の前にあるのは、不特定多数が使用し己が管理できぬPC。自分なら金が動くサイトにはつながない。使うとするとHP閲覧くらいだろうか。まあ、会社に限らず、世に理解できない人は多い。

黒縁は大きく欠伸をしてから、姿勢を戻した。簡略ながら、仕事前の儀式は完了。

画面に向き直って、大手オンライン書店につないだ。IDとパスワードを入れる。こいつは別だ。だって動くのは俺の金ではないから。画面にメッセージが現れた。

『矢田部長様、こんにちは』

黒縁は一人笑った。ニックネームに「部長」とつけるのは、やり過ぎかもしれない。なりすましアカウントを取ったのは、昨日の夜だ。大して難しい事ではない。部長のクレジット番号は知ってるし、住所等は部内の名簿を見れば済む。ただ、昨日は躊躇して、作業を途中でやめてしまった。だが、今日の緊急ミーティングとやらを聞いて、やっぱりやる事にした。

作業再開。小声で呟く。

「西山さんよォ。あんたがやった事の意味、あんまり通じてないぜ」

部長は、今朝いきなり技術部隊を集め、セキュリティの再検討をぶちあげた。懲りないなと思った。今回は人の問題だ。技術を語る前に、やる事はある。経企部とやらに行って、牽《けん》制《せい》組織について検討するとか、人事部とやらに行って、その人材について語り合うとか。部長は、呪文のように「セキュリティ、セキュリティ」と言っていれば、誰かが解決してくれると思っているらしい。

そもそも便利な技術とは、どういう事か。素人でも使える容易性があるという事だ。つまり、幾ら技術が進展しようが、人間的な部分は必ず残る。便利であろうとすればするほど、騙されやすく、暴走しやすい部分が残るのだ。だから技術だけ論じても仕方ないと思うのだが。

そんな簡単な理屈が、あの部長には分からない。平気でクレジットカードを部下に渡して、居酒屋の精算をさせる人だから。カード番号が悪用されるなんて考えてもみない。今や、なりすましの取り込み詐欺なんて難しい話ではない。ただ足がつきやすいというだけの話だ。

まあ、今は、そんな大層な話はどうでもいい。

「部長用の本は、と」

画面に目を走らせる。技術じゃなくて、考え方の本。黒縁は目を留めた。これこれ、漫画『抜作《ぬけさく》部長、セキュリティを考える』だ。読んでみたが、うちの矢田部長にピッタリだ。

漫画では、抜作部長にロボットであるPC君が語る。さて、セキュリティとは何でしょ。

PC君は、たどたどしい言葉使いながら、とんでもない事を言いだすのだ。セキュリティとは——人、物、金を生産的でない事に投じる事デス、ブチョー。金をかけて牽制し合い、コストと業務の効率を落とす事デス、ブチョー。抜作部長は、うんざりだ、と怒鳴りだす。PC君は言うのだ。そういううんざりを前提として仕事に織り込む事がセキュリティなのデス、ブチョー。抜作部長は、そんなもの、無い方が成績上がるじゃねえか、とぶち切れる。PC君は悲しそうな顔をする。その通りデス。だから困ってるのデス、ブチョー。

笑った。だが、派遣SEで働いていた頃、どうしても理解できない事が分かった。セキュリティについては、意識が根付く会社とそうでない会社がある。技術水準とは別にだ。何故だか、エンジニアとしては分からなかった。

業務効率を落とす事がセキュリティなのデス、ブチョー。

セキュリティ意識が浸透しない会社には、パターンがあるのだ。無理ともいえるノルマを示し社員をひたすら鼓舞する、という仕組みに慣れきった会社だ。例えば、邦和信託。

注文画面が開いた。注文者はもちろん矢田部長だ。冊数欄には一〇と入れる。何しろ、あの部長の事だ。一冊であれば「プレゼントか」で終わるかもしれない。さすがに、一〇冊配達されれば、いろいろ考えるだろう。嫌がらせと分からなければ、きっかけにはならない。

「領収書同封にしといたから、ブチョー」

読書百遍、意自《おの》ずから通ず、だ。だから、ええっと、一冊あたり一〇回は読めよ、ブチョー。

黒縁は小さく笑って、画面を閉じた。

7

神田支店入居ビル三階　竹橋工器オフィス　午後0時25分

向かいの席には竹橋工器の経理部長が、隣席には支援室長の小堺が、座っている。

古賀は時計を見やった。時間が迫っている。

経理部長はオフィス内を見回した。

「ご覧の通り狭いオフィスです。大勢が来られたりして、当社の業務が止まるような事だけは、避けて頂きたいんです。丁度、今、年度末納品分のかき入れ時でして。昼前くらいから、ビル周辺に警官の姿が急に増えましたでしょう。このビルに私が入る時も、いろいろと細かく質問される始末でして。無論、お世話になってる邦和信託さんですから、協力は惜しみませんが」

室長が「大丈夫です」と即答した。

「ご迷惑になるような事には、致しませんから」

こんな時の即答ほど、あてにならないものはない。経理部長は不安そうに「そうですか」と受け、ため息をついて立ち上がった。

「ご案内しましょう。こちらへ」

経理部長は、事務机の間を通り、オフィスの奥へと向かっていく。備品と書かれた戸を開けた。間仕切りで区切っただけの狭い備品置場だ。

「この奥の突き当たり、狭いですが、棚と棚の間にノブが見えてますよね。あれです。既に鍵は開けてます」

古賀は軽く頭を下げた。微かに膝が震えている。が、行くしかない。倉庫内に身を入れ、棚と棚の間を進んだ。突き当たりで立ち止まり、今一度、振り返る。入口辺りの棚の間で、太り気味の室長が窮屈そうにしていた。

「古賀、自分の事を第一に考えろ」

室長の顔が、急に慈愛に満ちた顔に見えてきた。古賀は肯いた。

「じゃ、行きます」

古賀は内壁のドアに向き直った。深呼吸して、下腹に力を入れる。ドアを開けて壁の向こう側に入った。

薄暗い倉庫の光景に記憶が蘇《よみがえ》る。積み重ねられた会議椅子、伝票棚、粗品の入った段ボール。あの頃と変わっていない。

「早くドアを閉めろ」

古賀は動きを止めた。西山の声だ。

「ボーッとするな。補助鍵として、ドアの上下に小さな棒鍵がある。その鍵、掛けとけ。メインの鍵はこっちで操作する」

声に従いドアを閉めた。ドアの棒鍵を掛けて、倉庫内に向き直った。室内を見回すが、西山の姿はどこにも無い。

「監視カメラで見てる。声はすれども姿は見えず、か。驚くほどの事じゃない。この声は窓際の椅子からだ」

古賀は窓際に目をやった。机と椅子がバリケードのように積み重ねられている。椅子と椅子の間に、小型のラジオが置いてあった。ラジオが喋った。

「ただの通勤ラジオだよ。ＦＭで声を飛ばしてる。階段の途中で一回中継させてるが、ブツ自体は特別な物じゃない。カーショップや電気屋で売ってる。見た事あるだろう」

古賀は倉庫内を見回し「俺はどうすればいい」と訊いた。答えはすぐに返ってこない。間を置いて、また声が流れた。

「何か言ったみたいだが、残念ながらお前の声は、ここには届かんのだ。そこまで準備する暇も無かったんでな。じゃあ、指示するぜ。倉庫を出ろ。二階に下りてこい」

古賀は倉庫を出た。非常灯を頼りに三階の廊下を進んで、階段に入った。下の方が僅かに明るい。恐らく二階フロアの明かりだ。

階段を下りて二階に着く。廊下の端、店舗フロアの方を見やった。廊下とフロアの間には仕切りの扉、その扉窓から西山の上半身が見える。何故か、西山はＴシャツ姿になっていた。

「古賀、お前の後ろ、階段の鉄扉を閉めろ。鉄扉のロックは自動にしてるから、閉めさえすればいい。閉めたらフロアに入ってこい」

指示通り鉄扉を閉める。静かな建物内に鉄扉の音が響く。

古賀はフロアの方に向き直った。仕切り扉前まで足を進めて、一旦、息を整える。中に入った。

顔をしかめた。むせかえるような暑さだ。空調機が唸っている。西山はTシャツに短パン。そして、その手にはゴルフのパターがある。

「そこで止まれ。服を脱いで、下着だけになるんだ。お前を信じないわけじゃないが、万が一という事もある。もっとも、ナイフを向けられたところで、お前に負けるとは思わんが」

古賀は手帳と筆記具を床に置く。背広を脱いだ。続いてズボンとワイシャツも脱ぐ。膝をそっと押さえた。大丈夫、震えは収まっている。

「靴下は脱がんでいい。暖房はガンガン効かしてるが、お前、昔、男のくせに冷え症気味とか言ってたろう」

西山はつまらない事を覚えている。古賀は脱いだ服を重ねてフロア隅に放った。床の手帳と筆記具を手に取り、西山に向き直った。Tシャツにトランクス、それに黒靴下。なんて格好なんだ、と思う。まるで逃げ出した間男《まおとこ》ではないか。

「似合ってるぜ、古賀。カメラを用意しとけばよかった。俺の携帯にはカメラ機能が無いが、お前のはどうだ。写せるなら、記念写真、撮っといてやる。どうする？」

古賀は黙っていた。こういう時は、なまじ返事すると、相手のペースにはまる。

「そう怖い顔すんなよ」

西山は、そう言うと鼻で笑い、パターを構えて勢いよく素振りをした。ゴルフでも剣道でもない、野球の素振りだ。そして、パターの先を顔面に向けてきた。

「ようこそ、古賀調査役」

パターを構えたまま、西山は少し身を引き、こちらの全身を眺める。笑いを漏らした。

「ほんと、ブリーフじゃなくて良かったな」

## 8

証券事務部　国際証券事務課　会議室　午後0時35分

先輩が目で「ボリューム上げて」って催促してる。何も言われなくても分かる。私自身、そうしようと思ってたし。

事務主任はテレビの音量つまみに手をやった。

映っているのは、ニュース専門のCATVチャネル。昼の市況ニュースが終わると、いきなりこの特番が始まった。特番のテーマは、当然、邦和信託のスト問題。そうでなければ、音量を上げたりはしない。

　画面では経緯をまとめたビデオが流れていた。それが終わると、スタジオに切り替わる。女性キャスターが喋り始めた。

『ご覧頂きましたように、局所的ながら各部署、支店等で犯人への同調ともいえる行動が見られるようです。邦和信託が、交渉要請を応諾する方針なのも、このような社内の状況が関係しているのかもしれません』

　主任は箸を止め横を見る。先輩は画面を見やりながら、テレビのコメント毎に肯いている。手元の弁当の事など、忘れてしまったかのようだ。自分も箸を置く。

　弁当を前にして、一緒に肯く。お腹が鳴っても、肯く。

　弁当を作って持ってくる事にしたのは、昨日の事だ。先輩は「こんな時って、社員食堂は使わない方が、いいんじゃないかしら」と言った。言われてみれば、確かにそんな気もする。二人で相談して、弁当を作って持ってくる事にした。弁当なんて、もう随分、作っていない。付き合っていた彼がいた頃、出張の時に作ってあげた。それ以来だ。

『先生、どうでしょうか。もう単なる占拠でもなければ、犯人の言うストでも、なくなってきているような気がしますが』

先生と言われた解説者が白髭を撫でた。昨日から、いろんな局に出ている先生だ。先生は面白そうに身を揺すった。

『私ではなく、皆さん方が、そうお考えなのでしょう。ストの適法性なんぞ分かりもせん私が、ここに呼ばれている。占拠なら刑事事件のプロを、ストなら労働法か労働運動史の先生を、本来、お呼びになるでしょうから』

キャスターが苦笑して頭を下げる。先生は話を続けた。

『リーダーがいる組織化された運動というのは強力ですが、対峙《たいじ》する側にとっても、メリットがあるんです。その代表が意見集約してくれるし、結論はその代表と握れば済むわけですから。統制側にとって厄介なのは、ばらばらで草の根的に、運動が広まる事です。大きな運動、例えば、社会変革運動のようなものは、大抵、この段階があります』

主任は首を傾げつつ、心の中で言葉を繰り返した。シャカイヘンカクウンドウ。そんな言葉、今迄口にした事あるかな、なんて考えてしまう。この先生によると、私達がそれをしてるらしい。なんか、おかしくて変な気がする。けど悪い気分じゃない。誰に理解されずとも、やるよ、て気にさせてくれる。

結婚退職した後輩の顔が頭をよぎる。あの子は「先輩のこと、いいなあと思います。仕事に幸せ見つけられて」って言った。その通り。仕事中もどこか夢見るように、ボーッとしていたあの子には分からない。男だっていいが、それ以上にグッとくるものもある。

思い返せば、確かプロ野球でもそうだった。ストを決意した選手会長の男泣きに、皆グッときて、一丸となった。あれで世の中の動きさえ変わった。そして、私達も西山さんの元で一丸となっている。今、すごい事が起こっているのだ。

主任は弁当を手に取った。一気にかき込む。

『意外に思われるでしょうが、熱狂初期にリーダーは不要です。却《かえ》って邪魔になる。煽動者《せんどう》がいればいい。ただ、今回はスト名目ですから、はたして、その熱狂がどこまで発展するやら』

先生の話が一段落ついたところで、女性キャスターは、現場に話を振った。神田支店に画面が切り替わる。支店を背景にレポーターが話し始めた。

『複数の関係者の話によりますと、邦和信託は既に犯人との交渉に入った模様です。また、確認中の情報ではありますが、犯人は就業条件の見直しも辞さず、経営全体の改革を求める、と見られ……』

キャスターの声が入った。

『待って下さい。就業条件の見直しと言いますと』

『一般的には、給料、ボーナス、就業時間、福利厚生まで、就業規則等で定める諸条件の見直し、つまり、これらの引き下げ、縮小を含む再検討を指しているものと見られます』

主任は箸を止めた。先輩と顔を見合わせた。

『それは犯人の決意の表れ、本気度を示すという事なんでしょうか』

主任は画面に向き直り、心の中で叫んだ。違う、何か違う。西山さん、どうして。そっちじゃない。

『それは、交渉内容が明らかになりませんと、断言はできません。交渉後には、犯人または会社側から、コメントが発表されるものと思われ、それが待たれるところです』

画面はスタジオに戻った。先生が、また、面白そうに身を揺すった。

『我が身を削っても経営改革を、ですか』

先生は大仰に肩をすくめた。

『これは、確かに、もうストではありませんな』

先輩の呟きが聞こえた。

「よく、分から、ないね」

先輩は力なく立ち上がり、テレビに寄っていく。何も言わずテレビを消した。テーブルに戻ると、食べかけの弁当箱に蓋をした。

「ねえ、国際事務課の席に戻ろうか。部長達にも、私達の気持ちは通じたでしょ」

先輩はため息をついた。そして、自分に言い聞かせるように言った。

「終わり……終わりよね」

主任は立ち上がった。その勢いで、傍らの椅子から例の社員名簿が落ちた。瞬間、後輩の顔が浮かぶ。あの子にも私にも、幸せなんて無い。あるのは単なる勘違い。それだけだ。

名簿から大事な栞を抜く。そして名簿をテーブルに放り投げた。

9

神田支店　二階フロア　午後0時40分

暑い。古賀はパンツ一丁姿で額の汗を拭った。

西山の傍らでテレビが喋り続けている。西山はパターの先でテレビの上部を小突いた。

「こいつらは面白いな。タイミング良くネタを出せば、すぐに飛びつく。頼みもしないのに、勝手に煽ってくれる。単独犯の俺にとっては、強力な助っ人ってところだ。ありがたいぜ。だけど、古賀、お前は嫌いなんだろう」

西山はこちらに顔を向けた。

「昔、言ってたじゃないか。バブル期に『邦和信託はユニバーサルバンクの雄』と煽った記者が、いつの間にか銀行叩きで名を売って、今は論説委員やってるって。『私、煽りましたけど、それじゃ今、論評がウケないので、叩きます』って言う奴、誰一人、出てこないのは、何故だって。大勢いるはずなのに、ってな。それ聞いた時は、お前にしては、いい事言うなと思ったよ」

古賀は黙っていた。よく覚えていない。が、言っていたとしても不思議ではない。

「けどな、古賀、こいつらも、お前らも、結局、同じなんだよ。世間一般向けと社内向けという違いはあるけど。自分達を安全圏に置いて、ひたすら他人を叩く。溝に落ちてから叩く。正反対に見える業界に、お前は自分と同じ匂いを嗅いでしまう。だから嫌なんだよ。同類というのは、意外にいがみ合うもんでな」

言い返そうかと思ったが、思い留まった。古賀は口調に気をつけつつ、西山に「要求を聞きたい」と言った。

「そのために俺を呼んだんだろう」

「そう急ぐな。パンツ一丁で息巻いても、どうにも迫力ない」

西山はパターで床を二度、三度、小突《こづ》いた。

「この占拠の準備をしていて、いろいろ、分かった事がある。金融機関って所は、どこも事務処理の塊だ。それを効率化するため、ソロバン、伝票、帳簿を、大枚はたいて、機械に置き換えた。けど考え方は変わらない。事務ごとき、さ。前線業務の大半を蔑視する空気が経営に充満してる。実に不思議な所だ」

相も変わらず分かったような口をきく、と思った。刺激しない程度なら、少しくらいの反論は構わないだろう。但し冷静に、だ。

「そうではないと思う。事務、特にシステムに関しては、経営の中核課題だ。それが生き残りを左右する。皆、認識している」

西山は蔑むかのように目を細め「それ、悪い癖だぜ」と言った。

「お前はすぐに、頭の中だけの言葉を口にする。いいか、古賀。お前が感じてるのは、重要性じゃない。恐怖感なんだよ。金ばかりかかる正体不明の化け物、それに対する恐れなんだよ。蔑視の裏返しの恐怖って事だ。その証拠に、システムの重要性を口にするくせに、実際に、会計税務や法律の半分でも、勉強する奴が経営本部にいるか。少しでもいい、所管部と共通の言葉で喋ろうとする奴がいるか」

古賀は黙り込んだ。当たってなくもない。いや、当たっている。

「経営中枢にとっては事務ごとき、だ。ついでに、もう一つ、教えといてやる。事務部門の中では、社内LANごときなんだよ。業務中核の勘定系システムと比較すれば、殿と下郎《げろう》くらいの差がある」

「さすがに、それは言い過ぎじゃないか」

「いいかい、俺は社内でも有名な不良社員なんだ。その俺が担当してる。この事自体がいい証拠だろ。実際、業務基幹システムの連中と比べると、楽させてもらったが」

古賀は大きく息をついた。大層な事を言ってるが、中身は大した事ない。要するに己の業務に対する不満だ。

「分かった。要求は、その改善というわけだな」

「冗談じゃない。こんなものは、ただの感想だ。最初にそう言ったろうが。占拠犯の独り言ってやつだ」

西山は、パターを持ったまま、手を大きく広げた。

「一体、どうした、古賀。お前、いつから、そんなに仕事熱心になったんだ」

大仰な仕草に古賀は苛立った。なら、先程の会話は一体何なんだ、と言いたくなる。だが、なんとか思い留まった。自分は今、交渉役として会社を代表している。下らぬ言い争いで、時間を浪費するわけにはいかない。

「ああ、仕事熱心だ。今、俺の仕事は一つしか無いから。お前の要求を聞いて、会社に持ち帰る事だけだ。お前のために、ここにいる。分かるだろう。早く要求を聞かしてくれ」

「要求か」

西山は首を傾げつつ「要求ねえ」と繰り返す。しばらくして、面白くて仕方ないかのように、身を揺すった。

「要求は無い」

「無い？」

「ああ、無いね。こんな馬鹿会社には」

無いなんて事があるか。古賀はすぐに考え直した。いや、言葉通りに違いない。西山に要求は無い。こいつは、会社の反応を見て、面白がっているだけなのだ。

「分かった。じゃあ、会社にはそう伝える。俺の仕事は終わった」

「伝える、か。子供の使いだな、古賀。大層なポストにいるのに、頭が回らん奴だ。お前が何もありませんでしたと報告して、偉いさんが安心している時に、俺が要求の電話を入れたら、どうなる。お前は赤っ恥だ。まあ、部署換えは間違いないな」

古賀は拳を握った。西山が面白がっている事は間違いない。が、会社の反応を見て、ではない。この俺の反応を見て、だ。

「落ち着け、古賀。パンツが震えている。トランクスの裾がひらひら。こうして見ると、多少、格好悪くても、ブリーフの方が良かったかもな。動揺が隠せる」

西山はテレビに寄って電源を切った。静寂がフロアを包む。

「心配すんな。せっかく、同期のお前が来てるんだ。ちゃんと顔が立つようにしてやる。要求は……そうだな、分かりやすい所からいくか。書けよ。いろいろあるぜ」

西山は、カウンターの椅子を引き寄せ、一人座った。

「期初に毎度、お前達が出している施策説明ビラがあるだろう。まずは、あれを五、六年分、時系列に並べろ。いつの間にか別の方針になっているのに、それには触れず、常に最後で『全社一丸頑張ろう』と叫ぶビラだ。違いを見比べて、失敗施策を書き出せ。できないなんて言うなよ。こんなものは、ただの国語力のテストだ」

古賀は黙って筆記具を走らせながら思った。大した要求ではない。予想の範囲内と言っていい。

「その失敗施策に関わった人間を全員列挙して、社内に明示しろ。たかが数年前の話だ。担当や決定者が分からないなんて、ごまかすなよ。『私達は偉そうに指示してますが、これだけミスりました』という謙虚な姿勢を、まずは見せないとな。そうしないと物事が進まない」

西山は座ったままパターを左右に振る。「次は専務かな」と呟いた。

「専務のおっさん、ああ見えて日記をつけてる。それもパソコンでだ。各人用のパソコンを配備し始めた頃、抵抗感を無くさせるために、日記ソフトや簡単なゲームを配布した。今じや、信じられんが『クリックって何』と言ってた頃だからな。おっさん、ご丁寧にも、その日記ソフトを今でも使ってる。知ってるか」

古賀は黙って首を横に振った。西山は話を続けた。

「金融危機の頃の日記を見るとな、おっさん、邦和信託支援決定の三日前に、監督官庁と大株主の金融グループ二社の役員と、銀座で飲んでいる。その席で支援方針が決まったというわけさ。馬鹿らしくならないか。己の施策失敗を吟味《ぎんみ》する前に、いつも酒の席で、ごにょごにょやる。どうも俺は、こういうのが好きになれない」

「あの頃は一刻を争ってた。落ち着くまで、過去の検証なんてできない」

「そればかりだな、お前達は。で、いつ落ち着くんだ」

西山は「もう踊ってるじゃないか、ミニバブルとか言われて」と呟き、一人笑った。

「まあ、そんな議論はどうでもいい。店頭パニックから三ヶ月間、専務の行動を一週間単位にまとめて公表しろ。大層な理念なんか書くなよ。体の動きを書け、と言ってんだ。お前達は、すぐ抽象的な言葉を使って、頭の中で帳尻合わせようとするからな。いいリハビリだろ」

「当然、対外的な交渉記録もあるだろう。相手の名前を出していいのか、もある」

「嫌なら嫌でいい。その場合は、日記をそのまま公表する。まあ、やめといた方がいいぜ。『生意気な小娘秘書の配転を人事に指示した』なんて書いてある。専務取締役としての品格が問われるぞ」

　古賀は手帳に書き留めながら「分かった」と答えた。聞いて帰るしかないのだ。応諾するかどうかを決めるのは、自分ではない。

　西山はパターで床を軽く叩き「そろそろ本題に行くか」と言った。

「あの頃、お前達、全部店に、貸出回収ノルマを出したよな。それも融資拡大策から急遽一転して、だ」

「あの時の状況を考えてくれ。それ以外に選択肢は無い。苦渋の選択だった」

「その施策自体は、今は問題にせんさ。だが、その結果、相手がどうなったか、会社として把握しているか。お前達が尻まくったせいで、潰れたのは何パーセントだ。潰れなかったが悪化させたのは何パーセントだ。他から支援があったのは何パーセントだ。代わりに支援した金融機関はどこで、それは何パーセントだ。影響無かったのは何パーセントだ。どうだ、今、言えるか。本当に苦渋したなら、粗い数字くらいは、すぐに言えるだろう」

　古賀は黙っていた。西山の笑いがフロアに響いた。

「言えないか。やっぱりな。お前らは、いつもそうなんだよ。計画については綿密に練るくせに、実際に起きた己の失敗については、適当にやり過ごす。それどころか、失敗原因作った奴が知らぬ顔して、立て直しの旗を振る。考えてみれば、ほんと不思議だ。一個人なら、尻まくってしまえば、俺の後、誰か尻拭いしてくれただろうかと、びくびくしながらも振り返るもんだが」

西山はパターの先端をこちらに向けた。

「具体的に指示するぜ。突然の回収で重大な影響があった先を全てリストアップしろ。この際、影響度の少ない大企業なんかは、どうでもいい」

「影響度なんて分からない。そういう指標は作った事が無い」

「少しは考えろ。そんなもの、取引先の規模と邦和信託の融資シェアみれば、新入社員でも推測できる。いいか、邦和信託の自衛のため、どれだけ潰したか、どれだけ苦境に陥れたか、そういう統計を作って公表しろ。『実は、これだけ、こんな事しました、おかげでワタシ生きてます、ゴメンナサイ』という統計だ」

古賀はメモの手を止めた。西山は言葉を続けた。

「嫌なら嫌でもいい。俺は、取引先情報システムの改良テストを手伝った事がある。その時、サンプルデータとして首都圏店のデータを使った。そいつをちょいと手元にコピーしといた。項目を突き合わせれば、すぐにできたよ。邦和信託が潰れるきっかけを作ったと思われるリストだ。こいつを実名のまま、生でばらまく」

古賀は筆記具を走らせた。反論はしたい。が、ろくな事にはなるまい。黙って聞くしかない。

西山はパターを床に下ろした。俯きかげんになって、床を何度も小突く。リズミカルに音を響かせながら、西山は「ここには不思議な事が多い」と言った。まるで、ゴルフの打ちっ放しで、世間話をしているかのようだった。

「なあ、古賀、うちの会社は、今迄、どれだけの債権を償却してきた。俺はいつも不思議に思うんだ。貸した時は、皆『いい仕事した』と思ってる。が、数年経って、頭かきかき『不良化してました』だ。とすると」

西山はパターを止め、顔を上げた。

「そのターニングポイントはどこだ。償却日の前日か、一週間前か、一ヶ月前か、一年前か、二年前か、三年前か。引き返せた瞬間、引き返さなかった奴は誰だ。その時点の関係者を網羅して、実名を公表しろ。担当から決裁権限者まで全員だ」

「ターニングポイントなんて無い。そんなもの、あるわけない」

「じゃあ、ずっと、うまくいってて、最後の瞬間に悪くしちまった、という事だな。公表するのはその最後の関係者の名前でいい。けど普通は思うぜ。『俺が引き継いだ時には、もうどうしようもなかった。大体、前任の奴が』って。名指しなんて誰でも嫌だろう。そうやって責任の押しつけ合いしながら、遡《さかのぼ》っていけばいい」

西山は面白そうに笑った。

「どっかで止まるさ。前任者にどうしても押しつけられない奴。結果から言えば、そこがターニングポイントってわけだ」

西山は「可哀想な奴」と言いながら、また笑った。

「いいか、そのターニングポイント以降、追加貸出した奴は明らかに同罪だ。同じく、担当から決裁までの全関係者を公表しろ。それから、偉そうにしてる監督官庁もだ。昔は素人みたいな質問をしてくる検査官が結構いたじゃないか。参考として、ターニングポイント以降、担当した検査官の名前も公表しろ。偉そうな事言うなら、ある程度、返り血も浴びる。当然と思わないか」

「待ってくれ。社内も社外も個人名は出せない」

「逆だろ。個人名で脅さないと、お前らは絶対に動かない」

古賀は黙っていた。西山は話を続けた。

「まあ、嫌なら、それでもいいぜ。稟議管理システムができてからは、稟議関係者の名前は登録されている。情報管理としては低ランクだから、すぐに引き出せたよ。償却稟議の関係者を不良化の当事者と一律に見なして、それをばらまく。何の吟味もせずにな。それでいいか。そいつは、お前達のよく使う『社員間の公平性』に欠けるんじゃないか」

古賀は黙っていた。事の応諾を決めるのは自分ではない。が、そんな事できるわけがない。

そんな事すれば、邦和信託は内外に大きく信用を損なう。

西山は「額に汗、出てる」と言って笑った。

「信用失うって言いたいか。そんなもん、もう失ってる。ただ失う相手が違うだけだろ。怒るなよ。お前が俺に、要求を聞きたい、って言ったんだ。ま、数年間、何もしてこなかった、そのツケだな」

西山は立ち上がり、フロアの隅に寄った。パターの先を床のズボンに突っ込む。ズボンをパターに引っかけて持ち上げた。パターを大きく振る。ズボンを、こちらの足元に放った。

「早くはけ。もう帰っていい。帰ったら、偉いさん達とは役員応接室で相談しろ。何かあれば、そこに電話を入れる」

古賀は拳を握った。その態度は何なんだ、と思った。だが、何も言わず、屈んでズボンに手をやった。ここで激高しては、今まで我慢した意味が無い。

瞬間、閃光《せんこう》が走った。シャッター音が続く。

古賀は顔を上げた。西山が携帯を手にしていた。

「お前の携帯にはカメラが付いてるじゃないか。一枚くらいは撮っとかないと。お前の武勇伝だ」

西山は、床に残った服で、携帯をくるんだ。「そらよ」と言って、それをズボンから少し離れた床に投げる。古賀は、屈んだ姿勢のまま膝をつき、その服に手を伸ばした。自分のとった姿勢に気づいて、顔が赤くなる。これでは西山に物乞いするようではないか。

西山は「いい格好だ」と笑った。

「それに、そのパンツは結構イケてる。いつ、そんなセンスを磨いた。いや、お前のセンスじゃないいな。涼子ちゃんのセンスか。いやいや、大したもんだ」

古賀は黙って、背広とワイシャツを引き寄せる。耳障りな笑いがフロアに響いた。

「いい嫁さんもらったな、古賀。どさくさに紛れて」

手が震える。古賀は背広を強く握りしめた。

## 10

千葉市緑区　有料老人ホーム「グリーンハウス」　午後1時5分

サッシ戸の隙間から、元気な声が聞こえてきた。

小嶋康子はジョウロを持って立ち上がった。庭からホームの建物の方を見やる。

リビングでは小梅ばあちゃんがテレビを見ていた。車椅子の上で拳を振り上げ、声を振り絞る。

「ま、き、たァ、がん、ば、レェー」

康子は笑みを浮かべた。今日の応援は、地元千葉のサッカー選手のようだ。昨日は高校の柔道選手だった。といっても、ばあちゃんは特にスポーツ好きというわけではない。これは、このホームが推奨する療法の一つなのだ。

ホーム嘱託医の先生の説によれば、応援という行為は、感情移入を生み脳神経を刺激するという。感情移入できる事が大切で、それができるなら、対象は何でもいいらしい。先生曰く、何でもかんでも応援なさい。ドラマなら主人公を、スポーツ観戦なら贔屓《ひいき》のチームを。最初、小梅ばあちゃんは「そんな馬鹿できないよ」と無視していた。が、昨年倒れて先生の世話になって以来、ホーム一の先生の信奉者になった。だから、ばあちゃんは、毎日、誰かを応援している。ある時はマラソン中継のランナー、また、ある時はクイズ番組の解答者、天気予報の新人キャスターなんて時もある。対象は替わっても、応援スタイルは変わらない。拳を振り上げ、独特の節回しで「がん、ば、レェー」って声を絞り出すのだ。

ばあちゃんは「あたしゃ、先生の応援療法、広めるために生きてんだよ。実験台としてね」と笑う。笑ってはいるが本気だ。小梅ばあちゃんは、元、向島《むこうじま》出の芸者。ツテをたどって、京都の祇園《ぎおん》や上七軒《かみしちけん》の座敷に上がっていた事もあるらしい。だから妙に顔が利く。不思議な人脈もある。今のところ、応援療法は、このホームで実験的に行われているだけだが、そのうち、ばあちゃんの力で、本当に全国展開になるかもしれない。

「ち、ばァ、がん、ば、レェー」

康子は、庭の鉢植えに足を向けた。素人の自分には、療法の効能は分からない。ただ、この時期になると、ばあちゃんの声援が妙に身に沁みる。少なくとも、横で聞いている自分に、プラスである事は間違いない。

ジョウロで一鉢一鉢水を掛けていった。鉢植えのクリスマスフラワーが揺れる。ぼんやり、また冬が来る、と思った。あれから六回目の冬になる。という事は、父さんが逝ってから、もう六年も経ったという事でもある。いや、六年しか、だろうか。

鉢から水が零れた。下の棚に滴り飛沫となって跳ねる。

慌ててジョウロの傾きを戻した。この時期は、すぐに物思いにふけってしまう。康子はジョウロを置いて、建物隅を見やった。次はダストボックスの掃除だ。

ダストボックスの扉を開けた。各階からのゴミはここに溜まる。溢れるほどのゴミをかき出して、ゴミ収集用のスペースに運んだ。いろんな臭いがするが、もう慣れた。ここには、様々な状態の人がいる。気にしていては、仕事は進まない。

雑巾を持ってダストボックスに戻った。膝をついてボックス内に身を入れる。週に一度くらいは、臭いやシミがこびりつくのを防ぐため、ボックス内を清掃するのだ。舞い上がる埃に咳き込みつつ、床を拭いていく。

拭きながら考えた。

そろそろ、来月の休みの日を、事務長に相談しなくてはならない。墓参の日。毎年、墓前で父さんに、こんな一年だったよって、報告しに行くのだ。今、思い浮かんでくる言葉は無い。多分、墓前に立っても、同じだろう。どうせ、いつも同じ言葉を繰り返すのだ。父さん、取り敢えず元気だよって。だから安心してって。

額に汗が滲んでくる。埃で黒くなった手で汗を拭って、ふと思った。今年も花はあるだろうか。

自分が行くと、墓前にいつも供えてある。工場の人達は墓参時には必ず電話をくれるから、あの花は工場の人達の物ではない。私達以外に、欠かさず父の墓参をしてくれる人がいる。考えられるのは一人、あの人しかいない。

床を拭く手を止めた。あの時の言葉は今でも覚えている。あの人は「お前の事は俺が何とかする」と言った。「任せとけばいい」とも言ってくれた。

だけど、私は逃げ出した。

あの人の事をどう思えばいいのか、分からなくなったのだ。あの人の事だけではない。周囲のいろんな事が分からなくなった。だけど答えを出したくなかった。だから逃げ出した。馬鹿な事を、と言う人もいた。が、当時は、それが一番楽だったたし、それしか考えられなかった。

康子は頭を振った。嫌になる。いつの間にか、また物思いにふけっている。

実際、物思いする時間なんて無いのだ。午後には、介護棟での手伝いが入っているし、事務長に同席しろと言われたクリーニング業者との打ち合わせもある。それ迄に雑務は片付けておかねばならない。

康子はダストボックスから出た。後は、庭の落ち葉をかき集め、焼却炉に入れて、片がつく。康子はもう一度、庭の水栓に向かった。竹箒《たけぼうき》はその横に立てかけてある。

「に、し、や、まァ、がん、ば、レェー」

康子は竹箒に伸ばした手を止め、庭からリビングを見やった。相も変わらず、小梅ばあちゃんは、テレビに向かって叫んでいる。が、画面は、もうサッカーではない。

「りょ、う、じィ、がん、ば、レェー」

康子はサッシ戸を開け、リビングに入った。

画面には邦和信託の支店が映っていた。最近、テレビはあまり見ないが、占拠事件の事ぐらいは知っている。けれど、その名前は……。支店を背景に報道記者が喋り始めた。

『交渉の行方は、未だ分かりません。我々の取材によりますと、確かに西山良次という社員は在籍していますが、社員である彼が主張するストが成立する可能性は、極めて低いと思われ……』

キャスターの声が飛ぶ。

『その場合は、どういう事が考えられますか』

『本日も、事件を嫌気して、邦和信託の株価は大幅安となりました。会社側としては、長期化を避けたいのは間違いありません。恐らく交渉の方向性が出ると思われる今日夕刻から明日未明が山場、事態は急転して収束に向かう事も考えられます』

『収束と言いますと』

『恐らくは二つに一つ。犯人側が自発的に退去するか、邦和信託銀行側が強行突入するか。いずれにせよ、その鍵を握るのは、交渉を求めた占拠犯西山良次。その出方次第で事態は動くものと思われます』

体に力が入らない。昔のニュース映像が頭に浮かんできた。ジュラルミンの盾、放水、催涙弾の煙。学園紛争の色あせた映像が頭を駆け巡る。

「どこだ、小嶋。どこにいる」

リビングに事務長が顔を出した。事務長は、テレビの方を見やると、画面を指差し「そ、それ」と言った。

「その事件で君に……君に訊きたい事があるって。今、来てるんだ、玄関に」

康子は後退《あとずさ》りした。血の気が引いていく。また来た。

『昨日、静観していた警察も、本日は慌ただしい動きが目立ち……』

警察って所は、「参考に、参考に」って繰り返しながら、何でも訊きたがる。父さんの時も、そうだった。不用意な事を言って、あの人がまずい立場に追い込まれたら、どうする。いや、何も言わない事で却って、そうなるかもしれない。どちらも絶対に嫌だ。どうすればいいのか分からない。ここも逃げるしかない。私がいなくなれば、それで済む。

康子は庭を向いた。サッシ戸に手をかけた。

「どこ行くんだい。逃げんのかい」

強い口調の言葉に振り返った。小梅ばあちゃんだった。

「康子ちゃん、あんた、以前言ってたろ。いろんな事から逃げ出して、ここに来たんです、って」

小梅ばあちゃんは微かに笑みを浮かべ、言葉を続けた。

「何も卑下なんてせんでいいさ。人には、逃げるが一番って時が、あるんだよ。あんただけじゃない。あたしゃ、この年になる迄、いろんなのを見てきた。向島じゃ、闇市で仲間と喧嘩して逃げてきた男、祇園じゃ、学生デモをこっそり抜けてきた男の子。他にもいろいろとね。詳しい事情なんて、誰も言いやしないけどね、あたしゃ、黙って、かくまったんだ。何て言われようが、必要な時間は必要なんだ」

ばあちゃんは正面からこちらを見つめる。

「だけどね、人間、連続して逃げちゃいけない。一度戦えば、次は、また逃げたっていいさ。けど、連続はいけない」

そう言うと、小梅ばあちゃんは、いきなり拳を振り上げた。

「や、す、こォ、がん、ば、レェー」

ばあちゃんは真っ赤な顔をして声を絞り出した。

「がん、ば、レェー。がん、ば、レェー」

康子は唾を飲む。サッシ戸から手を離した。

11

邦和信託銀行　役員応接室　午後2時5分

古賀は目の前の専務を見やった。報告すべき事は全て喋った。もうこれ以上は無い。

専務は目をつむって沈黙していた。その隣席で牧原は居心地悪そうに体を揺すっていた。三人の沈黙の中、部屋奥のテレビだけが喋り続けている。西山が対外秘情報を握っている今、いつ何が流出するか分からない。それで小音量で付け放しになっているのだ。

専務は大きく息をついた。ようやく目を開け「どれも、のめんな」と言った。

「要求は、全部、駄目だ。信用問題だけじゃない。下手すると株主代表訴訟になる。それに、今の世の中、カスみたいな連中がゴロゴロしている。難癖つけて会社から金をむしってやろう、ってな」

専務は、隣席の牧原に顔を向けた。

「この西山って奴は、本当に不良社員だったのか。言いたい放題のように見えて、手の内は見せてこない。なかなか優秀にみえるが」

「いや、実際、優秀なんでしょう。優秀な奴ほど不良化すると、足を引っ張るのも、うまいもんですから」

専務は「まあ、いい」と言いつつ、顔を戻した。

「犯人の言うような事をやっていたら、会社なんて回らん。君の話によると、奴はここに電話を入れてくるんだろう。『誠心誠意、具体的に詰めているので、今しばらく時間がいる』とでも言って、お茶を濁す。マスコミに余計な事を公表する必要も無いだろう。引っ張って、タイミングが来たら、突入だ。それも、そう先の事じゃない。もう、警察とも具体的な手順の打ち合わせに入っている」

　分かっていた事とはいえ、半分、馬鹿らしく、半分、腹立たしい。それでは、さっき俺が身を張った意味は何なんだ、と思う。古賀は口調を抑えつつも、専務に問うた。

「専務、結局、時間稼ぎで対応ですか」

「最初から、会社の方針は変わってない。犯人の要求、いや、一社員の戯言《ざれごと》に付き合う会社なんぞ……」

　専務は途中で口を閉じる。顔はこちらを向いているが、視線はその先だ。

「ちょっとテレビの音量を上げてくれ」

　テレビ画面には慌ただしい様子のスタジオが映っている。古賀は慌ててテレビに寄り、音量を上げた。

『関係者の話によると、犯人のファックスは、同社制定の融資稟議の写しではないか、との事です。現在、その意図はよく分かっていません。送付状には、邦和信託の営業スタンス――3Aで全額償却、とあり、各資料にAで始まる英単語が振ってあります。資料の固有名詞は塗り潰されており……』

　古賀は画面を見つつ、考えを巡らせた。稟議を送りつけた西山の意図は、自分にも分からない。だが、3Aの意味は分かる。数年前の営業スローガンだ。アグレッシブネス、アシスタンス、アート。頭文字を取って3A。「積極果敢に顧客支援する高度な金融技能」という事らしいが、無理矢理Aで揃えなくとも、と思った事を覚えている。が、会社ってやつは、こういう類が好きらしい。今も社内のどこかで、この種のスローガンが存在しているはずだ。

「見ても分からん程度なら、大した事にはならん」

専務の言葉に古賀は振り向いた。牧原も「しかし」と口ごもる。専務は制するように「分かってる」と言った。

「だが、稟議ってやつは、体裁は整えてある。人に見られて、どうしても困るもんじゃない。それに、断言はできんが、全額償却と言う事は、恐らく潰れた企業の稟議だろう。もう相手はいない。大きな問題にはならんだろう」

突然、テレビ横の電話が鳴った。古賀は姿勢を戻し電話を取った。「役員応接室ですが」と名乗るも、相手の声は聞こえてこない。古賀は黙って『手ブラ通話』と記されたボタンを押して受話器を置いた。これで専務と牧原も聞こえるはずだ。

スピーカーから笑い声が漏れてきた。やはり西山だった。

「専務にしては声が若いと思ったよ。古賀だな。スピーカー経由で話ができるように、電話機の設定、切り替えてくれないか」

「もう切り替えてある」

「さすが古賀、できる奴は違う。迅速《じんそく》な対応だな。ただテレビの音がうるさいから、ちょっと絞ってくれないか」

テレビの音量を落とした。スピーカーから西山の声が響いた。

「専務、安心して下さい。別に約束は破ってませんよ。マスコミに送ったのは、真っ白な案件。あなた達が、誰にも責任無し、とした案件ですから」

専務が電話機に向かって言った。

「どういう事だ。デモンストレーションというわけか」

「いや、それなりの意味はあるんですよ。いいですか、一つは、個人所有貸ビルの修築案件です。大手が東京支社として借りてたビルだったんですが、修築の数ヶ月後に、このビルから移転、当然、空いたフロアは埋まりきらず、結果、修築資金は不良化しました」

牧原が電話機に向かい身を乗り出した。

「賃貸市況の判断に甘い所はあったんだろうが、貸ビル案件じゃ、珍しい話じゃない」

西山は「その声は牧原次長」と言って笑った。

「その通りですよ。ただね、不良化のきっかけも当社でしてね。移転先の仲介は邦和信託自身です。賃貸といえど、大手支社全体の移転ですからね、いい商売になる。実は、この移転話、現場じゃ結構有名な話でした。随分前から知ってる奴は知ってたんですよ。貸出の担当、笑ってましたよ。『オイ、あの稟議、通っちまったぜ』ってね。転勤間際の大手柄となったそうです。転勤後に不良化しましたが。どうです、アグレッシブでしょ」

古賀は黙って聞いていた。不動産仲介できる信託銀行では、いかにも、ありそうな話だ。新規貸出に手数料のダブル収益。さぞや担当は点数を稼いだ事だろう。だが、不良化事由は、多分、予想外のテナント転居と市況悪化で済まされている。

「二件目はね、アシスタンス。全国に販売子会社を抱えた中堅化粧品メーカーですよ。売上不足で赤字見込の時に、身内の販社に不良在庫を押しつけ販売した。いわゆる合法粉飾です。けど、不良在庫は売れるはずもなく、子会社の倉庫で寝たまま。長期回収できない売上金は、疑われますからね。親会社保証で子会社の販社が運転資金調達して、形式上、代金支払いした。邦和信託は販売子会社との取引で、新規開拓ポイント一件獲得。いい話でしょ、アシスタンス。顧客支援」

西山は小さく笑って話を続けた。

「旨みのある話で、お互い癖になったんですね。以来、決算間際になると、販社で新規開拓。しまいにゃ、全国津々浦々です。全国支援の旅、水戸黄門ですか。連結決算じゃなかったので騙された、で社内は済んだようですが、一回きりならともかく、何回もやった後で、騙されたは、まずいでしょ。三件目のアートは……いや、もう、やめた。面倒臭い。ファックス取り寄せて、自分で考えて下さい。カラ担保案件ですから」

専務は、一呼吸入れてから、電話機に言った。

「所詮、全部、金融危機前の話だろう。今では、そんな事はありえん」

「けどね、全部、真っ白扱い。どの案件も、原因検討会にもかけられていない。つまり、邦和信託社内では、今でも、やって当然の事ってわけですよ。幾ら組織やルール変えても同じ、当事者の社員は変わらずにいるんですから。ま、同じような事をやりますよ。手を替え品を替え、ね。あんた達は、体裁が整わない物は絶対にやらないけど、体裁さえ整えば見境無くやっちまう。内心、やばいなと思いつつね」

西山は面白そうに笑い「専務だって身に覚えあるでしょう」と言った。

「邦和信託が、何故、金融危機後半になって、やばい金融機関として名前が挙げられるようになったか。世間じゃ、金融再編による資本と業務のねじれ、なんて言ってますが、そんなもんじゃない。あの『落ち穂拾い』は、専務がやったんでしょ」

落ち穂拾い？　古賀は専務の顔を見た。専務は顔色を変えない。いや、正確に言えば、変えないようにしているようだった。

「専務、忘れたなんて言っちゃ駄目ですよ。金融危機の初期、業況不安定先、そう、不良先の二、三歩手前ぐらいかな……グレーな債権を押しつけられましたよね。株主で親筋になる金融グループから。いや、押しつけというと相手に失礼かな。不況で貸出難の時期、あんたは、グレーな債権の肩代わりを、喜んで引き受けた。それで邦和信託の貸出実績を伸ばそうとした。もちろん、社内ではそんな言い方はしない。『グループ連携強化』『グループ全体での債権管理』とかの大義名分を、適宜切り替えながら使って、体裁整えた。けど、予想以上に不況は進んで、結局、グレーもぶっ倒れた。どう考えても、完全な施策ミスですよ。いいですか、『落ち穂拾い』は俺が言い出した言葉じゃない。現場で、ずっと愚痴で言われてた事です。今回、いろいろと資料を見させてもらって、分かりましたよ。単なる愚痴じゃない」

専務は、ソファにもたれかかり、無表情のまま動かない。古賀は苛立ってきた。胸の内で怒鳴る。専務、西山ごときに、何故黙る。何か言え。いつも部下を一喝してるじゃないか。

西山の口調が変わった。

「最初から、真っ黒な資料をばらまけば、あんた達、その対処だけで、頭、飛んじまうだろう。考慮してやったんだ。いいか、俺の手元にあるのは、マスコミに送った生やさしい資料だけじゃない。灰色のも、真っ黒なのも、資料は幾らでもある。俺の要求を一つでも削る事は許さない」

牧原がまた身を乗り出した。

「待ってくれ。君の要求は一朝一夕にできる内容じゃない。対応には時間がいる」

西山は吐き捨てるように「そんな事は分かってる」と言った。

「指示した内容の事柄をやりますと会社声明を出せ。いいか、『占拠犯の要求により』なんて無責任な事は書くな。『占拠犯からの提案を受け、当然に為すべき事と、自ら判断して』だ。専務、代表権者のあんたが自筆で書け。後で責任が明確になる。誰が書いたか分からんワープロ文書は却下だ。書き上がってもファックスは使うな。肉筆を確認しにくい」

専務はゆっくり身を起こした。

「分かった。明日迄に何とかしよう。文案は、朝一番に君に届ける」

「まったく上から下まで馬鹿ばっかりだな。何か、出来の悪い新人相手に喋ってる気分になってきた。ちゃちな文書一つに、半日くれ？　何、勘違いしてんだ」

西山は少し間を置いて「期限は四時だ」と言った。

「書くのに一時間、移動時間を一五分としても、十分間に合う。古賀が一人で文案の現物を持ってこい。早めに来るのは別に構わん。俺の携帯番号が電話機に表示されてるだろう。入店直前に、ここに電話をよこせ。解錠する」

西山は小さく笑った。

「古賀、パンツは替えなくていい。わざわざブリーフを買ったりするなよ。ずっといると、暑過ぎて、こっちが耐えられん。暖房は切った。けど、余計な事は考えん事だな」

牧原が「パンツ？」と言って専務と顔を見合わせる。

西山は「嫌なら来る事はない」と続けた。

「ただ、四時を過ぎた時点で、手持ちの資料一切をばらまく。今度は、白、灰色、真っ黒、全部だ」

突然、音が途切れる。電話は切れた。

専務が大きく息をついた。

「古賀君、その電話で秘書に連絡してくれ。便箋《びんせん》がいる」

「専務、西山の言うなりなんて」

「四時で会社を終わりにするわけには、いかんのだ」

専務は、背広から万年筆を取り出し、牧原に言った。

「役員会だ。今すぐ臨時招集してくれ。都内にいる役員で定足数は足りるが、つかまるなら遠隔地は電話参加させろ。無論、事前の招集通知はどうしたなんて言わせるな」

牧原が慌ててソファから立ち上がる。

古賀は受話器を手に取り、担当秘書の番号を押した。頭の中で西山の言葉が駆け巡る。上から下まで馬鹿ばっかりだな。古賀は唇を嚙んだ。上はいい。けど、下というのは一体、誰なんだ。

## 12

神田支店　二階フロア　午後3時50分

古賀は目の前の光景をぼんやり見ていた。

西山が、文案を手にカウンターに腰掛け、電話に怒鳴り散らしている。電話の相手は専務だ。もう自分の方など見向きもしない。

「何ですか、この『資金流出期』という言葉は？　馬鹿言わないで下さい。そういうのを、世間では取付騒ぎって言うんです。それに作業項目を書けと言ってるのに、何で抽象的な表現ばかりするんですか。書き直し？　当たり前でしょ。ほんと、あんたも出来が悪いな」

文案を持って支店に入ったのは、一〇分程前の事だ。文面について押し問答を繰り返していると、西山は突然「専務のおっさんと直接やる」と言いだし、カウンターの電話を手に取った。それから、ずっとこんな調子で、専務とやり合っている。事情が分からねば、課長と新人の会話だと思うだろう。無論、課長が西山で、新人が専務だ。

西山は「役立たずが」と舌打ちし、受話器を叩きつけるように置く。専務の文案をくしゃくしゃに丸め、床に放った。

「抽象語並べりゃあ、それでいいと思ってやがる。上から下まで馬鹿ばっかりだな」

古賀は拳を握った。ああ、下も馬鹿だよ、と内心で返す。声を絞り出した。

「西山、もう、いいだろう。自分の言葉で、会社が右往左往するのを見て、気も済んだろう。もう、やめろ。十分だろ」

西山はゆっくりとこちらを向き、顔を大きくしかめた。

「何だ、まだ、いたのか、古賀」

顔が引き攣る。

「まあ、いい。古賀、早く戻って取ってこい。専務のおっさん、書き直すそうだから」

西山ごときに命令される覚えはない。古賀は一言、西山に返した。

「いや、戻らない」

「何、すねてんだ。まあ、いい。誰か来るだろ。来る時は、お前みたいに、ひょろひょろとして柔《やわ》い奴にしろ、と言うさ」

「もうお前に社内で同調する奴はいない。テレビの観測報道を見て、同調者も大半、職場に戻ったそうだ。西山、お前はもう一人だ」

「観測じゃない。わざと俺が流した。マスコミの連中は、犯人からと確定できなかったから、観測として報道してるだけだ」

西山はカウンターから下りた。傍らに立て掛けていたパターを手に取り、先端をこちらに向ける。宣言するかのように「最初から俺は一人だ」と言った。

「同調なんて、その程度でいい。幾ら騒いでも、己に矢が飛んでくると日和《ひよ》るのが、この会社の連中だ。計画も詰めの段階だから、邪魔な役者はいらん。お前達と俺の一対一でいい。それに、こうしてやらないと、問題が多過ぎて、お前達、俺の要求まで頭が回らんだろう」

「何て言おうが、お前の要求が通るなんてありえない。すぐに、ここから強制排除される。それで全部終わりだ」

「それで結構」

西山はパターを下ろし、カウンターの方を向いた。カウンターの柱脇にノートパソコンが置いてある。西山は、パソコン背面から何かを抜き取り、手に取った。

「ほんと便利な世の中だよな。USBメモリ。こんな親指程の大きさで二ギガもある。文書ファイルなんて大した容量じゃない。この中に邦和信託の恥部が全部、軽く入っちまう。一つだけだが、音声ファイルもある。会議用レコーダーで録《と》った生臭い音声だよ。専務の落ち穂拾いの現場。容量食うが、無茶苦茶面白いぜ。聞いてみろ。笑える。いや、凍りつくかな」

西山は、メモリをパソコンに戻し、向き直った。

「排除したけりゃ、すりゃいい。全部はともかく、主な暴露資料は数秒もあれば、飛んでいく。大騒ぎには、それだけでも十分。突入ね、大歓迎だよ。さっきカーテンの隙間から外を覗《のぞ》いたらな、向かいに装甲車が停まっていた。ようやく機動隊のお出ましってわけだ。あいつら、先走って無茶してくれんかな。もっと大騒ぎになる。それも面白い」

古賀は苛立った。西山は全部、まるで他人事のように話している。イケシャアシャアとは、この事だ。古賀は一歩踏み出して怒鳴った。

「いい加減にしろっ、西山」

西山はパターを振り上げ「それ以上、近づくな」と強い口調で言った。そして、胸元から小さな箱を取り出した。

「お前と違って、俺はもともと理系枠の採用だ。大学ではちょいと有機化学をかじってる。でかい物は無理だが、自爆するくらいの物は作れる。近くに寄れば、お前も巻き添えってわけだ」

西山はパターを床に投げる。これ見よがしに小箱を振った。

「どうだ、古賀、怖いか」

「ああ、怖い。怖過ぎる。けど今、お前は、そう言いながら、平気な顔してる。という事は、この状態では爆発なんてせん、という事だ」

「さあな、突入してくりゃ、分かるさ。よくぞ、おいでなさいました、ってな」

西山は胸元に小箱を仕舞い、面白くて仕方ないかのように身を揺すった。

古賀は奥歯を嚙みしめた。苛立つ。額の血管までが、ひくひく動く。何に苛立つ。西山にか、俺自身にか。全部だ、何もかもに俺は苛つく。

「西山、何が面白い。要求だって？　何を偉そうに。社員総出で懺悔《ざんげ》しろってか。馬鹿らしい」

「総出で懺悔？　別に俺はそんな事は言っとらんぜ」

「全員、懺悔してたら、誰が再建やるんだ。お前が言ってる事は逃避だ。全部、現実逃避だ」

「お前に、そんな事言われるとはな。古賀、自分が会社を動かしている気にでもなったか。けど、何一つ分かってない。一つ例を出そうか。邦和信託の危機の頃は、もう金融再生の法制度はできていた。けど、旧態依然としたグループ支援で片がついた。何故か言えるか」

古賀は黙って考えを巡らせる。グループ力か。いや、逆だ。弱いから、やり玉に挙がったのだ。

「答えが出てこんのだろう。古賀、電話で『落ち穂拾い』の事、言ったろうが。親グループの連中がうちにグレー債権を押しつけたって。連中はそれで立ち直った。第三者が邦和信託の経営に入ると、やばいんだよ。不良債権ツケ回しって事が、ばればれになるから。世間も市場も一番嫌う事だからな。ばれりゃ、また実態以上に叩かれる。そんなつもりじゃなかった、なんて通らん」

西山は笑った。

「こんな簡単な事も分からないのに、一丁前に経営を論じてる。そんな時のツラ、自分で見た事あるか。ごまかしのために抽象的な言葉を口にするだろ、その途端、いつも表情が消えるんだよ。無意識なんだろうがな。けど、突っ込まれると、すぐ歪む。無知がばれれば、顔、真っ赤。滑稽だよ。おまけに惨めだ」

古賀は唇を噛んだ。握った拳が震える。俺より西山の方が、何故、分かる。俺がヘイコラしている専務に、何故、タメ口をきく。俺が企画一つ通すのさえ苦労しているのに、何故、言葉一つで会社を右往左往させる。気に入らない、何もかも気に入らない。

「じゃあ、西山、俺が業務別損益で徹夜している時、お前は何をしてた。自分のルーティン一つ満足にやらず、文句言ってただけだろうが。お前こそ、自分のツラ、見てみろ。見苦しいんだよ、お前は。俺は自己犠牲になろうが、一所懸命にやった。愚痴ってただけのお前に、何か言えるのか」

「一所懸命か。いい話だな。それは尊敬しとくよ」

西山は少し間を置いて付け加えた。

「が、一所懸命、会社を悪くした。それだけだろ。寝てた方が良かったかもな」

顔が熱い。腹の奥底から何か湧き上がってくる。もう抑えられない。

「なら、西山、お前だってそうだ。いや、ずっと、ひどい。お前がこだわってる事、言ってやる。小嶋化成だろうが。あの時、お前は何をした。結果として、何が起こったか考えてみろ」

初めて会話に間が開いた。

「西山、お前は寝てた方が良かったんだよ。俺が担当なら、適当な所で手を引いていた。あんな目茶苦茶にはしていない。お前は余計な事をした。おかげで社長は身動きとれなくなった。川崎だって、そうだ。お前が追い詰めたのも同然だ。偉そうな事ばかり言って、あいつに負い目は無いのか」

「負い目が無かったわけじゃないさ。けど、最近、それじゃいかんと考え直してな。それじゃ、却って川崎が泣くだろ。川崎と俺は考え方が似通っていたからな。いわば、俺はあいつの意をくんで、ここにいるんだ」

「分かったような事、言うな。お前に川崎の何が分かる。お前なんかに川崎の心中が分かるか」

西山は大きく顔をしかめた。

「分かる、分からないはともかく、それを、お前に言われる筋合いは無い。川崎とは、性格は逆だったけど、お前達よりずっと通じるものがあった。俺達だけが、感じるものがあったんだよ。あいつだけだ。自分の頭で考えてたのは」

「ふざけんな。適当な事ばかり言いやがって。通じるだと？　感じるだと？　川崎に代わって俺が言ってやる。あるか、そんなもん。付き合いが一番長かったのは俺だ。断言してやる」

「よくそこまで言えるもんだな。なら、古賀、言えるか。川崎の最後の言葉は何だった？『薬指だけじゃない。左手全体が痺れる』だ。俺は何の事か分からなかった。太田だってそうだろう」

古賀は黙った。西山は続けた。

「あの後も、ずっと、お前は黙ってた。どういう意味か誰にも言わなかった。俺が知ったのは、警察からだよ。警察経由でお前の供述を聞いて、初めて意味が分かった。あれは、お前だけに分かる言葉だ。いわば、あいつは最後にお前にしがみついたんだ」

一瞬、川崎が指先を見つめる光景が頭をよぎった。

「あいつはよく言ってたよ。古賀はブレないからうらやましい、ってな。けど、お前は、どちらかと言うと、距離を置こうとしていた。どこか鬱陶しがってたんじゃないか。川崎の性格も心中も一番分かってて、結局、何もしなかった。そういう事が周囲に分かってしまうのが嫌で、お前は、誰にも言わず黙ってたんだ」

「西山、偉そうに、分かったような事を言うな」

「じゃあ、ずっと黙ってたのは何故だ。少なくとも、お前自身、どこか後ろめたい所があるんだろう。違うか」

「うるさいんだよ。表面だけ見て物を言うな、って言ってんだよ。お前なんかに、何が分かるっ」

息が荒くなる。古賀は声を張り上げた。

「お前なんかに分からない事は、腐るほどある。お前なんかに見えない事は、山ほどある。お前は表側だけ見て、喚いてんだよ」

古賀はカウンターの椅子を蹴った。仁王立ちになる。

「うるさいんだよ、お前は。何も分からんくせにっ」

「ああ、分からんさ。分からん事だらけだ。この会社の連中はな。お前も含め馬鹿ばかりだ」

西山はカウンターを手のひらで叩いた。

「だから俺はここにいるんだ。お前は何だ。何やらかんやら、理由つけて、また馬鹿踊りでもするか」

「ああ、踊れと言われれば、幾らでも踊ってやる。バブルだろうが、リストラだろうが、踊ってやる。だがな、お前なんかのために踊るのだけは、絶対に嫌だ」

「格好つけるな。何が踊るだ。元々、踊らされてるだけだ。踊らされているのに、その認識すら無い。お前は馬鹿なんだよ。何も分かってないのに、いつも分かってる振りをする」

全身が震える。古賀は歯を食いしばった。分かってる振りをしてるのは、お前だろうが。

西山は、小さくケッと呟き、言葉を続けた。

「古賀、お前の馬鹿ぶりには、誰だって呆れる。川崎だって呆れてるよ。あいつに何て言う。女だけは引き継いどきました、とでも言うか。満足して思考も停止しちゃいました、ってな」

頭に血が上る。古賀は怒鳴った。

「決裂だ」

頭の中が熱い。体中を血が駆け巡る。

「交渉なんか、やめだ。会社は潰れたって、お前の言うようにはならない。俺が決裂させてやる。それでお前も終わりだ。不細工に捕まれ。惨めに捕まれ。手をついて謝ろうが何しようが、もう終わりだ」

「ああ、結構。決裂で結構。誰が手なんかつくか。大体、お前の、その訳知り顔ってのは、むかつくんだ」

「お前の面《つら》なんか見たい奴がいるか。自信過剰のクソ面《つら》が」

脇の椅子をもう一度蹴飛ばす。古賀は西山に背を向けた。

13

神田支店前大通り　午後4時15分

古賀は支店を出てから、早足で歩きつつ、心の中でずっと同じ言葉を繰り返していた。決裂だ、決裂。誰が何と言おうと決裂。どうせ、交渉現場の出来事は、俺にしか分からない。その理由など、何とでも言ってやる。

支店前の大通りに出た。周囲は入店前と一変していた。

道の先、交差点の手前にはロープが張られ、パトカーが二台、各車線を塞ぐように停まっている。ロープの向こう側には野次馬の群れ。数人の警官がそれを押し留めている。群衆の間で閃光が走る。報道関係者だろうか。時折、遠くで警笛が響く。信号機が消えているから、手信号で交通整理しているのかもしれない。道路の逆方向も同じ光景だ。どうやら支店前の一画は封鎖されたらしい。

封鎖された大通りの向かい側には、装甲車が二台。その前後に、投光器らしき機材を搭載したワンボックス、それに金網窓の大型車両。それ以外は店舗前を除き、パトカー等で埋め尽くされている。歩道には、ほぼ等間隔に、機動服を着た男が数名。装甲車の周囲でジュラルミンの盾が多数見え隠れする。車中待機の隊員もあわせれば、正面だけで三、四〇人はいるだろう。パトカー周辺の警官も含めると、一体、何人がここにいるのか。

「おい、古賀、ここだ」

声の方を向いた。歩道の脇に三台、邦和信託の営業車が停まっていた。乗っているのは支店支援室の面々だ。その一台から支援室長の小堺が出てきた。傍らに寄ると、室長は車のドアを開けた。

「乗っていけ。お前を乗せて往復しろ、と言われてる。何か取りに戻る物があるんだろう」

「ありません。決裂です。決裂しました」

室長は怪訝そうな顔をした。が、すぐに険しい顔をして「馬鹿言え」と言った。

「こちらが要求を拒否したとは聞いてない。要求を聞くだけで交渉決裂なんて事は無いだろう」

「詳しい事はともかく、終わりです。終わらせました」

「終わらせた？」

室長に肩をつかまれる。車に押しつけられた。

「じゃあ、古賀、もう一回支店に戻れ。支店内で何があったか知らんが、ゴーサインが出るまで引き延ばし。分かってるだろう」

室長は胸元から携帯電話を取り出した。

「対策メンバー全員に、西山の番号は徹底されてる。どこにかかってくるか分からんから。こいつにも番号は入ってる。これで西山にかけろ。もう一回やるって」

「室長の部下じゃないです。指示は受けられません」

「この状況下じゃ、そんな事は、どうでもいい。今は分刻みの瀬戸際なんだ。頭を冷やせ、馬鹿」

室長は「さあ」と言いながら、携帯を胸に押しつけてきた。

体が揺れる。冷めかけていた頭がまた熱くなった。馬鹿に馬鹿と言われたくない。

「行くのは誰だと思ってんだっ」

古賀は身を起こして、室長の手を払った。

「爆薬抱えてる馬鹿の前で、ずっと体を張ってたんだ。それを、安全圏にいた奴が好き勝手言いやがって。うるさいんだよ。何が身の安全を考えるだ。考えるなら、行けなんて言うな」

「バクヤク？」

室長の顔が引き攣った。

その時、古賀の携帯が鳴った。胸元の携帯を取る。牧原だった。

「今、どうなってる。こっちは何とかなりそうだ。そろそろ切り上げて出てこい」

「今、出たところです。決裂です。突っ込むなら、さっさと突っ込んで下さい」

古賀はそれだけ言って電話を切った。牧原次長、あんたは俺の上司だ。だから指示には従う。だが、引き受けた仕事はもう済んだ。

古賀は早足で歩きだした。一刻も早くこの雑踏から抜け出したい。ただの会計担当がここまで体を張った。これ以上できるものか。指示違反で処分したければ、勝手にすればいい。が、犯人交渉担当なんて業務は、会社の規定にあるのか。

いきなり頭頂部に痛みが走った。古賀は目をつむって呻いた。

誰かが髪をつかんでいる。

髪を引っ張られ、頭全体を押さえ込まれた。否応なく中腰になった途端、誰かの腕が頭に巻きつく。巻きついた腕が強く締まった。

「うるさいのは、お前の方やで。冷静にならんかい。でかい声出して、道の先の野次馬まで聞こえるやろうが」

太田の声だ。

「暴れるな。首の筋、痛める。ちと歩くで。このまま、黙ってついてこい」

太田はそのまま歩き始めた。中腰の頭上で太田の声が響く。

「恥ずかしいから黙っとったけど、俺はプロレス研出身でな。ヘッドロックが得意技。地味な技しか無《の》うて、試合には出してもらえなんだ。けど一級品なんよ、これは」

古賀は中腰の姿勢のまま足を進めた。道路の白い縞《しま》が過ぎていく。どうやら大通りを反対側へと渡っているらしい。古賀は、地面に顔を向けたまま、太田の腕を叩いた。

「太田、どこへ行く。一体、どこへ行く気だ、太田」

「ほんまに、うるさい奴やな。最高の観客席に連れていったろうとしとるんや。ちょっとは静かにしてんか」

太田は歩道に入って数歩の所で止まった。

古賀は中腰のまま鼻を鳴らした。革の匂い。神田本革堂だ。

「親父さん、到着や。連れてきたで」

太田は怒鳴るように言って、腕を解く。古賀は姿勢を戻した。太田は、自分一人、店に入り、店内階段へ向かっていく。階段から親父さんが顔を見せた。

「早くしな。もう時間無いぜ。さっき、どっかの記者が住民を装ってロープ内に入ろうとして、警察と大揉めだ。あのビルのテナントにも、一時退去の要請が出たって話だ。窓から見てるだけでも分かる。店の周辺、異様な雰囲気だ」

そう言うと親父さんは顔を引っ込めた。事務所に戻ったらしい。太田は二階へと上がっていく。古賀は慌てて太田を追って階段を上がった。事務所の手前で、ようやく太田の背をつかんだ。

「どうする気だ。観客席って。逮捕の瞬間でも撮る気か」

太田は、事務室のドア前で振り向き「この、どあほ」と言った。

「あほの多い年次やで、この同期は。同期のカタは同期でつけたらんと、どうすんねん。そうしてやらんと、川崎も浮かばれん。行くで」

太田は事務室の扉を開け中に入る。古賀は室内を見やって足を止めた。

「お前、こんな事、勝手に」

「あほらし。誰の許可がいるねん。こんな事に警察も会社もあるかいな。後は野となれ山となれ」

室内から親父さんの声が飛んできた。

「早くしなって、二人とも。機動隊の連中、もう殺気立ってる」

古賀は唾を飲んだ。

14

神田支店　二階フロア　午後4時20分

フロアで一人、西山は大きく息をついた。

どうも同期には、人を感情的にさせる何かがあるらしい。もっと冷静に煽り、決裂させるつもりだったが、いつの間にか、自分まで熱くなってしまった。だが、結果は変わっていない。計画通りの決裂、邦和信託側からの打ち切りだ。

西山はパソコンを抱えて床に座った。通信用に用意した携帯をつなぐ。

条件は全て整った。こちらからの声明はこうだ。かくかくしかじかの改革要求を、邦和信託はろくに検討もせず、一方的に拒否した。当然、邦和信託支持に傾くような事柄はわざと書かない。周囲は呆れるだろう。まったく己を鑑みない会社だな、と。そこへ暴露資料が飛んでくる。呆れは非難に変わる。何やってるんだ、この会社は、と。世間も市場も総叩き、会社の支持者は誰もいなくなる。邦和信託は暴露内容の一つ一つを説明せざるをえなくなる。

西山は手元を見やった。パソコン画面で、タイマー表示の数字が動く。数字は刻一刻減っていく。

ほくそ笑んだ。六年間の総決算への秒読みプログラム。ラスト一〇秒には、電子音が毎秒を刻むというオマケ付き。この瞬間のために、わざわざ作ってみた。大した機能は無い。時間がくれば他のプログラムを起動させるだけだ。だが、その影響は大きい。主要な資料が次々、メールソフトで各地へと飛んでいき、ファイル交換ソフトでネット上への公開が始まる。出てしまった資料は、もう誰にも止められない。

画面に残された時間が出ている。総決算まで後八分三〇秒。

西山はパソコンを床に置いた。大きく息をついて天井を見上げた。

「川崎ィ、俺は所詮、この程度だ。お前なら、どうやる」

考え方が同じでも、川崎の対応は違っていた。現実に苦しみつつも、あいつは常に妥協点を探していた。ただ、肝心の妥協点が見つかる前に、己の過去に溺れてしまった。

後七分。何かが倒れる物音がした。

西山は音の方を見やった。椅子が床に倒れている。古賀が蹴って傾いた椅子だ。

「古賀ァ、お前も多少は分かるんだな」

古賀は珍しく分かっていた。小嶋化成の件の原因は、俺自身の小賢《こざか》しさにあったと。だが「捕まれ」とも言った。その言葉を聞いて思う事は一つ、やはり、あいつは馬鹿だ。肝心な事が分かっていない。

西山は宙に向かって薄ら笑いを浮かべた。古賀、まだ分からないのか。

「俺は最初から、断罪されるために、ここにいるんだ」

後五分。胸元の携帯が鳴った。交渉再開を求める電話だろうか。どうせ時間稼ぎだろう、と思いつつ、西山は携帯に出た。

「太田や。お前もつまらん事を長々やっとるな。こっちも毎日、電話するのは疲れるわ」

苦笑した。昨夕の電話は太田の発案らしい。古賀にしては凝った事をやると思った。

「西山、どうせ、お前の事や。最後に派手に一発とか考えとるんやろう。その前にツラ、見せえ。古賀には、川崎の意をくんで、なんてゴタク並べたそうやないか。ほな、同期の俺にも顔見せんかい。こっちは真向かい、神田本革堂の二階や」

パソコンの画面を一瞥する。後四分三〇秒。西山は鼻で笑った。

「また神田本革堂か。あの親父も好きだな」

机で作ったバリケードの間を進んだ。人質をとっての籠城《ろうじょう》ではない。狙撃される事もあるまい。それをするくらいなら、とっくに強行突入している。まあ、撃ちたければ撃ってもいい。その方がお互い手間が省けるというものだ。

西山は窓際に立った。最後にもう一度、同期の遊びに付き合うのも、悪くはない。笑いをこらえながら、携帯に「いくぜ」と呟く。カーテンを握り、一気に引いた。

「ご開帳だ、太田」

向かいの神田本革堂は夕日に包まれていた。照り返しがまぶしい。窓際に太田がいた。数歩離れて横に古賀。少し奥に神田本革堂の親父。そして、三人の真ん中に、もう一人。

血の気が引く——康子。

「お前、どこにいた。今迄、どこにいたっ」

窓際の康子は、よろつきながら立ち上がり、太田から携帯を受け取る。その携帯を両手で包んで胸に抱え込んだ。

引いた血の気が一気に戻ってきた。西山は手元の携帯に怒鳴った。

「聞こえるか、康子。携帯に出ろ」

康子は、携帯を胸に、祈るような姿勢のまま動かない。

西山は携帯を床に投げ捨てた。窓の鍵に手を伸ばした。固い鍵から錆が窓枠に落ちる。手が震えて、上手く解錠できない。

指先に血が滲む。錆の匂いが鼻をつく。

ようやく窓は鈍い音を立てて、通りへと開いた。空気がうねる。どよめきか、怒号か。周囲はパトカーと装甲車ばかりだ。十数人の機動隊が靴音を響かせて、一斉に走り来る。道向かいでは太田が窓枠に手をやっている。本革堂の窓も開いた。

西山は窓から身を乗り出した。

「見ろっ、この光景。全部、終わって片がつく」

夕日を浴びて康子は立っていた。西山は声を振り絞った。

「お前とバアちゃんの思いを無にして、親父さんを追い詰めた、そんな奴らは断罪だ。当然、俺だって断罪だ」

康子は微かに動いた。だが声は返ってこない。

「だから、お前がいなくなる事はないんだ。堂々としてればいい。もうすぐ、お前を苦しめてきたものは全部無くなる。分かるか」

康子の動きが次第に大きくなる。康子は頭を横に振っていた。

西山は拳でビルの壁面を叩いた。

「そうじゃないだろうが。怒鳴れ。非難しろ。一番、苦しんできたお前は、何を言ってもいい」

康子は大きく頭を振る。

「康子、俺をののしれ。笑え。嘲《あざけ》れっ」

康子は狂ったように頭を振っている。

「バアちゃんの思い、親父さんの思い、お前の思い、全部晴れるように……晴れるようにしろ、と言ってんだ」

声が嗄《か》れて詰まる。西山は荒い息を繰り返しつつ、胸の内で訴えた。条件は全て整えてある。お前は叫ぶだけでいい。

康子は携帯を窓枠に置いた。空いた手を康子は顔に持っていく。手をゆっくり動かした。

「お前、何を」

手が何度も上下に動く。西山はかすれ声で呟いた。

「そんなのじゃ……分からんだろうが」

大仰で不器用な仕草だ、と思った。だが見間違う事はない。康子はいつも笑いながら真似《まね》をした。俺が親父さんから引き継いだ癖、鼻の下をかく。二人の間だけで分かる仕草だった。だが、あの時、康子は、それを目にする事さえ拒んだ。そして、いなくなった。

「こんな時に、一体、何をやりだすんだ」

体が震える。西山は拳を握りしめた。この六年の思いが胸に蘇《よみがえ》る。

六年前、誰もが、いなくなった。俺はただ一人、中途半端に取り残された。非難一つされない。謝罪一つできない。俺は会社への反発を繰り返し、それを支えに過ごしてきた。そして、最後に会社を道連れに自滅。これは中途半端な俺がようやく見つけた到達点と言っていい。なのに、お前は、今になって現れて、そんな事をする。

窓際の康子は手を止めた。手を下ろして、ただこちらを見つめる。身動き一つしない。

西山は黙って目を閉じ、窓に背を向けた。深呼吸を繰り返した。過去と今、康子の姿が脳裏に重なる。あんな風に俺を見る時、あいつが言う言葉は昔から決まっている――もう、いいよ、良ちゃん。

吐く息が震えた。康子、お前がそんな事するなら……。

「ここで、こんな事をしている俺は……一体、何なんだ」

心底、惨めな思いをしたあいつだけが、本当にものが言える。だが、あいつは黙って首を振る。踏みつける側の人間だった俺が騒ぐなど、おこがましいのか。

西山は唇を噛んだ。血が口に広がる。目を開けて薄暗い床を見据えた。パソコン画面の数字が減っていく。後三五秒。机のバリケードから駆け出た。パソコンの前に屈み込む。後二五秒。パソコンに手を伸ばしかけて、止めた。

あんな仕草一つ、俺は何を狼狽している。

パソコン画面で淡い影が動く。窓際の明かりを受けて、己が映り込んでいる。背に夕暮れのバリケード、宙に惑う手。全ては曖昧に歪み、どこか遠い。離人感とはこの事だろうか。

「ツラ見てみろ……か」

短い電子音が響く。後一〇秒。考える時間は、まだ一〇秒もある。

電子音が秒を刻む。数字が動く。自分はこの会社でずっと戦ってきた。他者批判を繰り返して自己正当化する馬鹿と、だ。そのために六年を費やした。だが……。六秒、五秒。

西山は笑いだした。そして同時に震えた。康子、その馬鹿とは俺の事か。

「くそっ」

指先を押し込む。後二秒。長い電子音がフロアに響き渡る。画面は止まった。

西山は床に腰を落とした。

昨日、今日と、自分がやった事は間違っていない。悔しいが、あいつの目の前では、どうしてもできない事もある。あんな馬鹿どもの同類となるわけにはいかない。所詮、俺はこの程度の男。最後の最後まで中途半端、それもいい。

　西山は立ち上がり、窓の方を一瞥した。それに、康子が目の前にいるなら、この計画での一番の目的は達成できる。己の始末は己がつける。計画の本旨に何ら変更は無い。

　西山はフロア隅の制御盤に足を向けた。制御盤の蓋を開ける。「玄関中央シャッター」と書かれたレバーを上げた。床下で低音が響く。もう一度窓際に寄り、嗄れた喉を振り絞った。

「康子、見てろ。けじめだ」

　康子はよろけ、窓枠に寄りかかる。古賀が窓際から離れた。ビルの周囲から機動服の連中が一斉に玄関へと走り来る。

　西山はフロア中央に戻った。ここなら向かいからでも見える。西山は仁王立ちに立った。何故か笑みが浮かんできた。川崎、俺はやっぱり馬鹿だ。妥協点を見つけられない。古賀、お前は正真正銘の馬鹿だ。いずれ分かる時も来るさ。太田、お前は独特の馬鹿だ。余計な事には文句もあるが、少しだけ感謝しておく。

　店内階段の奥から靴音が響いてくる。

　昔とった杵柄《きねづか》で、野球、剣道ときた。後は……大学時代やったラグビーでいくか。西山は姿勢を低く保ちつつ、階段口を見やった。遅い。シャッターを開けて、もう何秒経った。警察の連中は、ちゃんと訓練してるのか。

階段口にジュラルミンの盾が見えた。機動服の連中が、一気にフロアに溢れる。と同時に、階段から声が飛んできた。

「爆薬、胸元の箱っ」

取り巻いた盾が一斉に距離を置く。

古賀の声のようだった。西山は苦笑いしつつ姿勢を起こし、胸元から小箱を取り出した。

盾との距離が更に広がる。

小箱の蓋を取った。中の物を一口嚙んで口に入れる。

「言ったろうが。いざという時に食うって」

昼の食べ残し、あんパン。あんパンは、どうやったら爆発するんだろうか。それにしても、古賀、お前は本当に分かりやすい奴だ、まったく。

取り巻く表情が啞然《あぜん》となっている。

西山は内心で付け加えた。サラリーマン犯罪者ってえのは、いろいろ大変なんだ。日常業務の合間をぬって、犯行準備しなければならないんだ。爆弾なんて面倒くさい物、作る暇あるか。

あんパンを咥え直した。咥えたまま、もう一度姿勢を低く構え、盾を見やる。レディ。目標を見定める。真ん中のやつ。セット。床を蹴る——ゴォッ。

西山はジュラルミンの列に突っ込んでいった。

## 15

神田支店　二階フロア　午後4時40分

古賀は、フロアで立ち尽くしていた。目の前の光景が信じられない。

数日前迄、ただの会社員だった男の上に、機動隊員達が積み重なっていく。もう西山の姿は見えない。「午後四時四〇分、犯人逮捕、犯人逮捕」と無線の声が飛び交う。

階段口からは、支店支援室の社員達が次々に現れる。彼らは、犯人の逮捕など、どうでもいいらしい、ひたすらカウンターへと走っていく。手には大きな布袋だ。カウンター内に入ると、そこら中の書類を布袋に落とし込み始めた。何が何でも人目の無い所へ、という事らしい。邦和信託にとっては、警察も第三者である事に違いはない。

「おい、床のやつ。それもだ」

階段口で支援室長が床を指差していた。床にパソコンがある。交渉時の会話がよぎった。西山はメモリをちらつかせ「暴露資料は数秒で飛んでいく」と言っていた。「邦和信託の恥部が全部入る」とも言っていた。

古賀はパソコンに駆け寄った。室長に背を向けて、床からパソコンを取り上げる。そっとメモリを抜き、向き直った。室長の前へ足を進め、パソコンを差し出した。

室長はパソコンを受け取りつつ、戸惑いの表情を浮かべた。

「古賀、さっきは悪かった。爆薬とか、そういう方面まで気が回らんかったもんだから」

「こちらこそ、冷静さを失いまして、申し訳ありませんでした」

頭の片隅で、何て会話をしてるんだろう、と思った。大騒動の犯罪現場だというのに、時候の挨拶みたいではないか。

「暴れるな。しゃんと立て」

声の方を見やった。機動隊員の中で、西山がよろけつつ立ち上がる。古賀は唾を飲んだ。

あいつ、今、笑った。

西山の視線はメモリを隠し持った手に向かっている。心臓の鼓動が早くなる。古賀は、何気ない仕草に見せつつ、手を背広にやった。メモリをポケットの中に落とし込んだ。

西山はまた微かに笑った。機動隊員が怒鳴る。

「歩け」

西山は引き立てられて階段へ向かっていく。階段口の手前で、西山は突然「古賀」と叫んだ。

「土産《みやげ》だ。好きにしろっ」

西山の脇をつかんでいた隊員が「静かにしろ」と怒鳴る。一行は店内階段を下りていく。

室長が怪訝そうに言った。

「土産？　何の事だ、古賀」

古賀はわざと大きく首を傾げた。

「さあ、こういう状況ですから。西山も気が動転してるんだと思います。交渉時点で既にかなり興奮してましたから」

隊員達は、重装備の物々しい音を響かせ、次々に階段口に消えていく。室長はそれを見やりながら、ため息をついた。

「西山も、電話じゃ、随分、偉そうな事を言ってたが。まあ、所詮、そんなもんかもしれんな。冷静になれば、どうして、あんな事したのか、とか喚いたりするんだろう、きっと」

肯いて「ええ」と軽く同意しつつ、ポケットに手をやる。古賀は中の物を握りしめた。

## 16

邦和信託銀行本部ビル　屋上　午後8時5分

古賀は屋上への鉄扉を開けた。夜風が吹き寄せてくる。

案の定、太田は屋上にいた。一人、動力室の前に座り、煙草を吸っていた。丁度、そこが、風を防ぐ位置になるらしい。古賀は屋上に足を下ろした。足音で気づいたのか、太田が振り返った。

「ここは俺の隠れ家中の隠れ家なんや。勝手に来てもろては困るな」

「研修資料室にいないから、人事部の人達に訊いた。鍵が無いから、多分、ここだろうって」

屋上には動力室前の蛍光灯しか明かりが無い。古賀は薄闇の中を動力室へと進み、太田の隣に腰を下ろした。太田は「なんや、顔が赤いな」と言った。

「珍しく自分から飲んだか」

「ああ、ちょっとだけ、な。就業時間は……もう終わった」

太田は鼻で軽く笑った。手の煙草を一口吸った。

「なあ、こんな屋上の鍵、何で人事部が持っとるか、理由知っとるか」

「新人研修で出来の悪い奴を、ここに呼んで、発声練習させるんだろう。『いらっしゃいませ』とか『邦和信託ファイト』とか。業務フロアじゃ、仕事の邪魔になる。まあ、体育会のノリだな」

太田は残念そうな顔をした。

「何や、知っとるのか」

「俺達もやらされたろ、新人の時。出来が悪かったからな。確か四人共いた。あの時、お前、発声の後で『ああ、あほらし』と言って、もう一回、やらされてた」

太田は「しょうもない事、覚えとる奴ちゃ」と呟く。煙草を揉み消した。

「それより、太田、どうやって分かった。どうやって調べた」

「調べた？」

「ああ、小嶋康子の居所だ。西山だって探したけど、分からなかったんだろう。調査事務所でも使ったか」

「人聞きの悪い事、言うな。第一、そんな時間あるわけない。なに、いろいろ、あるんよ」

太田は新しい煙草に火をつけた。

「古賀、邦和信託の年金基金の規約、隅々まで読んだ事あるか」

「基金？　いや、無い」

「うちの基金には、国の年金の一部を代行する部分がある。中途退職すると大抵は移管してしまうんやけど、うちでは基金からの支給なんよ。年数の要件はいるけど。あの子は高卒入社でギリギリ条件を満たしとってな」

古賀は黙って聞いていた。話の意図が見えてこない。

「辞めた会社の事なんか、とうに忘れとるじいちゃん、ばあちゃんの年になって、いきなり思い出させられるんや。金額は大差なくとも、支給者は国と違うて、あくまで基金やから。そんな事もあって、事務局では、住所届を出しとくように奨めててな。まあ、面倒やから直前まで放っておく奴も多いんやが」

太田はため息をついて「他にもあるで」と言った。

「例えば、退職の初年度は、普通、国保では健康保険料が馬鹿高くて、生活が苦しくなる。それで、健保組合じゃ、一応、退職者に任意継続の届出を説明しとって」

太田は説明を途中でやめる。「細かい事はええか」と言って、夜空を見つめた。

「それに、再就職先によっては、前職の在籍確認したがる所だってあるやろ。あの子みたいに、身寄りが無いと、特にな。それ迄の職歴が信用の証《あかし》そのものやから。ちなみに、どれが『当たり』やったかなんて、俺に訊くなよ。どれも人事の裏の手なんやから」

太田は宙に向かって、ゆっくり煙を吐いた。

「まあ、会社にまともに何年か勤めると……逃げとうても、なかなか逃げられんのよ」

煙が星空に揺れながら舞い上がっていく。

「けど、太田、何で、あの子を呼んだ。何で、そこまでしたんだ」

「小嶋化成の件に直接関わって、残ってるのは、もう、あの二人だけや。その二人が、顔合わせれば、何か出るやろ。カッとなって突っ走るか、自分のやっとる事が、あほらしくなるか。会社にも警察にも黙ってやれる事やし、まあ、探偵ごっこの仕上げやな」

「簡単に言うけど、西山が逆上する事、考えなかったのか。何で連れてきたって。その方が可能性は高い」

太田は宙を舞う煙を見ながら「それでもええと思うたよ」と呟いた。

「長々とやるよりええ。西山があそこにいる事も、会社がそれに引きずられる事も、俺は、どっちも見ていとうない」

「けど、資料をばらまかれれば、ただでは済まん。内容次第だけど、また信用不安が起こって、会社は危なくなったかもしれない」

「それも、また、よろし。一社員の暴露程度で潰れる。なら、所詮、この会社は、そんなもんやという事やろ」

古賀はため息をついた。

「お前は随分、ドライな考え方をする奴だな」

太田は「そうでもない」と呟き、半分も吸っていない煙草を消した。こちらを向く。

「なあ、古賀。会社って何なんやろうな、一体」

「考えるほどの事か。働いて報酬を得る。食うためにいる。そういう所だ。だから、お前が言うみたいに、簡単に潰れてもらっては困る」

太田は目を細めた。

「お前と西山、多分、同じタイプの人間なんやな。たまたま、逆の方向を走っとるだけで」

「俺と西山が？　馬鹿言え。大体、あいつは俺を馬鹿、馬鹿と……」

その時、胸元の携帯が鳴った。古賀は言葉途中で携帯に出た。耳元に牧原の声が響いた。

「古賀、今、どこにいる。まだ、このビルにいるか」

古賀が、いる、と答えると、牧原は楽しげに笑った。

「じゃあ、経企部の応接室に来い。打ち上げだ。お前の慰労会をやろう。ついでに、ちょっとだけ打ち合わせもな」

古賀は携帯を切った。心の中で少し愚痴ってみる。慰労なら慰労に専念して欲しい。打ち合わせをやってしまったら、慰労にならないだろう。が、悪い気分でない。いや、率直に言えば、いい気分、勝利の杯っていう気分だ。

古賀は立ち上がった。

「戻れだとさ。慰労と言ってるが、実質、ほとんど打ち合わせだろう」

「今日くらいは、ちゃんと家に電話入れとけよ。涼子ちゃんも心配しとるやろう」

「もう入れたよ。今日の事、話したら驚いてた。夫が犯罪現場に行ってたんだからな。鎌倉の実家まで連絡して、大騒ぎ。来週、鎌倉の親父さんまで、慰労の食事会をしてくれるそうだ」

「一杯、慰労してもらえ。会社でも家でも」

太田は、また目を細めた。

「昨日、今日と、ほんま、よう働いたよ。お前は」

そう言うと、太田は三本目に火をつけた。

## 17

経営企画部　応接室　午後8時50分

応接室のテーブルには、ビールの空缶が転がっている。

古賀は缶を傾けた。心地好い刺激が喉を通っていく。

牧原は上機嫌で喋り続けていた。牧原の顔も真っ赤だ。それにしても、こんなに饒舌に喋る牧原は今まで見た事がない。

「専務執務室に行ったわけだ。余程疲れたのか、専務が腹を出してソファで寝てるんだよ。バンド緩めてズボンずらして。パンツが半分程、見えてた。ありゃ、女性秘書が入ってくればセクハラだな。退任も近いし、最後にそんな事もしてみたい、とか思ってたりして。おっさんも男だからな」

牧原まで既に専務をおっさん呼ばわりだ。

「古賀、空の缶を握ってちゃ、いかん。置いとくと、ぬるくなっちまう。どんどん飲め」

そう言うと、牧原は新しい缶ビールをテーブルに置く。

古賀はテーブルの缶を手に取った。熱い息をつきつつ、ぼんやり思った。この応接室に来て何本目だろう。一本、二本、三本、途中で、牧原の飲みかけを奪って飲んで、三本半。え、俺はそんな事をやったのか、あれ。

牧原はソファにもたれかかった。

「広報部が主要なマスコミに当たった。今のところ、報道以上のものをつかんでいる所は無い。まあ、まだ、西山がどこかに隠しているという不安はあるが。けど、その西山も捕まって動きようがないし、支店支援室は支店のブツを一切合切持ち帰った。それは経企部で預かってある。まあ、当面は大丈夫だろ」

古賀は身を起こした。ポケットの中の物の事を考える。さて、これの事を言うべきかどうか。が、俺の知らない施策を知っていた西山の資料だ。ちょっと覗いてみたい気もある。酔いが回って曖昧になった頭で迷った。が、ゆっくり迷う間も無い。饒舌な牧原の話題は、次に移ってしまった。

「ぞっとするよ。お前が怪我でもしてたらと思うと。無事で良かった」

古賀は黙って軽く頭を下げた。

「もし、お前に何かあれば、間違いなく、非難の嵐だったろう。邦和信託って会社は、社員の身を犠牲にしてまで、何やってんだ、ってな。また、犯人側に世論が大きく傾いてたかもしれん」

古賀は拍子抜けした。今日は気遣ってくれる言葉を何度も聞いたが、結局、そういう意味だったらしい。まあ、所詮、職場とはこんなもの。上司、同僚は家族ではない。

「お前一人、犯人の元へ、だろ。何が起こるか分からん。気が気じゃなかった」

「けど、犯人といっても、所詮、同期の社員ですから。西山でしたから」

「いや、だから、余計に危険だと思ってた」

牧原はため息をついた。

「縁も所縁《ゆかり》もない人間の方が、お互い冷静になれるもんだ。同期というのは、いろんな物が絡んでくる。特にお前の年の頃はな。実際、お前だって複雑な思いもあるだろう」

古賀は答えず、黙ってビールを口に運んだ。

「だがな、古賀。俺くらいの年になってみろ。同期なんて、ほとんど関係無い。もう半分近くは会社にいない。家業継いだ奴もいるし、転職した奴もいる。早い奴は転籍だ。行方不明なんてのもいる。会社に残った奴とは、立場が違うから、話をしても会話にならない。まあ、リタイアする年になってくると、また付き合いが始まるらしいが。まあ、所詮、同期なんて、その程度のもんだ」

古賀は一言「はい」と答えて肯いた。納得がいく。牧原に己の将来を重ねているわけではないが、何年か先には、きっとそうなっていると思える。西山の顔を思い浮かべた。西山、そんなもんだよ。数年後には、お前の事なんか忘れている。

牧原は大きく欠伸をした。ゲップをして、赤い顔を撫で回す。思い出したように「そうだ、休みを取れ」と言った。

「明日、最低限の事だけ片付けて、四、五日まとめて休め。有休ため込んでるだろう」

「次長、例の業務別会計の宿題が。昨日、今日と、ほとんど作業が進んでなくて」

「熱心な部下を持つと上司は楽でいい。だが、そいつは一旦、置いておけ。後任に任せろ」

意外な言葉だった。

「後任、ですか」

「ここだけの話だが、もうすぐ異動発令が出る。明後日くらいかな。休み明けに引き継ぎ。丁度、いいタイミングだろ」

言葉の意味が分かった、と思った。これで肩の荷が下りる。

「ちょっとホッとしました。転勤は、どこの部へ、ですか」

「馬鹿言え。まだ経企部からは出せんよ。マルチな部下ってのは、何かと助かるんだ」

牧原は面白そうに身を揺すった。

「お前は会計もやれば、犯人交渉だってやるからな」

「じゃあ、増員ですか。この時節に」

「楽になるわけじゃないぞ、古賀。お前には次の仕事がある。こいつは、会計と組織、両方が分かってる奴でないとな」

牧原は、胸元から書類を取り出し、テーブルに置いた。何かの説明図のようだ。

「社内でも数人しか知らない。まあ、見てみろ。忙しさが分かる」

古賀は資料を手に取った。真ん中に『邦和信託銀行』とあり、四角で囲んである。その四角から四方に矢印が飛ぶ。各々の矢印には金額らしき数字が添えてある。そして、紙の隅にはこうあった。『部門売却の詳細図』と。

「どうだ、古賀。てんてこ舞いになりそうだろう」

資料を持つ手が震える。資料には『部門売却』とあるが、よく見ると、そうではない。何故なら、売却対象は、邦和信託の業務の全てだからだ。年金部門は外資信託へ。不動産部門の大部分は商社系列の不動産会社へ。証券代行は代行専業会社へ。信託性の金融商品関連は同業他社へ。数人しかいないコンサルティング室まで都銀系シンクタンクへ売却。残った資金部門も同様だ。地方好採算店舗はグループ内の他信託に譲渡、不採算店舗は閉鎖。残りはグループ内の都銀等に吸収される。何も残らない。これは部門売却ではない。

邦和信託銀行の解体だ。解体清算そのものだ。

手の震えが大きくなる。酔いが醒めていく。

「古賀も知ってるだろう。当社が金融界のアダ花と呼ばれてる事を。西山じゃないが、邦和信託が他社より遅れて危機を迎えたのは事実。そのせいもあって、償却が遅れ気味なのも事実だ。ただ、今は超巨大金融グループ全邦ホールディングスの傘下、しかもグループが株式の三分の二以上を握っている。もう邦和信託に極端な信用不安が起こる事は無い。が、グループ飛躍の足枷《あしかせ》というわけだ。ミニバブルと言われるくらいの景気回復期、もう一度、グループが国際舞台で飛躍するためには、完全に身綺麗《みぎれい》になっておきたい。そこで残った荷物は……というわけだ。統合に次ぐ統合で、グループ内にもう一つ信託はあるしな。グループとして、邦和信託にこだわる必要性は無い」

牧原は淡々と話を進める。まるで世間話をしているようだった。

「全部売り飛ばした利益で、最後の大償却をして、まっさらな金融機関にする。そうしてから、残りをグループ内で吸収して、全部終わりだ」

古賀は心の中でぼんやりと言葉を繰り返した。全部、終わり、だ。

「ところが、交渉で最後まで難航していたのが、外資との交渉でな。合意迄、まだ相当、時間がかかると踏んでいたんだが、最近の欧州での金融統合の動きを受けて、相手側が急に動き始めた。それで、社長が慌ててヨーロッパに飛んでいった。最後の調整を直接やるためにな。口実通りの投資家回りなら、数日遅らせて、中間決算発表が終わってから行くさ。決算毎に、頭を下げ続けたトラウマは、好決算になった今でも、あるんだから」

古賀は顔を上げた。牧原は「どうだ、分かってきたか」と言った。

「社長は現地で部門売却の基本事項を交渉している。少なくとも、その交渉終了迄、国内で事件を爆発させるわけには、いかなかったんだよ。幸い現地では、一社員の不祥事くらいのニュアンスでしか報道されていない。西山の要求が何であれ、取り敢えず首を縦に振って、社長から交渉終了の連絡を待つしかない。現地でも必死だったらしいよ。一晩かけて、未協議箇所を詰め直し、何とか朝一番の交渉妥結、合意にこぎ着けた。日本時間じゃ、今日の夕刻だ」

牧原は言葉を一旦区切り、ため息をつく。少し間を置いて「ずっと、やきもきしてた」と言った。

「当然、西山は部門売却の極秘資料も入手してる可能性があるからな。この手の話は、合意迄は内々にせんとならん。合意前に外部に漏れてしまえば、普通、オジャンだ。だが、もう大丈夫だろ。社長が帰国次第、取締役会で決議して公表。契約しちまえば、もう物事はひっくり返らん。円滑に進めるために検討すべき課題は山ほどあるがな」

専務の顔が浮かぶ。何が「君の身を心配している」だ。心配していたのは俺の体じゃない。社長が現地で交渉妥結できるかどうか、だ。

黙っていると、牧原は話を続けた。

「何しろ、今迄に無い大事だろ。しかも、信託銀行はややこしい仕組みになってるからな。管轄官庁一つとっても、金融庁だけじゃない。不動産は国交省、年金は厚労省が関与する。しかも、部門数が多くて売却先は多岐にわたるから、利害関係者も多くなる。それぞれ調整するだけでも大変だ。だが、助かったよ、お前のおかげだ」

耳を疑った。古賀は問い返した。

「私の、ですか」

「お前の作った部門別業務別の会計資料は、本当に良くできていた。部門毎に売り飛ばすんだ、それ毎に収支は明確でないとな。そうでないと値決め一つ進まない。いつも揉める所だ。交渉途中で相手側から絶賛されたよ。大したもんだって。非常に精緻な管理会計だから、全ての数値に信頼がおけるって。特に外資相手では、ここが甘いと話は途中で壊れていたかもしれん」

力が抜けていく。

「お前に細かい指示を出しながら、自分でも無理な注文してるな、と思ったよ。けど、詳細な理由を喋るわけにはいかんしな」

古賀は俯いた。確かに、何故ここまでこだわるのかと不満に思いながらも、やった。が、それは、時節柄、生き残るためには仕方ない、と思っていたからだ。だが、俺は、必死になって自分の会社を解体していた。

西山の高笑いが聞こえるような気がする。二度目の交渉の時、西山は「うちに押しつけて、親グループは立ち直った」と言った。そして「やばいんだよ、不良債権ツケ回しが、ばれればれになると」とも言った。

間違いない。西山は全部分かっていた。

古賀は唇を嚙んだ。俯いたまま「これは証拠隠滅ですか」と言った。顔を上げて牧原の顔を見つめ、もう一度言った。

「次長、邦和信託を解体して……会社ごと、証拠隠滅、ですか」

牧原は平然として「馬鹿言え」と言った。

「金融も一社で勝負する時代は終わった。これからはグループ力だ。それを最大限に発揮するために、どうするか。コスト、パフォーマンス、パブリシティ。理路整然と考えていけば、この結論にたどり着く。これ以上前向きの結論は無いよ」

牧原は、そう言い切ってから、ため息をついた。

「古賀、将来が不安になったか。部門の現場で働いている社員は次の職場があるが、俺達はそうじゃないからな。だが心配せんでいい。経営本部の社員は、全作業終了後、親会社の全邦ホールディングスに転籍する。そういう事で話がついている」

古賀は再び俯いた。テーブルの下で拳を握る。そういう問題ではない。

「つくづく思うよ、古賀。俺を含め、本部の人間は、手に職が無いだろう。我ながら困ったもんだ。引き取り手も出てこない。親会社のホールディングスに引き取ってもらうしかないんだ」

困ったと言いつつ、牧原の口調はどことなく嬉しそうだった。

18

古賀自宅マンション　自室　午後10時30分

古賀は自宅のパソコンに向かっていた。

メモリ内のファイルが次々、画面に広がる。次第に息苦しくなってきた。目の前に、西山が恥部と呼んだ全てがあった。無論、邦和信託の解体計画もある。体裁が整えられた報告書、提案書だけではない。赤裸々《せきらら》な事柄がそこには並んでいた。

ファイルに目を通していく。「交渉議事録」によれば、最終打ち合わせの朝、金融庁の課長は「アダ花は咲かさない」と大見得《おおみえ》を切り、「日記」によれば、その帰路、専務は親会社の全邦ホールディングス常務と「老舗《しにせ》江戸鰻で解体後の己の処遇について相談」し、ほぼ同時刻、秘書室長のメールによれば、社長は「海外出張同行の経企部長が隣席でないのは、いかがなものか」と文句を言い、秘書室の「経費メモ」によれば、「特段の事情により経企部長を急遽ファーストクラス扱い」にし、秘書室の「業務日誌」によれば、同室の経費担当は

「今期旅費予算は既にオーバー」と嘆き報告するのであるが、再び専務の「日記」によれば、そんな事は「大事の前の小事」なのであった。

西山の指摘「落ち穂拾い」の資料もある。強引な施策のもと、邦和信託の資産ポートフォリオが刻一刻変わっていく——そんな様を明示する資料は、表であれ図であれ、幾らでもある。意図せねば、こんな物は作るまい、と思わせる資料だ。つまりは、西山の言う通り、邦和信託は自ら「落ち穂」を「拾い」に行ったのだ。

更には、西山が言った「白、灰、黒」の稟議のコピーもある。稟議書類をそのままスキャナーで取り込んだものらしく、ごまかしようがない生々しい資料だ。そして、その各所には傍線が引いてある。よく見ると、「わざと見逃したな」と思われる箇所ばかりだ。傍線の数が増えれば増えるほど、稟議は黒くなる。見た目も、会社の方針としても。

苛立つ。手元のキーボードを叩き潰して、何もかも放り投げたくなる。

西山が、何故、今、会社に喧嘩を売ったのか。間もなく喧嘩の相手が消滅してしまうからだ。西山が、何故、占拠をあんな形で終わらせたか。己が手を下さなくとも、程なく解体されるからだ。西山は何もかも知っていたのだ。なのに、この俺はどうだ。

今日の出来事が頭を駆け巡る。

確か、役員応接室で交渉方針を聞かされた時の事だ。俺は「西山の言いなりですか」と少し反論した。牧原は「会社には考える余裕も時間も無い」と言い、むきになって説明しようとした。それを専務が肘で小突いて止めた。その直後の言葉から、「危険に体を張る社員の気持ちを考えろ」と制したものとばかり思っていた。

とんでもない。専務は無言で牧原を制したのだ。「余計な事を喋るな」と。「末端のこいつごときに喋るな」と。何が俺の身が心配だ。白々しい。

古賀は天井を見上げた。天井板の模様が滲む。道化とは、この事か。

「西山、何故、俺を選んだりした」

こんな事なら、何も知らず、対外発表の際に、他の社員と一緒に驚愕《きょうがく》した方が良かった。

何が、休みを取れ、だ。その間、何を思い、何を考えて、過ごせと言うのか。

「くそっ」

古賀は姿勢を戻して画面に向き直った。開いたファイルを片っ端から閉じていく。が、閉じても閉じても、下から次々湧いてくる。ただ指先を動かし続ける。まだ見てないファイルは半分以上ある。が、もう見る気力は無い。

画面はようやくメモリ内のファイル一覧だけになった。それも閉じようとして手が止まった。

文書ファイル以外のファイルが一つだけある。アイコンを見る限り、音声ファイルのようだ。ファイル名には『落穂爺と子鼠』とある。二度目の交渉時、西山は、落ち穂拾いの現場音声がある、と言っていた。あいつはこうも言った。笑えるか、凍りつくか、と。

　専務の顔が浮かぶ。ドロドロした資料は腐るほど見た。馬鹿馬鹿しい。もうこれ以上……。そう思いつつも、指先は動き、マウスを押していた。

　再生ソフトが起動する。内蔵スピーカーから音が流れ始めた。聞き覚えのあるＢＧＭが微かに流れている。これは邦和信託本部ビル内の音らしい。

　スピーカーから、いきなり怒鳴り声が飛んできた。

『もう我慢ならん。何なんだ、お前は』

　専務の声だ。椅子が倒れる音がする。

『偉そうな事を言ってくれる。役員にでもなったつもりか、ええっ。じゃあ、何もせずに、じっとしてろ。それでどうなる』

　相手側の気配はない。専務の声が続く。

『そもそも償却の原資は何だ。収益だ。稼ぎだ。それが無ければ、不良を正常化しようにも、できん。お前のように講釈たれていて、それは達成できるのか』

　机を叩く音がする。

『その年で本部に来て、勘違いしたか。会社を動かしている気にでもなったか。誰がこんな若造を本部配属にした。その年で俺に直言するなんぞ、思い上がりも甚だしい。おい、何年目だ。名前を言えっ』

一瞬の間の後、かすれた声がした。

『七年目。審査一部、川崎です』

思わず指が反応した。音声が止まる。

古賀はもう一度メモリのファイル一覧に戻った。先程まで見ていたファイルを開け直す。一件ずつ、表紙に目を走らせた。

指の震えが止まらない。

西山が、今、動いたのは、会社が消滅するから、だけではない。それは期日を確定する程度の話だ。もっと根源的なものがある。だが、そんな事があるか。

確かめねばならない。

息を整えて立ち上がる。古賀は自室を出てリビングに向かった。

リビングには涼子がいた。床に洋服を広げ、その真ん中に座って悩んでいる。リビングに入ると、涼子は顔を上げ、嬉しそうな表情で訊いてきた。

「ねえ、どれがいいと思う。あなたの慰労会で、来週、鎌倉の父と食事でしょ。父ったら、もう張り切っちゃって、盛大にやろう、って。最近オープンしたばかりのレストランを予約したからって」

　涼子は無邪気に笑い、薄いピンク色のセーターを手に取った。

「これなんか、どうかな。もう無理かしら」

「さっき……見た」

　声がかすれる。手が勝手に震えだした。

「さっき、西山の資料を見た。会社を脅すのに使ったやつだ。今、俺が持ってる」

　涼子の動きが止まった。

「資料の中に、川崎にしか手に入れられない物がある」

　息が荒くなる。喉が痛い。

「大量にある稟議を見た。ほとんどの表紙に川崎の担当印がある。川崎が関与した案件ばかりだ。第一、稟議そのものは今でも書類保管、システムには格納していない。西山がシステムに侵入したところで、稟議は手に入らない。誰かが稟議書類をコピーした。スキャナーはその後の話。それは、多分、西山がやったんだろう」

　犯罪現場でも震えなかった膝が震える。

「けど、そもそも、そんな大量のコピーなんて事、誰ができる。審査にいる人間にしかできない。川崎だ。稟議の他にも、あいつにしか録れない音声もある」

セーターが揺れた。涼子の手も震えている。古賀は拳を握った。何故震える。「何のこと？」と平然と言え。俺を笑い飛ばしてくれ。

「川崎が直接、西山に渡したのか。それは考えにくい。西山の行動に説明がつかない。断トツの営業だった西山が会社に反感を持つようになったのは、金融危機の時、六年前の事だ。西山が資料を持っていたなら、どうして今まで動かなかった。六年間、何をボーッとしてたんだ。西山の行動の理由は簡単だ。西山は、最近になって、資料を手に入れたんだ。西山はそれを見た。それで、西山の中で長年くすぶっていたものに、火が付いてしまった」

セーターが手から離れ、膝元に落ちる。涼子は俯いた。

脳裏に西山の言葉が浮かぶ。あいつは言っていた。最近、考え直した、と。

「最近になって、西山に川崎の資料を渡した奴がいる。そんな物をずっと持っていた可能性があるのは、一人しかいない」

涼子が俯いたまま、首を横に振る。

「涼子、お前だ。違うか」

涼子はまた首を横に振った。古賀は涼子の傍らに屈んで肩をつかんだ。

「涼子、ちゃんと言え。俺達の間では嘘はつかない。そうだろ。違うか」

沈黙が流れる。しばらくして涼子は俯いたまま喋りだした。

「六年前、あの日の……前の日に会った。その時に言われた。『荷物を少し預かってくれ』って。『そろそろ新居への転居準備を始めるから』って。私、喜んで引き受けた。でも嘘だった。あの人が私に言った最後の言葉は……嘘だった」

涼子の言葉は所々で詰まる。長い髪が揺れる。

「翌々日、家に宅配便が届いた。今回の資料と……手書きのメモが入ってた。『おりを見て、西山に渡してくれ』って。でも、おりって、一体、いつ？　私には分からない。そんなこと、分からない。だから持ってた。渡すことも、捨てることも、できなくて」

古賀は俯いて喋る涼子を見つめていた。そんな資料が自宅にずっとあったのか。俺はそんな事も知らず寝起きしてたという事か。

古賀は涼子の肩を揺すった。

「何故、黙ってたんだ。ずっと」

「そんなこと、あなたに言えるわけない。あの人とのことなのに」

涼子の肩が震えている。

「一ヶ月くらい前、駅前で偶然、西山さんに会った。支店のシステムメンテをやった帰りだって。お茶をして、たまたま、あの人の話題になって……私、今だと思った。今しかないって」

「それで、西山に、渡したんだな」

涼子は俯いたまま肯いた。「だけど、こんな事になるなんて」と呟く。床に涙が落ちた。

「涼子、分かってるのか。今、俺が会社でどんな部署にいるか。そんな物が出てくれば、追い詰められる部署で働いている。分かってるよな。俺が今、どういう立場なのか、分かってるよな」

「分かってる。全部分かってる」

もう一度、肩を揺する。激しく揺する。

「じゃあ、何故だ。何故、そんな事する」

涼子はただ、揺するがままに、揺れていた。

「涼子、どうなんだ、何か言えっ」

涼子は大きく身震いした。小声で「仕方ないの」と言って顔を上げた。

「どうしようもないの。あの人の、言いつけ、だから」

手が肩から離れた。

古賀は、よろけながら、立ち上がった。吐く息が震える。リビングの光景が滲む。胸の中で妻の言葉を繰り返した。言いつけ、いいつけ、イイツケ。

古賀は黙って涼子に背を向けた。

ようやく分かった、と思った。何故、西山が俺を指名したのか。単に同期というだけの事ではない。俺が馬鹿の極致で、最も踊らされている男だからだ。職場でも家庭でも。あいつは俺の姿を見て、ずっと苛立ってたんだ。

背後からすすり泣きが聞こえる。

古賀はリビングの戸口で立ち止まった。ぼんやり考える。所詮、何かの拍子に、くっついただけの二人だという事か。いや、ろくに、くっついてもいない。ただ一緒にいたというだけの話だ。

太田によく言われた。「いつまで新婚気分なんや。早よう子供作れ」と。甘い気分なんてどうでもいい。スタイルなんてどうでもいい。子供でも作って、二人して、おっちゃんとおばちゃんになっておけば、どうだったろうか。切るに切れない新しい関係に、なっていたかもしれない。

古賀は足を踏み出して止まった。膝が大きく震える。まさか……。

室内に向き直る。床で俯き震えている涼子に向かって、声を絞り出した。

「涼子」

声がかすれ、震える。歯が鳴る。駄目だ。歯が嚙み合わない。

「お前、まさか……子供作るの、ためらってたのは……」

涼子は激しく頭を振った。

「涼子、言ってくれ。何でもいい。ちゃんと言ってくれっ。何故だ、何故だったんだ」

涼子は顔を上げた。顔は涙にまみれていた。涼子の歯も鳴る。

「嘘は言いたくない。あなたとの約束だもの」

涼子は首を横に振る。ぎこちない仕草だった。

「だから……言えない。何も言いたくない」

それが答えだった。古賀は床に崩れた。

# エピローグ

## 1

狭い応接室には、まだ昨晩のビールの匂いが微かに残っている。

古賀は黙って牧原の言葉を聞いていた。

「あんな事件の直後だから、お前は感傷的になってるんだ。少し落ち着いて考え直せ。会社にいると、時折、そんな気分になる事はある。だが、拙速に結論を出すもんじゃない」

古賀は目の前を見やった。応接のテーブルには、自筆の「退職願」が入った封筒がある。

「十分考えました。考えた上での事です」

「十分と言ったって、お前、たった一晩だろうが。顔色が悪いし、目も充血してる。どうせ寝てないんだろう」

牧原はため息をついた。「西山に影響されたか」と言った。

「西山の言う事にも一理はある。だが、誰が何を言ったって一理くらいはある。社員総出で懺悔もいい。だが、誰が会社を前に進める」

内心、苦笑した。それは俺が西山に言った言葉だ。古賀は顔を上げ牧原を見やった。

「申し訳ありません。でも、そんなんじゃないんです。時間をかけても結論は変わらないです」

牧原は真正面から見返してきた。少し間を置いて「感染だな」と呟いた。

「大勢の人間がいるとな、何故か、妙に周囲に影響を与える奴がいる。その影響がマイナスの場合は病原菌みたいなもんだ。だが、組織運営上、会社は、そいつがどこにいるか把握している。だが、感染者は突然、思いがけない所から出てくるんだ。お前のように、な」

古賀は黙ったままでいた。

「古賀、もう一度、訊く。気持ちは変わらんのか」

肯いて「はい」と答える。牧原は「分かった」と小声で言い、退職願の封筒を手に取った。

古賀は立ち上がり、牧原に向かって一礼した。

「次長、お世話になりました」

ドアに向かう。ノブに触れた時「古賀」と声がかかった。

「明日からじゃなく、今この時点から、一週間、黙って休暇を取れ。引き継ぎは休み明けでいい。それ迄に、こちらも準備しておく。お前は、そういう部署にいるんだ。分かるな」

牧原は言いづらそうな表情を浮かべていた。古賀は笑みを浮かべて答えた。

「危機管理マニュアル、日常業務におけるリスク管理編。退職意向を表明した社員は、即時、機密から隔離すべし。分かってます。丁度、私がチェックを担当した箇所ですから」

牧原は目を細め「惜しいな」と呟いた。

「まったく惜しい。お前が感染しちまうなんて」

古賀は深く頭を下げた。応接室を出た。

自席に戻る。休暇願を書き、次長席に置く。普段と同じように不在中の指示を残し、ボードには『休暇』とだけ書き込む。コートと鞄を手に取り、人事部の方を見やった。太田の姿は見えない。休み明けは部門売却発表後、人事部も経企部も嵐の中だろう。落ち着いて話はできまい。まあ、居場所の見当はつく。

古賀は研修資料室に向かった。間仕切りの扉を開けると、案の定、太田がいた。太田は悪戯が見つかった子供のような表情を浮かべ「ここはもう隠れ家にはならんな」と呟いた。古賀は扉を閉めて中古ソファに鞄を置いた。

「太田、まだ忙しいのか」

「何、屁みたいな文書よ。部店長宛の」

太田は、机にある下書きの紙を手に取り、宙で振った。

「今回の事件での同調者は口頭注意のみとする、ちゅう趣旨のもんよ。正式の処分は無し。全国津々浦々やもん。いちいち処分したら、現場が回らんよ。第一、ストやサボタージュやと掲げていても、その意味も重さも分からんで騒いだ奴ばかり。処分しても意味無い」

太田は紙を机に戻した。

「それより、お前も聞いたやろ。大きな声では言えんお達しのこと」

「ああ、聞いた。対策メンバーの者は勝手に今回知り得た内容を外部に喋るべからず。警察にも同様、だろ」

「それよ。まあ、警察というても、招かざる客。ある意味、当然かもしれんけど」

太田はため息をついた。

「要するに、結論だけ見れば、何も無かった、という事よ。お祭りやな。大騒ぎして踊り狂う。傍らで見てて、あほらしなるくらい。けど、祭りが終われば、また日常に戻る。それだけの事や。時間にしても二日。正確に言えば一日半もない。まさしく祭りやな」

その通りかもしれない、と思った。そして祭りは常に節目にある。

「どうした、古賀。今日はしんどそうやな。目も赤い。慰労疲れか」

古賀は笑みを浮かべてみせ「疲れてなんかない」と返した。

「今さっき退職願を出してきた。周囲にはまだ黙ってるけど、お前には言っといた方がいいかと思って」

太田が「退職願？」と声を裏返した。

「お前、今回の件で、何かやらかしたんか」

「祭りさ。踊り過ぎた。あまりにも不細工なんで、舞台から下りる事にした」

「あほ言うな。退職なんて、一体、いつから。涼子ちゃんとは、ちゃんと話しおうたんか」

「家にいない奴と話す事なんて、できんさ」

古賀は鞄を手に取った。

「待て、古賀、どういう事か……」

丁度、太田の作業机の電話が鳴った。古賀は「出ろよ」と言いつつ、電話を指差した。

「人事部長、さっき怒ってたぜ。太田の奴は、すぐ、いなくなるって」

太田が慌てて電話に飛びつく。古賀は部屋を出た。

通い慣れた廊下を進み、毎日乗ったエレベーターに乗る。いつもの経路で裏口の通用口へ向かう。馴染みのおばちゃんと狭い廊下ですれ違った。経企部フロア清掃担当のおばちゃんだ。

「おばちゃん、ちょっと」

おばちゃんが顔を上げた。驚いたような表情を浮かべた。

「早退かい、古賀さん。体調、悪そうだねえ」

どうも、そう見えるらしい。古賀は「元気一杯だって」と言って、わざと笑ってみせた。

「おばちゃん、世話になったけど、俺、このビルからいなくなるんだ。挨拶しときたくて」

おばちゃんは顔を輝かせ、「栄転だね」と言って肩を叩いてきた。

「あんた、頑張ったからねえ。あたしが早朝掃除に行くと、大抵、髪の毛ぼさぼさで、いるんだから。頑張った人には、必ずいい事があるんだよ。良かったねえ」

古賀は苦笑した。背広からメモリを取り出した。

「おばちゃん、最後迄面倒言って、悪いんだけどさ。これ、捨てといてくれないかな。上で捨て忘れた」

おばちゃんはメモリを手にとる。「何だい、これ」と言いながら、メモリを怪訝そうに見た。古賀は笑いながら付け加えた。

「おもちゃの部品。長い間、これで遊んだ。けど、もうゴミなんだ」

「燃えないゴミで、いいのかね」

「多分ね。燃やすと、すごく臭いガスが出る。きっと」

おばちゃんは「ふうん」と言い、ゴミ袋にメモリを放り込んだ。古賀は大きく息を吸った。

「ありがと」

一礼して背を向ける。薄暗い廊下を通って通用口を出た。

早足で歩道を行く。数ブロック程歩いて振り返り、高層の邦和信託本部ビルを見上げた。ガラス壁の反射に目を細める。気の抜けたような笑いが漏れてきた。あんな所に何年もいた。それを否定はしない。だが、もう終わった。それでいい。古賀は顔を戻した。歩調を緩めて再び歩きだす。もう急ぐ事など何も無い。

しばらく行くと、懐かしい音が聞こえてきた。サックスだ。

高架横の緑地スペースで、若い男がサックスを吹いていた。駅の南口辺りではよく見るが、この周辺では珍しい。もうすぐ昼休み。昼のパフォーマンスという事らしい。

男は夢中で吹いていた。

悪くないな、と思った。これでも経験者だ。いい音出てる、と思う。古賀は財布から千円札を取り出した。近くに寄って、楽器ケースに折り畳んだ札を入れた。

曲が止まった。顔を上げると、男が驚いたような表情を浮かべていた。

「いいんスか。小銭でいいのに」

男の抱えるサックスが鈍く光っている。もう何年吹いてないんだろう、と思った。

「それ、吹かせてくれないかな」

若い男は「へ？」と言って、怪訝そうな顔をする。もう一度言ってみた。

「その、サックス、ちょっと吹いてみたいんだ」

男は笑った。「いいっスよ」と言いつつ、サックスを差し出した。

古賀はサックスを構えた。この感触は何年振りだろう。太田の結婚式の余興で吹いて以来だから、少なくとも十年は経っている。マウスピースを咥えた。懐かしい口の感触。頬に力を入れて吹いてみた。鳴ったものの、指がうまく動かない。それに、この音では豆腐屋のラッパだ。

男は感心したように言った。

「おじさん、うまいっスねえ。最初はなかなか、うまく鳴らないもんスよ」

おじさん？　まあ、仕方ない。この男は恐らく二〇代前半、三五の自分とは概《おお》ね一回り年が離れている。いつの間にやら俺はおじさんだ。それで結構。だが、もっと別のおじさんになる道は、無かったのか。

「あれ、泣いてんスか」

馬鹿言え、俺は昔に浸ってるだけだ。

古賀は顔を上げて、目をつむった。腹に空気を満たした。マウスピースを口に加える。

古賀は空に向かい、力一杯サックスを吹き上げた。

## 2

警察署の敷地を出て、事務統括部長の矢田は建物を振り返った。

「随分、言われたな。皮肉たっぷりに」

支援室長の小堺も振り返り、警察署の建物を見やった。

「仕方ない。急がせたくせに、一件落着後には、何を訊かれても、『何もございません』だ。警察だって皮肉を言いたくなるさ」

「本当に何も無かったのか。お前の所で支店のブツ、持ち帰ったんだろう」

小堺は「さあな」と呟き肩をすくめた。

「ブツは帰社と同時に経企部に押収されたよ。経企からは特に何の話もない。だから俺にも分からん。ただ……一つだけある」

「ある？」

小堺は背広のポケットからメモ用紙を取り出した。

「床に落ちてたのを俺が拾ったんだ。専務のメモ。いつものように権限外の事柄に口を挟んでるよ。システム開発委託先選定の件とある。西山がこっそり保管してたんだろう。先期、トラブルになって大揉めしたやつだ。何故、あんな所に決めたんだって、皆、噂してたが。やっぱり、専務の口出しがあったんだな。お前の苦労が、今、分かったよ」

小堺はメモ用紙を矢田に差し出した。

「やるよ。お前が持ってた方がいいだろう。専務の弱味の一つには違いない。また口を出してくれば、チラチラさせればいい」

矢田はメモを一瞥した。興味無げに言った。

「いらんよ、せっかくだけど」

「そう言うな。俺ならともかく、お前なら使いようもあるだろうが」

「そんな物は持たない方がいいんだ」

矢田はため息をついて、言葉を続けた。

「持ったら、もっと集めたくなる。幾らでも集まるさ、それなりにお互い重要な仕事をしてんだから。だが、そんな物、集めてみろ。もう、やる事は一つしかない。西山になるしかないんだ」

「変わったな、お前」

矢田は顔を大仰にしかめた。

「馬鹿言え。お前だ、変わったのは」

「いや、お前の方だ。絶対」

二人は顔を見合わせる。そして同時に吹き出した。

「どっちでも、いいか」

「ああ、どっちでもいい」

3

「少し休憩しよう。喉が渇いた」

取調室に初老の刑事の言葉が響く。俯いていた西山は顔を上げた。

初老の刑事が立ち上がる。部屋の隅で調書を取っていた若い刑事に、小銭を差し出した。

「おい。缶コーヒー三人分、買ってこい」

若い刑事が慌てて立ち上がる。初老の刑事は言い含めるように言葉を続けた。

「いいか。署を出て、右に三ブロック先の、角にある古本屋の裏の、駐車場入って右側のフェンスの奥に、自販機がある。往復して五分くらいかかる所にある自販機だ。そこで買ってこい」

「署のロビーの自販機じゃ駄目ですか」

「馬鹿。俺が飲みたいコーヒーは、そこの自販機にしか無いんだ」

「ええと、署を出て右に三ブロック歩いて、古本屋の……」

「いいから行け。往復して五分くらいかかる所だ」

若い刑事は「ああ」と呟き、頬を緩めた。

「了解。『往復して五分はかかる』自販機ですね。天気もいいし、ゆっくり行ってきますよ。往復五分はかかる所に」

若い刑事は取調室を出る。扉が閉まると、初老の刑事はため息をついた。

「いつまで経っても、物分かりの悪い奴だ」

初老の刑事はわざとらしい仕草で欠伸をした。そして「休憩だし、世間話でもするかい」と言い、椅子に腰を下ろした。

「たまたま署のロビーのテレビで見たんだが、今、世間は、つまらない事件で持ち切りらしいよ。どこかの若い男が店を占拠したんだとさ。だが、警察にとっちゃ、つまらない業務妨害事件だよ。都内じゃ、もっと深刻な事件もあるのに、皆、大騒ぎだ」

西山は刑事の顔を見やった。刑事は表情を変えず話を続けた。

「聞く所によると、当事者の会社は、落着した途端、だんまりらしい。馬鹿らしくなるよな。

おまけに、店の鍵を持ってた社員が事件に巻き込まれたらしいが……監禁かと思いきや、本人は何も喋らん。ようやく喋ったと思ったら、合意の上、と言いだした。遊びで一度やってみたかったそうだ。そのうち言いだすさ。男と男の関係にあって、私マゾなんです、ってな。まったく、どうにもこうにも」

刑事は言葉途中で目を細めた。

「だけど、大したもんじゃないか、犯人の奴。被害者に慕われるって奴はそうはいない」

刑事は立ち上がった。取調室の窓から外を見やる。

「これ以上、どうも進展しそうにない。後は、住居侵入をどうするか。担当する警官の苦労がしのばれるね。まあ、担当してる奴も、最初から、やる気が無いみたいだが」

刑事は面白そうに身を揺すった。

「まあ、そんな事考えながら、ロビーのテレビを見てた。すると若い娘さんがロビーにいてな。年の頃は、君と同じくらいか、少し下くらいかな。並んでテレビを見たのさ。すると娘さんの独り言が耳に入った」

刑事はこちらを向いた。

「待ってる、ってさ。もう逃げません、て言ってた」

西山は俯き、膝の上で拳を握りしめた。

刑事の声が狭い取調室に響く。

「若い娘の独り言なんて、俺はどうでもいい。だが、伝わるべき人に伝わるといいんだが」

拳が震える。熱いものが続けざまに落ちる。

計画には無かった涙だった。

4

大友は支店トイレの洗面台で振り向いた。

「え？　出向は取り消しですか」

副支店長は股を押さえながら「も、漏れる」と呟き、小の便器に駆け寄る。一息ついて言った。

「漏れ出した……いや、人事情報の事よ。漏れ出した人事を、そのまま実行するわけにもいかんのだろう。人事の事だから、裏があるかもしれんよ。けど、今回の件では表立った処分は無いんだとさ。まして、お前が気にしている過去の一件なんぞ、今更、ほじくり返したりはせんさ。大丈夫だろ」

大友は深く頭を下げた。声に力を込めて言った。

「ありがとうございました」

「おい、こんな時に大声出すなよ。びっくりして止まるだろうが」

頭を上げる。副支店長は満足げな表情を浮かべていた。

我慢していたのがすっきりしたのか、部下の人生を救った気になっているのか。その表情を見つめつつ、大友は胸の内で呟いた。あんた個人に本気で感謝しているわけじゃない。第一、人事に絡んだ大事な話、普通、トイレではやらんだろうが。

だが、もう一度、黙って頭を下げた。やはり、三〇年間、やってきた事は間違ってない。これからも俺の考えは変わらない。たとえ会社がどうなろうとも。

5

事務主任は、証券事務部フロアの自席で、伝票を捲っていた。

いろいろあっても、結局は、これ。いつか終わる事を祈りつつ、続けるしかないのだ。いつも通りの伝票、いつも通りの作業、そして、いつも通りの……。

「あのォ」

主任は顔を上げた。やっぱり、この子だ。手に持ってるのは、やっぱり、あの伝票だ。

「主任、この伝票の書き方、分かんなくてェ」

主任は伝票を手に取った。鉛筆で記入例を書き込む。後は上からなぞるだけ。まるで小学校の先生みたいだ。

「いい加減に覚えてね。知ってる？　もう五回目よ」

「違いますゥ」

主任は顔を上げた。彼女は「へへへ」と笑って頰をかいた。

「もう、六回目ェ。ごめんなさい」

彼女はもう一度「へへへ」と笑った。

6

黒縁はメインサーバー設置室の扉を閉めた。狭い部屋で一人大きく息をつく。

何かある。

先程の会議は大荒れだった。大型のシステム開発案件が軒並み、急遽、方針変更になったのだ。「開発着手予定」から「一時見直し」ヘランク引き下げ。経企部から抜本的見直し要請があったから、という話だった。おまけに、会議の直後、課長に呼ばれた。近々、この俺はシステムセンターへ異動になるそうだ。案件が潰れたなら、現場に人はいらない。むしろ、逆の動きをするのが普通だ。

怪しい。絶対、何かある。

今迄の経験から言えば、こういう時は何かが起こる。会社に激震が走り揺らぐ。異動を命じた本人でさえ、予期していなかった大きな話が突然、出てくる。

黒縁は一人笑った。面白い。

この職場も悪くはないが、少々飽きがきていた。だが、もう少し、いてもいい。会社が揺らぐような事態の中でのシステム開発。細かい予算統制よりも、期日に向かって、ひたすら走る。発表されれば、死ぬほど忙しくなるだろうが、こういうチャンスは、そうは無いのだ。だって会社が危機に陥らねば、そんな状況にはならないのだから。

ゾクゾクする。間違いない。これでキャリアも大幅アップ。激震だろうが危機だろうが、大歓迎。次の転職に大いに有利だ。

7

オフィス街一画の公園、入口脇の案内板の前にゴミ箱がある。

専務の北尾は、脇に抱えた本を手に取り、ゴミ箱に向かった。

こんな物、捨ててやる。

ゴミ箱に投げ入れようとして、少し躊躇した。その場で振り返った。親会社全邦ホールディングスの本社ビルを見上げる。

北尾は拳を握った。何故、常務は出てこない。

先程迄あのビルの中にいた。打ち合わせに呼ばれたのだ。だが、担当の若い調査役しか出てこない。仕方なく、その若い調査役相手に、部門売却の話をし始めると、相手は「その件はいいです」と素っ気なく言った。

「明日、実務が分かる者同士でやりますから。それより、うちの常務から指示されてまして」

調査役は「ご参考に」と言いつつ、本を応接テーブルに差し出した。

「次のご職場は、グループ傘下の人材派遣会社です。行かれてからは、今迄と違って、実務もやって頂かないといけませんので」

調査役は淡々と続けた。

「次の職場の事務担当の子達と、早めに仲良くなっておいて下さい。彼女達は専務の数倍、実務に詳しいですから。最初のうちは、何かとお訊きになる事も多いかと思いますので」

呼びつけておいて、話は一〇分で済んだ。話が終わってから、お茶が出た。そして、お茶に手を付ける前に、若い調査役は「何かと、ばたばたしておりまして」と言い席を立った。

思い返せば思い返すほど、腸《はらわた》が煮えくりかえる。手元の本を見やった。超入門シリーズ漫画『太郎の派遣実務』だ。おまけに、この漫画では太郎とやらは、新設派遣会社の専務なのだ。

唇を嚙みしめる。ゴミ箱に叩きつけるようにして本を捨てた。拳を握りしめ、目の前の案内板を叩く。この程度では足りない。ゴミ箱を蹴飛ばした。

若造が。何様だ。

頭の片隅で考える。何様かは分かっている。親会社の経営本部スタッフだ。だから黙って耐えて、ここ迄来たのだ。

くそっ。北尾はもう一度、力を込めて案内板を叩いた。

「ちょっと、何やってんだ」

声に振り返る。制服警官が立っていた。

「最近、案内板が悪戯されて困るって、苦情がきてたんだ。あんただったのか」

「いや、私は」

北尾は、名刺を取り出そうと、慌てて背広の内ポケットに手をやった。

「後でいい。派出所で話は聞くよ」

警官に腕を取られた。警官に従って、数歩、歩く。

制服の背を見ながら考えた。こいつは俺をどうする気だ。器物損壊とでも言うつもりか。

冗談じゃない。下の娘の結婚式も済んでないのに、俺の経歴に前科をつけるつもりか。

北尾は腕に力を入れ、警官の腕を振り切った。

「おい、あんたっ」

背を向ける。北尾は公園の反対側の出口へとダッシュした。

俺は一体、何をしてるんだ。誰か教えてくれ。

北尾は全力で走った。

8

水平線近くが赤く染まっている。何かが海面で跳ねた。

古賀は目を凝らした。ボラだろうか。

初めて涼子と二人、ここに来た時も随分、海面で魚が跳ねた。浦安の埋立地、臨海公園という場とはいえ、ここは住宅街に隣接する一画、思いの外の魚影の濃さに驚いた。そして涼子が言ったのだ。新居はこの辺りにしようと。

海辺の柵を背にして、古賀は振り返った。公園土手の向こうにはマンション群がそびえている。海側と違い、その周囲は既に薄暗い。あの中のどこかに自宅はある。だが、その窓に明かりが付く事はない。

「あなた、ちょっとお願い」

声の方を向く。柵の左手に若夫婦がいた。夫は妻から赤ん坊を受け取り、身を揺すってあやす。妻はベビーカーのカバーのずれを直した。

古賀は目を逸らした。再度、海の方を向く。

夜明け前、涼子は一人、家を出た。自分は止めなかった。

古賀は目をつむって、これからの事を考えてみた。涼子は身一つで家を出た。行く所は鎌倉の実家くらいしか無い。元々、自分からは決断できない奴だ。数日して、一旦は家に戻ってくる。だが、そこには無職の男がいるだけだ。その姿を見て決断がつく。今度はしっかり荷物をまとめて家を出る。もう戻る事はない。古賀は一人苦笑いした。皮肉な話ではないか。会社の事は少しも見通せなかったのに、この事は妙に先まで見える。

波飛沫が頬にかかる。

俺だってマンションを出ねばならない。もう高い家賃を払い続けるわけにはいかない。一旦、長崎に帰るか、と思った。この正月を五島の四社参りで迎えるのも悪くはない。そして、久し振りに、オンノメ焼きで無病息災を祈り、かんころ餅を食べて寝る。

無論、今更、五島で漁師というわけにもいくまい。だが、長崎市街なら地元企業の求人はある。それとて容易《たやす》くはなかろうが、所詮は一人、物価は東京よりも安いし、食うだけなら何とかなる。そういえば、一年くらい前、高校の同級生から話がきた。税理事務所から独立して始めたコンサルティング事業が随分、うまくいってるらしい。一緒にやらないか、と誘われた。あいつはまだ、その気でいるだろうか。

「あなた」

今度は聞き慣れた声だった。目を開け振り返ると、涼子が数歩離れた所に立っていた。

「お前、帰ったんじゃなかったのか。鎌倉の親父さんの所に」

「新浦安の駅前の、ホテルのロビーにいた。フロントの人に注意されるまで」

涼子は、疲れが滲む表情で、そう言った。服は皺《しわ》だらけになっていた。

「よく分かったな。ここにいるって」

「部屋にいない時は、大抵、ここだもの。分かってる」

古賀は深呼吸をした。少し間を置いて「邦和信託、辞めてきた」と言った。

「東京を離れようと思ってる。学生時代から、ずっといて、少し疲れた」

海鳥の鳴き声が夕闇に響く。言葉は返ってこない。

涼子は何か言おうとしていた。だが、口を開いては、またすぐに閉じる。それを何度か繰り返し、俯いた。俯いた姿勢から、ようやく声が聞こえてきた。

「ずっと、ずっと思ってた。こんなんじゃ、駄目だって。だから、私、ケリをつけたくて」

「もう言うな。もういい。もう終わった。全部、済んだ事だ」

涼子は肩を震わせる。かすれ声で何か言ったが、うわごとのようになっただけで、言葉にならない。その様子を見て、古賀は大きく息をついた。

「無理するな。少しすれば、お互い冷静になるさ。終わった話だ」

涼子は大きく身震いし、顔を上げた。

「まだ、終わってません」

涼子の顔は涙にまみれ、大きく歪んでいた。

「一緒にいた時間は、嘘じゃありません。あなたに嘘はつかない。つけない。全部、本当の時間なんです」

古賀は目を閉じて、自分に言い聞かせた。もう本当も嘘も関係無い。俺はもう舞台から下りた。

「なあ、後の事はメールでやろう。お互い冷静になれるし。お前もその方が」

言葉途中で胸に衝撃を受けて目を開けた。胸元に涼子がいた。涙で濁った声が響く。

「一緒に行かせて下さい。どこでもいい。もう私、行く所なんて、無い」

古賀は涼子の肩をつかんだ。身を少し離して胸元を見やった。涙で濡れた目尻には細かい皺が幾つもある。付き合い始めた頃には無かった皺だ。その皺が震えている。古賀は顔を上げて、唇を噛んだ。どれだけの時間一緒にいたのだろうか。少なくとも、皺ができるだけの時間、一緒にいた事だけは確かだ。

震えが伝わってくる。いや、これは俺自身の震えか。古賀は声を絞り出した。

「お前、分かって言ってるのか。これからは生活も楽じゃない」

俺は何を格好つけてる。口で偉そうに言っても、俺自身、何も分かっていない男ではないか。

「二人で働けばいい。足りないなら、足りないなりに、すればいい」

分かっていない男に、もっと分かっていない女だ。

涼子は顔を胸元に埋め、しがみついてきた。古賀は手を離した。だらりと立ったまま、柵際でただ揺すられる。ぼんやりと考えた。俺は今、どこにいるのだろう。舞台の上か、舞台の下か。

涼子が胸の中でしゃくる。嗚咽《おえつ》を漏らし、子供のようにしゃくっている。

「情けなくて、馬鹿で……みっともない奴だな、お前は」

涼子がしゃくりあげながら、何度も肯く。

それを見つめつつ思った。みっともないのは、涼子だけではない。俺自身、どうしようもないほど、みっともない。そんな二人に、きれいな答えなんて、無い。

「涼子、知ってるか。かんころ餅ってやつは、みっともない食いもんなんだ」

古賀は、もう一度、両腕を上げた。腕が震える。息が震える。

「みっともない……だから、うまいんだ。分かるか、涼子」

「分かってる。余計なもの……もう混ぜない」

震える手で涼子の背に触れる。

その瞬間、涼子は強くしがみついてきた。結婚以来、初めて感じる痛いほどの強さだった。

# 解説

香山二三郎

有名大企業といえば、今も昔も学生たちの憧れの的。だからといって、テレビCMのイメージそのまま、組織の風通しもよく社員もまじめな働き者ばかりだと思ったら大間違いだ。むしろ大組織であるがゆえに融通が利かず保守反動に陥りがちだったりするし、社員も上にいけばいくほど権力を笠に着た俗物だったりする。

そんな、TVドラマじゃあるまいし、という人には、たとえば日本を代表する電機メーカーのひとつ、富士通の経営陣の抗争劇を紹介したい。二〇〇九年九月、それは取締役会による社長への突然の辞任要求に始まった。社長解任劇は翌一〇年、訴訟合戦という泥仕合へと発展するが、そこで多くの識者から指摘されているのが、企業ガバナンスの欠如ということ。

真相はどうあれ、端《はた》から見ても不審な点の多いトップの解任劇が企業のイメージを著しく損なったのは間違いのないところだろう。

もっとも、こと小説の題材となると、そうした企業スキャンダルほど面白いものはない。それも、バブルの時代からこのかた日本経済を揺るがせてきた銀行が舞台ともなれば、面白さもまた格別。

本書は二〇〇七年七月、幻冬舎より『占拠ダンス』というタイトルで書き下ろし刊行された著者の第二長篇である。

物語は一一月下旬の早朝、東京・神田神保町にある邦和信託銀行神田支店に始まる。ある社員が出社するが、彼は仕事をする代わりに何か別の行動のための準備にかかる。同日八時過ぎ、会社に着いた窓口兼総務課長の大友は出社した社員たちが中に入れずにいるのを見て驚く。表はもちろん裏の通用口もロックされたままなのだ。事態が次第に騒動と化していく中、銀行本部経営企画部の古賀は自席のパソコン画面に「占拠中」という文字が点滅しているのに気付く。その下には小さく「神田支店は本日、閉鎖されました」とあった。神田支店が対応に四苦八苦しているとき、本部にさらに電子メールで犯行声明ならぬストライキ宣言が届く。そこには成果主義を唱えて社員をこきつかい、数年前の金融危機では多大な損失を作りながらも知らんぷりを通してきた経営陣を鋭く批判する言葉が並んでいた。

やがて労働組合が騒ぎ出し、社員の一部に犯人のシンパまで登場するが、警察は民事不介入を主張。犯人からの第二信が届くに至って、専務の北尾は関係者一同を集め対策会議を開くが、埒《らち》は明かない。そんなとき、古賀のもとに一本の電話が入る。神田支店の向かいにある旧知の鞄&靴店の親父からで、店から犯人を確認出来るというのだ……。

ストーリーは明解。表題通り、何者かが銀行を占拠、籠城してしまうというものであるが、注目はまず、ただの銀行ではなく信託銀行であること。信託銀行とは一般の銀行業務に加え、信託業務を取り扱う金融機関をいう。信託業務とは客の委託により財産の管理や処分を行うこと、具体的には客の資金を手形割引や有価証券で運用する〝金銭信託〟を始め、客の資金を企業などに貸し付け運用収益を配当する〝貸付信託〟、企業や個人の年金基金を運用する〝年金信託〟、地主の業務を預って建物の建設や管理、運用を行う〝土地信託〟、証券会社に代行して証券投資を運用する〝証券投資信託〟などがある。本書の主人公のひとり、古賀の言葉を借りれば、「業務は互いに関係性が無いと言えるほど、多岐《たき》にわたる」、いわば「ゴッタ煮金融」。外から見てもいかにも複雑そうだし、現場の社員の苦労がしのばれよう。

前半はその現場社員残酷物語についに堪忍袋の緒が切れた犯人の正体探しが読みどころとなるが、ポイントは刑事犯罪者による占拠ではないので、警察が出てこないこと（最終的には出てくるけど）。しかも著者は、「黒縁君」という協調性に欠ける中途採用のＳＥの目を通して、この会社の危機管理がいかに杜撰《ずさん》かを浮き彫りにしてみせる。そのブラックなユーモアを漂わせた筆致からも、読者が自ずと犯人サイドに共感出来るよう仕組まれているわけだ。

ミステリー小説系で籠城／占拠ものといえば、犯罪がらみかテロがらみと相場は決まっている。当然ながら、犯人は武力で現場を制圧し、場合によっては警察との対決が始まる前から血なまぐさい出来事が起きたりもする。そのぶん虚々実々の駆け引きには緊迫感が張り詰め、強行突入なんかになればド派手な銃器アクションも繰り広げられることになる。それは何も、ミステリーの世界だけとは限らない。現実の犯罪、テロ系事件にはフィクションより凄惨な結末を見るケースも少なくない（ペルーの日本大使公邸占拠事件やモスクワで起きた劇場占拠事件などはその代表例だ）。それからすると、本書の事件はいかにも平和な国に相応しい、ぬるい占拠事件といえようが、それをぬるく感じさせないよう、著者は中盤から古賀とその同僚・太田たちを交えた同期社員の過去のドラマを織り込み、巧みに企業内悲劇にスライドさせていくのである。

六年前、三〇歳を前にした古賀たちは金融危機に日常的にさらされながらも、「わざと気づかぬ振りをして、オチャラケを演じていた」。だが新たな信用不安がもたらしたある出来事をきっかけに関係は破綻していた。占拠事件は彼らにその痛い過去を思い起こさせずにはおかないが、著者が巧《うま》いのはそうした青春ドラマを描くいっぽうで、管理体制の甘さが指摘されているこの銀行の隠蔽体質がそもそもその時点に端を発しているのもちゃんととらえていることだ。早い話が伏線の張りかたがお上手ということで、それは第四幕で明かされる真相へしっかりとつながっていく。そう、実は占拠犯は遠からず自分がつかまることはわかっていた。つかまれば今後の生活に支障をきたす可能性があることも承知していた。にもかかわらず実行に出たのには、レッキとした思惑があってのこと。そのモチベーションにこそ本書のキモがある。一見ぬるくて単純な籠城／占拠ものと思われたこの小説には、うるさがたのミステリーファンをうならせる仕掛けもちゃんと凝らされているのである。

むろん企業小説ファンなら、無能な経営陣がのさばり腐敗した会社の立て直しに中堅社員――中間管理職が奮闘する高杉良の『金融腐蝕列島』シリーズ等と重ね合わせて読まれる向きもあろうかと思う。

一億中流社会だったはずの日本が熾烈《しれつ》な格差社会、階級社会へと移行しつつある現状が一時盛んにクローズアップされた。むろん階層化が進みつつあるのは社会だけでなく、企業、会社組織においても同様だ。企業や会社の頂点を目指す出世競争では必然的に勝ち組と負け組が生じ、彼らの格差は年々拡大していくばかり。しかし、上層部が下層部をないがしろにしたらどうなるか。本書は階層社会の最たる例ともいえる銀行をモデルに、そうしたシステムの矛盾やトップの暴走がもたらす危険性をくっきりと浮き彫りにした警鐘小説でもある。

最後に著者のプロフィール紹介。

著者は一九六五年、兵庫県生まれ。大学を卒業後、金融機関に一五年間勤務し、金融危機も体験しているという。二〇〇三年、『エモーション・フラット』で第一二回新人シナリオコンクールの佳作となったのに続き、〇五年『時は静かに戦慄《わなな》く』で第六回ホラーサスペンス大賞特別賞を受賞（大賞は吉来駿作の『キタイ』）、小説家デビューを飾った。『時は静かに戦慄く』は京都を舞台に児童虐待から始まる連続無差別殺人事件の果てに恐るべき進化のヴィジョンを呈示して見せたSF系のホラサスス。その時点では受賞第一作が金融系サスペンスになるとは思わなかったが、もともと金融関係のスペシャリストなのだから、本書の路線のほうがむしろ本道というべきなのかもしれない。本書の後、三年ぶりに刊行された長篇第三作『本日の議題は誘拐』（朝日新聞出版）も企業のトップが誘拐される話、この路線での今後のブレイクに期待したい。

――コラムニスト

この作品は二〇〇七年七月小社より刊行された『占拠ダンス』を改題したものです。

# 銀《ぎん》行《こう》占《せん》拠《きょ》

## 木《もく》宮《みや》条《じょう》太《た》郎《ろう》

平成22年10月10日　初版発行

発行人――石原正康
編集人――永島賞二
発行所――株式会社幻冬舎
〒151-0051東京都渋谷区千駄ヶ谷4-9-7
電話　03(5411)6222(営業)
　　　03(5411)6211(編集)
振替00120-8-767643
印刷・製本―図書印刷株式会社
装丁者――高橋雅之



幻冬舎文庫

ISBN978-4-344-41559-1　C0193　も-13-1